D1236235

alias Thanatos

Sandra ALVES

alias Thanatos

Éditions de Noyelles

Éditions de Noyelles,
avec l'autorisation des Éditions Nouvelles Plumes

123, boulevard de Grenelle, Paris

ISBN : 978-2-298-12603-7

À Maxime, Margaux et Antoine
mes neveux adorés

1

Demain, je sors !

Demain, midi… je sors !

— Je sors ! se répéta-t-il à haute voix.

C'est dingue, je devrais être content. Pourquoi ne le suis-je pas ? N'importe qui de normalement constitué sauterait de joie. Mais je ne suis pas normalement constitué… N'importe qui ferait des plans sur la comète. Une personne saine d'esprit serait déjà en train de baver à l'idée de croquer dans une bonne pièce de viande rouge… Et moi… Et moi, je suis là… Je panique, je suffoque, je tremble, je pleure même, à l'idée de sortir. Moi qui n'ai pas pleuré depuis plus de seize ans, voilà que je pleure comme un gamin. C'est fou quand même. Ça fait des années que j'attends ça et là… je flippe ! Je flippe autant que le jour où on m'a collé dans ce trou à rat…

Qu'est-ce qui m'y attend, dehors ?

Rien ! Rien… et personne ! Ma famille m'a conchié et mes amis m'ont jeté.

Comment leur en vouloir… J'ai moi-même voulu me jeter, pensa-t-il, caressant, les cicatrices à ses poignets.

La lune était pleine. Sa lumière diffuse s'immisçait par la fenêtre dont les larges barreaux zébraient la petite cellule de la maison centrale d'Ensisheim. Le canon des ronflements de ses codétenus bondissait sur les épaisses parois grisées, créant un concerto « pharyngique » des plus détonants. Jeff ne parvenait pas à trouver le sommeil. Recroquevillé dans son lit métallique dont les grincements apportaient à l'opéra nasal le soprano crissant d'un soliste désenchanté, il tournait, se retournait et tentait vainement de se détourner de ses angoisses.

Il lui fallut attendre cinq heures du matin pour qu'enfin Morphée se décide à l'enlacer. Ça faisait bien longtemps que ses rêves ne l'emmenaient plus nulle part, comme si, au fil du temps, son inconscient s'était allié à la justice des hommes, cantonnant ses pensées aux enceintes de cette prison. Une sorte de double peine. Condamné à être corps et âme… prisonnier.

2

★ ★ ★

Vendredi 25 avril
Paris, 16h38

Un journal ! Moi ! Quelle ironie !
Si l'on m'avait dit qu'un jour je me plierais à cette étrange discipline, je ne l'aurais sans doute pas cru.
Je me suis souvent demandé ce qui poussait les gens à écrire un journal.
Que l'on ressente le besoin de se libérer de ses petits secrets m'est tout à fait compréhensible. Ce que je ne comprends pas, c'est pourquoi le faire de la sorte. Pourquoi mettre noir sur blanc ce que l'on veut cacher au monde ?
Absurde ! Je trouve ça absurde !
Ça me rappelle le jour où je suis tombé (totalement par hasard bien évidemment) sur le journal de ma grande sœur adorée. Piqué par la curiosité, je n'avais pu m'empêcher de le feuilleter. J'en commençais à peine la lecture que ma sœurette est entrée dans la chambre… Oups !
Effarée, elle m'a arraché le manuscrit des mains. Je me suis alors pris le soufflon de ma vie, ou en tout cas, de ma vie de petit frère. J'ai aussi vu dans ses adorables grands yeux verts ce qu'aujourd'hui j'analyse comme une effroyable peur. Qu'aurais-je pu découvrir de si terrible dans ce petit carnet rose ? m'étais-je alors demandé. Elle s'est, ensuite, mise à gesticuler en me traitant de « petit con », j'en passe et des meilleures. Cela m'a profondément choqué. Non que je ne sois pas d'accord avec le « petit » et le « con », c'est juste que ma

sœur était de nature douce et réservée. Jamais elle n'avait eu un mot plus haut que l'autre à mon égard. Elle avait 14 ans, j'en avais 11, j'étais le petit frère qu'elle chérissait et adorait plus que tout au monde. Vous comprendrez donc aisément que la voir me fusiller ainsi de son superbe regard émeraude, en m'insultant de tous les noms, m'avait pour le moins... offusqué. Je m'en suis terriblement voulu et me suis promis de ne plus jamais me laisser aller à la tentation. Promesse que j'ai tenue sans trop de difficulté puisque ma bienveillante sœurette ne m'a, dès lors, plus jamais donné l'occasion de mettre ma curiosité à l'épreuve.

Bref! Revenons-en à ce journal. Celui qui nous intéresse, celui que j'entame, ici avec vous, en parlant de ma tendre enfance.

Je vous avouais donc ne pas comprendre ce qui pousse les gens à s'épancher de la sorte. Pourquoi rédiger s'il ne faut surtout pas être lu? Pourquoi parler pour ne pas être entendu? Tant d'affronts à mon esprit cartésien... Je suppose que le fait d'étaler, d'accoucher, de vomir ses états d'âme procure aux gens une certaine délivrance. Comme si le réceptacle papier pouvait adoucir leurs peines, accueillant sans jugement leurs fautes inavouées.

Peut-être est-ce le pardon qu'ils recherchent? Car comme dit l'adage: Faute avouée, à moitié pardonnée. Mais alors, que font-ils de l'autre moitié? Parviennent-ils à l'enterrer, l'enfouir, la refouler au plus profond de leur esprit? Je ne pense pas en être capable, moi. Non, je ne m'en sens pas capable!

À moins que ne ce soit pour, au contraire, ne jamais oublier. Faisant office de pense-bête secret des hontes indicibles que cache leur côté obscur. Mais là encore... Je ne comprends pas... Pensez-vous réellement que nous puissions les oublier, toutes ces pensées, toutes ces fautes inavouables. Et quand bien même? Car, si par miracle une amnésie libératrice s'emparait de nous... expliquez-moi pourquoi... mais pourquoi voudrions-nous alors nous en souvenir?... Masochisme?... Non, je ne comprends pas!

L'ami, peut-être ? Envisager le journal comme un compagnon fidèle, un ami irréprochable qui jamais ne nous contredira, laissant ainsi notre mauvaise foi s'épanouir sans aucune résistance au sein même de notre matrice spirituelle, infléchissant sans fard notre intelligence et notre compréhension de la vie.
Recherchent-ils un ami qui jamais ne les jugera, apaisant ainsi leur conscience meurtrie par la honte cinglante que leur procurent leurs fantasmes, leurs envies, leur jalousie, ou tout simplement leur égoïsme ?
Ou alors et plus simplement, sont-ils trop fatigués, trop blessés, trop faibles pour assumer la charge imposante de leurs actes, pour ne pas dire de leur être ? Comme dévorés par une culpabilité assassine, ils se soulagent de ce poids en délestant leurs turpitudes sur une feuille immaculée.
Je ne sais pas ! Non, je ne saisis toujours pas !
Alors pourquoi, me direz-vous ? Pourquoi ai-je décidé de me lancer dans cet exercice ? Exercice que je m'engage, devant vous, à tenir jusqu'au bout. Bout de quoi, d'ailleurs ?... L'avenir nous le dira. Mais jusqu'au bout, pour sûr !
Je me lance donc dans cette rédaction pour toutes les raisons énoncées plus haut. Enfin pas exactement, plutôt en réponse à ce que j'ai énoncé plus haut.
Laissez-moi vous expliquer :
Premièrement, ce que je sais, c'est que ce journal sera lu. Non par un tiers, mais par des tiers ! Enfin je l'espère. Ne croyez pas que ce soit mon ego démesuré qui veuille cela. Non, juste ma foi en la justice... humaine, à défaut de croire en l'autre. Cette justice existe parce qu'elle ne se ment pas. C'est parce qu'elle ne nous ment pas ! Ne soyons pas dupes ! Qu'est-ce que la justice humaine si ce n'est une façon dite civilisée d'assouvir notre soif de vengeance. Nous cachons derrière des mots que nous avons décidé d'anoblir nos abominables pulsions, de façon à les rendre acceptables vu que nous nous savons incapables de les combattre. Alors oui, parce que j'ai confiance en ce qu'est l'être humain, à savoir un être égocentré, je sais que ce journal sera lu et sans doute même relu.

Ce que je sais encore, c'est que ce journal n'amoindrira pas, ne banalisera pas, et enfin n'excusera en rien mes actes. Il se contentera de les révéler, de les exposer et tentera peut-être de les expliquer. Mais certainement pas de les excuser. Car je ne recherche pas, ici, le pardon.
Ce journal ne sera ni mon ami ni mon confident et encore moins mon avocat. Juste un support matériel ayant pour but de répertorier, un à un, les faits de la façon la plus réaliste possible.
Et enfin pour conclure, ce journal n'aura jamais à rappeler à mon bon souvenir ce que sont mes plus sombres turpitudes car celles-ci sont indélébiles, marquées au fer rouge au plus profond de mon être. J'assume et assumerai mes actes. Je ne me les pardonnerai sans doute pas puisque tiraillé entre bonne conscience sociale et besoins primordiaux.
Soit ! Pour la rédemption, j'aviserai le moment venu mais en aucun cas je ne fuirai mes responsabilités. J'ai pleinement conscience de ce que je suis, et je sais parfaitement pourquoi je le suis.

** **

3

Il était près de quinze heures lorsque Judith poussa la porte du *Soleil d'Or*. La grande brasserie de l'île de la Cité se vidait petit à petit de ses clients du midi qui, pressés par le temps, abandonnaient nonchalamment leurs tasses à café sur les nappes de coton blanc maculé. Elle aperçut son commissaire divisionnaire, Jean-Pierre Berta, attablé près de la verrière devant un café crème encore fumant.

— Judith, sourit le quinquagénaire. Toujours pile à l'heure.

— Salut Jean-Pierre !

— Installe-toi !

— Merci, fit-elle en prenant place.

— Alors ? Raconte-moi. Comment vas-tu ?

— Eh bien, je ne sais pas. Comment veux-tu que j'aille ?

— T'as bonne mine en tout cas, lui sourit-il.

— Bonne mine ? riposta-t-elle. C'est un minimum, non ? Trois mois d'arrêt pour une bonne mine, c'est quand même cher payé !

— Trois mois ?… n'exagérons rien. Comment va Sarah ?

— Bien ! Elle semble être bien plus forte que je ne le pensais.

— Elle a de qui tenir, cette petite.

— Elle n'est plus si petite que ça, tu sais ! lui fit-elle remarquer.

— C'est que ça pousse vite, ces petites choses. Enfin…

L'un des serveurs les interrompit et prit la commande de Judith qui se contenta d'un simple expresso.

— Alors, comment se passe cette psychanalyse, c'est comme ça qu'on dit, non ? reprit Jean-Pierre une fois le serveur reparti.

— C'est à toi que je le demande. Que te raconte mon psy ?

— Voyons, Judith... et le secret professionnel ? taquina-t-il.

— Le secret professionnel ? Cette psychanalyse m'est imposée par ton bon vouloir, Jean-Pierre ! Enfin, passons. Eh bien pour être franche, je ne suis pas au mieux comme tu dois le savoir ou tout du moins t'en douter. D'ailleurs si c'est pour ma réintégration que je suis là, tu perds ton temps.

— Pourquoi ? s'étonna le commissaire.

— Pourquoi ?... Mais tu te moques de moi ?... Jean-Pierre, t'envisages réellement de me remettre une arme entre les mains ?

— Tu as les meilleures stats du service, tes tests de tir sont impeccables, et je connais peu de personnes capables de gérer une équipe comme toi. Alors oui ! De mon côté, il n'y a aucun problème.

— Eh bien, du mien, il y en a un, s'énerva-t-elle. Mais bon sang, j'ai tiré à bout portant sur ma collègue et amie de surcroît... La seule chose que je mérite, c'est d'être enfermée. Je suis un danger public et toi... Toi, tu me harcèles pour que je reprenne du service. T'as pas l'impression qu'y a un souci, là ? Y a que moi qui... Mais... C'est dingue ça...

— Y a que toi qui quoi, Judith ? Tu te sens responsable... coupable ? Tu as bien raison de l'être, tu as fait une belle connerie. Mais quoi ? Tu vas foutre en l'air le peu de choses qu'il te reste... Je t'offre une chance de reprendre ta vie en main, ajouta-t-il en la fixant de son regard hirsute. Ce qui est fait est fait, Judith ! Et tu n'y changeras rien. Alors quoi ? Tu vas continuer à te pourrir...

— ... Oui ! Exactement ! C'est ça, oui ! s'emporta-t-elle. Je vais me pourrir, vu que personne ne semble vouloir le faire ! Tu t'es organisé pour que je ne sois en rien inquiétée de mes actes. Pire, tu les as fait porter à d'autres ! Tu trouves ça loyal et honnête, peut-être ? Comment veux-tu que je me regarde dans une glace après ça ?

— Je les ai fait porter par un flic pourri qui méritait un traitement bien plus corsé. C'est une fleur que je lui ai fait, Judith.

— Pff! Une fleur… s'exaspéra-t-elle touillant nerveusement le café que venait de lui déposer discrètement le serveur. Moi, c'est un bouquet que tu m'as offert, dans ce cas.

— De roses, oui, railla-t-il.

— Jean-Pierre, n'en rajoute pas, s'il te plaît !

Ils restèrent, là, un court instant. Jean-Pierre fixait son commandant sans que celle-ci daigne quitter du regard le café qu'elle touillait frénétiquement.

— Écoute, tu ne parviendras sans doute pas à te pardonner ce moment d'égarement…

— … Moment d'égarement ? se récria-t-elle.

— Soit ! Mais tu as été touchée en plein cœur, Judith. Et Dieu seul sait quelle aurait été ma réaction à ta place. Personne ne te juge…

— … C'est bien le problème, Jean-Pierre. Personne ne me juge !

— Mais bon sang, Judith, tu es ton pire ennemi. Cesse donc de te regarder le nombril. Des gens dépendent de toi. Alors quoi ? Tu vas te laisser bouffer par la culpabilité et foutre le reste de ta vie en l'air ? Et par là même celle de ton entourage. Tout ça à cause du pourri qui a tué le père de ta fille… Tu lui rends un bien bel hommage à cet enfoiré. Réagis, bon sang ! Il est plus que temps, là !

— Réagir ? La dernière fois que je l'ai fait, voilà où ça m'a menée !… Mais put… Pourquoi fais-tu ça, Jean-Pierre ?

— Mais bon sang, comment crois-tu que je me sente, moi ?… Le grand commissaire divisionnaire Jean-Pierre Berta, celui qui a hébergé au sein de son équipe un incapable reconnu, doublé d'un assassin. Je me sens tout aussi responsable que toi. Si j'avais ouvert les yeux, rien de tout ça ne se serait passé, et ton mari serait sans doute encore de ce monde. Alors tu te demandes pourquoi je fais ça ? Mais c'est le minimum que je puisse faire. La seule à avoir eu, passe-moi l'expression, des couilles dans cette affaire, c'est ton amie et collègue comme tu dis. Alors rends-lui hommage… Et rends-moi service par la même occasion, ne me laisse pas assister à ta déchéance, j'ai déjà perdu bien trop d'agents dans cette histoire. Je refuse de te voir sombrer.

— Pff ! J'ai déjà touché le fond…

— … Alors remonte ! Pense à Sarah…

— … Sarah ? Quoi, Sarah ? vociféra-t-elle soudain. Tu vois ce que je lui fais vivre, à ma fille ! Son père, puis Magalie, la seule qui ait réellement été là pour elle quand… Je sais même pas comment elle fait pour ne pas me cracher…

— … Arrête ça ! Ta fille t'adore, bordel ! C'est de te voir comme ça qui la détruit ! Tu ne peux pas continuer à te rendre responsable de tout, Judith ! Sarah sait faire la part des choses. Prends exemple sur elle… Dans toute ma carrière, je n'ai rencontré qu'une poignée de flics comme toi… Que tu le veuilles ou non, c'est en toi, lança-t-il avant de plonger la main dans sa veste. Tu manques à tes coéquipiers, Judith. Voilà ton insigne, fais-en ce que tu veux. J'ai, jusqu'à présent, refusé toute tes lettres de démission, mais il est clair que je ne peux pas te forcer la main… Si tu penses être plus utile ailleurs, alors… Fais ce que tu veux !

Judith fixait nerveusement l'insigne trônant au milieu de la table. Attendant une réaction qui ne vint pas, c'est après une bonne minute que Jean-Pierre rompit le silence.

— Lundi, tu viens bosser, ou tu me rends ce badge. Et même si je suis persuadé de faire une belle connerie, cette fois-ci, je l'accepterai, lança-t-il avant de se lever. Maintenant, il faut que j'y aille, j'ai rendez-vous au parquet, et je suis déjà bien en retard.

Il se leva et reboutonna sa veste avant de poser la main sur l'épaule de sa collègue en témoignage de son amitié.

— Profite bien de ton week-end Judith, et reviens nous... S'il te plaît.

Sans attendre de réponse, il s'éloigna, laissant son commandant au bord des larmes.

4

* * *

Lundi 5 mai
6 h 47

Je pense qu'aujourd'hui sera une belle journée. Enfin par belle, j'entends ensoleillée.
Je vais sans doute avoir du mal à trouver le sommeil. Je suis pourtant terriblement fatigué, mais je sens que je vais avoir du mal à m'endormir.
Je me sens bizarre. Empli par le doute. J'ai aussi un peu envie de vomir. J'ai pourtant eu tout le temps nécessaire pour réfléchir à tout ça, et je sais que je n'ai d'autre issue que celle-ci. Mais là, tout de suite, je doute !
Je pourrais tout arrêter. Il n'est sans doute pas trop tard. Finir avant même d'avoir réellement commencé.
Ce serait me dégonfler… Oui et alors, je ne suis pas connu pour être d'une fierté maladive, ce n'est donc pas ça qui m'en empêcherait. Y a que les cons qui ne changent pas d'avis, comme dit l'autre.
Non, la seule chose qui puisse m'en empêcher, c'est ma conviction. Celle de savoir au plus profond de moi que c'est la seule, l'unique solution. Il faut que je retrouve cette conviction car c'est elle qui me donnera le courage de finir la lourde tâche que j'ai entreprise.
Cesse donc un peu de te plaindre, idiot ! Va de l'avant, c'est là que tu trouveras ton salut !

* * *

En cette matinée du mois de mai, le soleil déjà bien haut offrait toutes les promesses d'un après-midi estival. En passant la grande porte cochère du 36 quai des Orfèvres, Judith se fit plus que discrète, cherchant à éviter toutes les mondanités inquisitrices qu'allait susciter son retour au turbin. C'est donc sans se faire remarquer qu'elle parvint à se frayer un chemin jusqu'à l'ascenseur, dans lequel elle sauta promptement alors que les portes se refermaient. Une fois au troisième étage, elle salua le jeune agent en poste à la permanence et, sans s'éterniser, prit la direction du 304.

Judith savait le bureau désert. Elle avait reçu, plus tôt, un message de Jean-Pierre lui disant de rejoindre le groupe sur les quais à hauteur du boulevard Henri-IV. Arrivant face à la porte, elle s'étonna de voir que la plaque sur laquelle était gravé «304» ne tenait plus que par l'opération du Saint-Esprit et menaçait de tomber à tout instant. Elle tenta dans un premier temps de la refixer en pratiquant de petites poussées bien pensées qu'elle réitéra encore et encore. Mais voyant que ses efforts étaient vains, elle opta pour la manière forte. Et alors qu'elle écrasait âprement son poing sur le panonceau, le pêne de la porte céda, la libérant brutalement de son entrave. Judith manqua perdre l'équilibre et se rattrapa in extremis au chambranle pendant que la porte allait finir sa course dans le mur. S'ensuivit le petit cliquetis significatif de la plaque s'écrasant sur le parquet, qui eut le mérite de dessiner un léger sourire sur les lèvres de la quadragénaire.

Abdiquant, elle se baissa, ramassa la lamelle qui gisait au sol et referma délicatement la porte derrière elle.

Arrosé par le soleil transperçant ses grandes fenêtres, le bureau baignait dans une vague de lumière aveuglante. Seule, dans cette grande pièce chargée de souvenirs qui étrangement lui semblaient appartenir à une autre vie, elle s'avança à pas de chat, craignant de réveiller les vieux démons. Mais rien n'y fit. Lorsqu'elle aperçut le bureau de Magalie tristement rangé, la charge émotionnelle lui perfora le cœur. Figée, le souffle court, il lui fallut quelques secondes pour parvenir à retrouver ses esprits. Alors, résignée et laissant la lumière la submerger, elle s'avança jusqu'à son bureau où rien n'avait bougé. Le portrait de Sarah se trouvait toujours à droite de l'écran, son mug à stylo « I Love New York » était toujours ébréché, et son agrafeuse crocodile toujours aussi... moche ! Même le cactus que lui avait offert Luc semblait ne pas avoir souffert de son absence. À la différence des dossiers qui gisaient habituellement au coin de la table, tout était là, comme si rien ne s'était passé... Tout était là, parfaitement et silencieusement à sa place.

Le square Henri-Galli, situé dans le quatrième arrondissement, au croisement du boulevard Henri-IV et du quai des Célestins, n'avait pas pour coutume d'accueillir tant de public de si bon matin. Et pour cause, il devait être près de 6 h 30 quand le jardinier de la mairie de Paris, qui comme à son habitude venait arroser la pelouse et prendre soin des bancs de fleurs, fit une bien macabre découverte. Au pied de ce qu'il restait de la tour de la Liberté de notre dépecée Bastille, gisait le corps d'une petite fille qui devait à peine avoir atteint l'âge de raison. La fillette avait été délicatement allongée à côté de l'épaisse roche blanche que l'érosion et les pots d'échappement avaient grisée au fil du temps. Ses petits bras frêles étaient croisés sur son torse, dissimulant d'un trait sa jeune poitrine. Elle semblait endormie tant son visage était paisible. Seul le teint bleuté de sa peau, qui rendait au coton de sa petite culotte son blanc d'origine, ne laissait guère de place au doute.

Le fonctionnaire quadragénaire resta là, figé, incrédule, contemplant cette toile champêtre où se mêlait calme, volupté... et terrifiante réalité.

Il fallut un cri pour le sortir de sa torpeur. Le cri strident d'une passante qui, intriguée par le comportement stoïque du jardinier, aperçut le corps de l'enfant.

Il était à présent près de 8 h 45. Berta arriva aux abords du square et aperçut son lieutenant, Fabrice Chapuis, s'entretenant avec le procureur chargé de l'affaire. Son regard s'empressa de balayer le square, espérant y croiser celui de Judith… En vain.

— Bonjour Fabrice ! Madame le Procureur, s'inclina Jean-Pierre.

— Monsieur le Divisionnaire, répondit la jeune femme en se retournant.

— Bonjour Commissaire, salua Fabrice à son tour.

— Comment ça se présente ? s'enquit Berta.

— Plutôt mal, pour tout vous avouer. J'ai joint le parquet afin d'ouvrir une information au plus vite. On attend l'appel du juge d'instruction, je ne sais… Ah ! Veuillez m'excuser, s'interrompit-elle en sentant son téléphone vibrer dans sa poche.

La jeune procureur s'écarta, laissant Jean-Pierre Berta et Fabrice en tête-à-tête.

— Des nouvelles de Judith ? s'informa le divisionnaire.

— Non aucune, j'ai essayé de la joindre à plusieurs reprises, je lui ai laissé trois messages. Mais toujours rien ! se dépita le lieutenant.

— Bon… Peut-être a-t-elle eu un empêchement de dernière minute.

— Sans vouloir être pessimiste et encore moins tirer des conclusions hâtives, j'en doute fort, monsieur. Judith est du genre ponctuel et si jamais, elle prévient avant même d'être en retard.

— Je sais bien ! Mais comme dit le proverbe : pas de nouvelles, bonnes nouvelles.

— Oui, enfin en attendant et pour être honnête, l'affaire me semble bien trop lourde pour mes petites épaules, surtout que nous sommes clairement en sous-effectif. Le groupe a perdu son chef et son second… Comprenez-moi bien, je ne suis pas contre les responsabilités et encore moins contre une promotion. Mais là…

— Tu te sous-estimes, mon gaillard. Judith m'a toujours dit le plus grand bien de toi, ainsi que du reste du groupe d'ailleurs. Sont-ils arrivés ?

— Oui. Marion est avec le jardinier, Valérie calme la passante, Yann est sur les scellés avec les gars de l'identité et pour finir, Pierre s'occupe du voisinage avec les bleus.

— Tout est sous contrôle, alors ? constata-t-il.

— « Sous contrôle » n'est pas le terme. J'emploierais plutôt « canalisé »... Pour le moment, en tout cas.

— Ça se présente mal à ce point ? s'étonna Berta face aux précautions non dissimulées de son lieutenant.

— Je vous laisse en juger par vous-même. Suivez-moi !

Judith, vissée à sa chaise, le regard flottant, faisait tournoyer son stylo autour du pouce encore et encore jusqu'à ce que la plume finisse par lui échapper, s'envolant pour finir sa trajectoire sur le clavier de l'ordinateur. Elle bascula sur sa chaise et, alors que ses yeux balayaient nonchalamment la pièce, elle dégrafa son badge de la ceinture, et se mit à le contempler. D'un geste délicat, elle le caressa avant de le placer dans l'alignement parfait de sa lettre de démission et du panonceau « 304 ». Comme elle relevait la tête, son regard se heurta au portrait de sa fille. L'adolescente y arborait l'éclatant sourire hérité de son père. Désormais convaincue, Judith reprit le stylo et apposa méticuleusement sa signature au bas du courrier. S'ensuivit un long moment où, figée, elle resta là, immobile, fixant ce qui allait définitivement mettre un terme à sa carrière de fonctionnaire. Ses réflexions reprirent de plus belles, tourbillonnant furieusement dans sa tête, mais une fois de plus le bien-fondé de sa décision lui paraissait évident. Elle se leva, replaça soigneusement le siège, récupéra le portrait de sa fille et prit le chemin de la porte. Elle laissa glisser une dernière fois ses doigts sur le bureau de son amie Magalie avant de sortir sans se retourner, des larmes plein les yeux.

Le vestige monarchique, assis discrètement dans le coin sud du jardin, n'était pas bien haut, deux mètres au plus. Voilà tout ce qu'il restait de l'imposante forteresse que fut la Bastille. C'est en 1899, lors de la construction de la première ligne du métro parisien, que ces quelques blocs de pierre qui constituaient la base de la tour de la Liberté furent retrouvés enfouis au seuil de la rue Saint-Antoine. Dans un souci de conservation archéologique, ils furent alors déplacés et remontés dans le petit square Henri-Galli... promesse d'une vie plus calme à l'ombre des platanes. Mais c'était sans compter sur la providence, car lorsque l'heure de l'école buissonnière sonnait et que la horde de garnements déchaînés enfin lâchée dans la nature et bien décidés à faire valoir leur liberté venait à prendre d'assaut la ruine, on entendait sans mal ces vieilles pierres crisser sous le poids, regrettant sans doute un certain mois de juillet, tant ces charges enfantines pouvaient être exaltées.

— Bonjour Franck, lança sèchement le divisionnaire, ne parvenant pas à cacher son indignation à la vue du corps de la fillette.

— Jean-Pierre, répliqua l'autre sans même relever la tête.

— Faut-il vraiment l'exhiber comme ça ? Ne pouvons-nous pas la recouvrir ?

— Je n'ai pas fini, Jean-Pierre, répondit Franck, surpris. Et tu comprendras bien, vu la situation, que je ne peux pas planter de tente. On a tendu un drap, les passants ne la voient pas. Je ne peux rien faire de plus.

Franck était proche de la soixantaine, un peu rondelet, de taille moyenne tirant plutôt vers le bas. Son visage était lunaire et son crâne très légèrement dégarni. Sa bouche était habillée d'une fine moustache grise soigneusement taillée et son petit nez en trompette surmonté de fines lunettes cerclées or qui tapotaient ses joues lorsqu'il s'aventurait à sourire. Son allure lui offrait une bonhomie naturelle qui tranchait radicalement avec son occupation principale, à savoir son métier de médecin légiste.

— Bien sûr. Excuse-moi, c'est juste que… Cette petite est presque nue, dit-il un peu gêné.

— Je ne peux pas aller plus vite que la musique. Mais rassure-toi, je n'en ai plus pour très longtemps, ajouta-t-il tout en s'appliquant à la tâche.

Fabrice dévisageait son divisionnaire. Il ne l'avait jamais vu si troublé. Berta avait pour réputation d'être un roc imperturbable.

— Avec l'âge on s'endurcit, Jean-Pierre… Mais toi, tu ne peux rien faire comme les autres, sourit Franck en se relevant. Mon garçon, aidez-moi à placer le corps dans le sac mortuaire, finit-il par lancer à son assistant qui s'exécuta volontiers.

— En revanche, ton cynisme ne cesse de croître, très cher, le taquina Berta à son tour. Bien ! Que peux-tu nous apprendre ? s'enquit-il, observant les deux hommes reposer délicatement la fillette dans la housse mortuaire de vinyle noir.

— Pas grand-chose. Elle doit être âgée de six-sept, huit ans tout au plus. La bonne nouvelle, c'est qu'elle ne semble pas avoir souffert en mourant.

— C'est toujours ça de pris ! se rassura le divisionnaire.

— « En mourant » ? s'étonna Fabrice.

— Effectivement en mourant, car cette petite fille présente des marques patentes de maltraitances physiques. Cela aurait été trop beau, n'est-ce pas ?

— Qu'entends-tu par maltraitances physiques ? demanda Jean-Pierre dont la voix grondante trahissait une colère sous-jacente.

— Faut que je te fasse un dessin ?

— Violée ? intervint le jeune lieutenant.

— Ça, je ne sais pas. L'autopsie nous l'apprendra.

— A-t-elle été tuée ici ? poursuivit Fabrice.

— Non ! Et c'est là une certitude, affirma Franck, se dégantant avant de remonter ses lunettes sur l'arête de son nez.

— L'heure de la mort ? reprit Jean-Pierre.

— Aucune idée ! Et je ne pourrai sans doute pas vous apporter de réponse, car le corps a vraisemblablement été lavé et traité.

L'étonnement se fit palpable sur le visage de ses deux auditeurs.

— Mais…

— … J'entends par traité qu'il a subi une thanatopraxie. En d'autres termes pour les profanes, cette fillette a été embaumée.

— Tu plaisantes, grommela Berta.

— Cynique, je te l'accorde, mais l'humour n'a jamais été mon fort, Jean-Pierre ! Notre homme semble avoir plus que de simples notions car le travail est des plus corrects. Ça vous donne une belle piste à exploiter.

— Mais… Vous voulez dire qu'elle… Enfin, mais comment ? réalisa enfin Fabrice.

— Comme il se doit ! Ni plus ni moins.

— Peux-tu au moins nous dire de quoi elle est morte ?

— Eh bien ça non plus, Jean-Pierre, je ne peux pas ! Je peux te dire de quoi elle n'est pas morte, mais c'est tout ce que je peux faire. Comprenez-moi, le corps est en parfait état, pas d'hématome récent, pas de plaie visible, pas de marques défensives, les yeux ne sont pas injectés de sang, et pour la toxicologie, vu qu'il n'y a sans doute plus une goutte de sang dans le corps, eh bien, comment voulez-vous ? L'autopsie révèlera peut-être quelque chose mais permettez-moi d'en douter, car à part les points d'exsanguination… Je ne vois rien !

— Et bien sûr pas d'identité, s'agaça Fabrice, crayonnant nerveusement son carnet à spirale. Comprenez-vous ce à quoi je faisais allusion quand je disais ne pas être sûr de vouloir être chef de groupe sur cette affaire, monsieur le Divisionnaire ?

5

Judith était confortablement installée au fond de son canapé, lisant pour la énième fois *Germinal* lorsque la sonnette retentit. Pensant que Sarah avait encore oublié ses clefs, elle se leva nonchalamment avant de lancer un « j'arrive » tout aussi léthargique. Mais elle n'eut pas le temps de le ponctuer, que des coups violents résonnèrent, faisant trembler la porte. Elle l'ouvrit violemment, irritée par le comportement de l'adolescente.

— C'est quoi ces maniè… Magalie ? Mais…

— … Sarah est là ? vociféra la jeune femme.

— Euh… Non… En fait je pense…

— … Ça tombe très bien ! lança sèchement sa collègue avant de la bousculer pour entrer.

— Mais… Qu'est-ce que tu fais là ? C'est pas sérieux, tu ne devrais pas sortir…

— … En plus de ne pas être sérieux, c'est plutôt douloureux, alors épargne-moi ta morale à deux balles, Jude ! grommela Magalie en s'engouffrant dans le salon.

Ne comprenant pas l'agacement de son amie, Judith referma délicatement la porte avant de la rejoindre dans le séjour. Elle la trouva plantée au beau milieu de la pièce, droite comme un I, le bras gauche en écharpe, le visage tiré de douleur, armée de son regard furibond.

— Zola ! railla Magalie, jetant un regard au livre ouvert sur la table basse. Décidément, entre ça et Balzac, t'as de vrais kifs dans la vie ! Tu vas bientôt pouvoir me les réciter à force de les lire et de les relire.

— Ça n'a pas l'air d'aller, Magalie ? s'enquit Judith qui, récupérant l'ouvrage, prit soin de marquer la page avant de le refermer. Tu m'expliques ?

— C'est plutôt à toi que je demande des explications. C'est quoi ces conneries ?

— Mais de qu...

— ... Oh ça va ! Ne me la joue pas : « Je ne vois pas de quoi tu parles ».

— Écoute Magalie, je...

— ... Mais putain, tu me gonfles avec tes Magalie, s'envola-t-elle soudain. C'est moi, bordel ! Mage ! Tu te rappelles ? Ça fait plus de deux mois que je ne t'ai pas entendu le dire. C'est quoi ton problème ?

— Pourquoi cries-tu ? balbutia Judith.

— Pour te réveiller, putain, finit-elle par hurler.

Ne parvenant pas à soutenir le regard fébrile de sa collègue, Judith baissa la tête et se figea. Espérant une réaction, Magalie patienta un court instant mais voyant son amie les yeux embrumés, elle s'avança et, décidée, dégaina un Glock qu'elle lui colla sur l'épaule.

— L'épaule ou le genou ? À choisir... Tu préfères manchot ou cul-de-jatte ?

— Mais... ? Où as-tu trouvé cette arme ? s'ahurit Judith.

— On s'en fout, putain ! C'est pas la question ! Alors ? Manchot ou cul-de-jatte ? À moins que tu préfères que je choisisse ?

— Mais ?...

— ... Mais, mais, mais quoi, Jude ? Je ne vois plus que ça comme solution : je t'en colle une, comme ça on est quittes, non ? Un partout, balle au centre. C'est le cas de le dire ! ironisa-t-elle. Et puis comme ça... t'arrêteras peut-être de m'emmerder avec tes Magalie, tes yeux larmoyants et tes regards fuyants ?

— Je suis déso...

— Très bien. Ce sera le genou alors !

— Magalie, je...

— Mage, bordel ! reprit-elle de plus belle, lui agitant le neuf millimètres sous le nez. Toi être Jude. Moi être

Mage ! Je te jure que j'en peux plus ! Je ne supporte plus tes larmes au bord des yeux à chaque fois que j'ai le malheur de grimacer. J'en ai ma claque ! Tu comprends ça ? Ma claque ! Mais réagis, putain de bordel de merde !

— Je... Je ne peux pas, se mit-elle à sangloter.

— Ah non, non, non ! Non, tu ne vas pas te remettre à chialer !... Tu ne peux pas, quoi ? Vivre ? Sourire ? Boire ? Manger ? Baiser ? Qu'est-ce que tu ne peux pas, Judith ?

— Mais bon sang, Magalie, j'ai failli te tuer, s'écria-t-elle enfin. C'est dingue, ça ! Il n'y a donc que moi qui trouve ça inacceptable ?

— Failli ! C'est le seul mot à retenir dans ta foutue phrase. Tu as failli ! Failli qui vient du latin « faillirum » qui veut dire « moi pas être morte ». Ouh ouh, je suis là, devant toi, bien vivante... Bien plus que toi, ai-je envie d'ajouter !

— Un coma de quatre semaines plus tard ! Comment veux-tu ? Bon sang, mais comment voulez-vous ? se désespéra-t-elle en se noyant dans ses sanglots.

— Gnin gnin gnin ! Grrr... Tu m'énerves. J'ai une folle envie de te bananer la tronche que t'aies enfin une vraie raison de pleurer, sale égoïste que tu es !... Et moi ? T'y as pensé, à moi ?

— Je ne fais que ça, penser... À toi, à Sarah, à Jacques... bon sang Magalie...

— ... Mage bordel, moi c'est Mage, tu vas te le foutre dans ton putain de crâne, oui ?...

— Ok, ok... Mage !

— Tu me fais bien marrer ! T'y penses. Laisse-moi te dire que tu penses de travers, alors ! Tu t'es demandé ce que Sarah ressentait, ce que JE ressentais en te voyant te transformer en... en un légume atrophié... et ce en grande partie par ma faute ? Parce que oui, figure-toi que moi aussi je me sens un chouille responsable, vois-tu ! On a tous notre...

— ... Oh non ! C'est bon, Maga... Mage, ne me la joue pas Jean-Pierre...

— ... Non, c'est pas bon ! Si j'avais fermé ma grande gueule, rien de tout ça ne se serait passé. Si je n'avais pas posé cette saloperie de flingue sur ce putain de bureau, jamais ça ne se serait passé. Si je t'avais…

— … Arrête…

— … Laisse-moi finir ! Et comme si tout ça ne suffisait pas, je n'ai rien trouvé de mieux que de t'empêcher de te faire justice en m'interposant et en prenant la balle qui était destinée à ce bâtard. Ce qui, tu en conviendras, nous amène ici et à cette situation de merde. Du grand Magalie Binet, en somme ! On a tous notre part de responsabilité dans ce fiasco, Jude. Tous !

— Je ne t'écoute plus, se détourna Judith, mais Magalie se plaça face à elle.

— Non, tu ne vas pas te défiler. Pas aujourd'hui, Judith ! Cette discussion, on doit l'avoir et on va l'avoir… Maintenant ! J'en ai ras le bol !

— Laisse-moi passer, s'il te plaît, esquiva-t-elle alors que Magalie accentuait l'obstruction.

— Il va falloir que tu uses de la force si tu veux sortir, sourit cette dernière en la défiant. Tu ne vas pas prendre le risque de me faire bobo, dis ?

— Magalie, s'il te plaît…

— Mage !… Bonjour, je suis à la recherche de Judith Lagrange. Alors je demande à la sombre idiote qui squatte ses pensées de foutre le camp sur-le-champ. Sinon je lui fais un joli trou dans sa petite tête, conclut-elle en lui collant brutalement l'arme sur le front.

Le contact froid du canon sur la peau réveilla subitement l'instinct de survie du commandant. En une clef de bras habile, Judith désarma Magalie et, faisant preuve d'une grande dextérité, fit sauter le chargeur dans la foulée. Elle finit par vérifier la culasse et se rassura de constater que l'arme était vide. Magalie se plia de douleur dans un râle étouffé.

— Oh mon dieu, Magalie ! réalisa Judith. Je suis désol…

— Putain Jude, cesse de t'excuser de vivre, gémit-elle en se tenant la poitrine. Je viens de te coller un flingue sur le front, bon sang… Heureusement que tu réagis… C'est que tout n'est pas perdu.

— Assieds-toi là, l'aida-t-elle.
— C'est bon, lâche-moi, ça va, protesta Magalie en se dégageant. Apporte-moi plutôt à boire.
— Oui, bien sûr, café, jus de…
— Alcool !
— Mais… Tu as le droit de boire ? s'étonna Judith.
— Non !
— Tu ne devrais…
— … Oh ça va, oui ! Lâche-moi ! J'ai pas touché une goutte d'alcool depuis trois mois, y a pas de mal à se faire du bien, non ? lança-t-elle sèchement, avant de s'affaler sur le canapé. T'attends quoi, là ? Que j'aille me servir ?
— Non, non ! Très bien ! Vin ou bière ?
— Tequila !
Magalie ferma les yeux, espérant trouver dans l'obscurité un quelconque apaisement.
À peine une minute plus tard, Judith revint, deux verres de vin rouge à la main. Elle s'avançait pour déposer les breuvages sur la table quand, à la vue de son badge et de sa lettre de démission, le tout lui échappa des mains. Le vin se répandit sur le beau tapis beige à poils longs, lui arrachant un « Oh non non non, du vin sur mon tapis ».
— Je t'avais dit de prendre de la tequila ! se moqua Magalie qui n'avait même pas pris la peine d'ouvrir les yeux.
— Mais ? Qui t'a donné cette lettre ?
— La même qui m'a prêté l'arme !
— Qui ?
— Tu comptais m'en parler, ou j'allais l'apprendre au détour d'une conversation : « Salut, t'es où ? En train de pointer à l'ANPE et toi, tu fais quoi ? On se boit un verre ? »
— Excuse-moi, mais tu ne m'as pas réellement laissé le temps de t'en parler, éluda-t-elle en s'emparant d'un rouleau d'essuie-tout pour éponger le surplus de vin.
— L'art de l'esquive by Judith Lagrange, un grand classique, sourit la jeune femme en se redressant. Tu as pensé à la politique pour ta reconversion ?

— Lève tes pieds, t'en mets partout, s'agaça Judith, s'affairant à sauver les meubles.

— T'sais, Jude… La tequila… ça ne tache pas! la nargua-t-elle tout sourire, ce qui lui valut un regard assassin en retour.

Après plusieurs allers-retours en cuisine, et comprenant que son tapis était bon pour un nettoyage à sec, Judith abdiqua. Elle apporta la bouteille de tequila, deux verres goutte, quelques tranches de citron vert et la salière qu'elle déposa sur la table basse avant de s'installer au côté de son amie.

— Tiens, ton shot! lança-t-elle résignée.

— Eh bah la voilà, la bonne nouvelle de la journée, sourit la jeune femme.

— Marion? s'enquit Judith, servant la première tournée.

— Non!

— Quoi? C'est pas Marion qui t'a donné l'arme…, mais alors…

— Fab!

— Fabrice?

— Yep! Il est passé au 36 cette aprèm et est tombé sur ta… prose. Il m'a donc appelée…

— Il ne l'a jamais fait passer à Jean-Pierre?

— C'est ça! Santé! trinqua-t-elle.

Les deux femmes avalèrent le shot avant de croquer de bon cœur dans le citron vert. Après une grimace commune, elles se regardèrent et éclatèrent de rire.

— On est belles à voir, tiens! Il n'est même pas l'heure de l'apéro, se désola Judith.

— Dieu, que c'est bon, s'enivra Magalie.

— Je préfère quand même un bon verre de rouge!

— Mais non, patate! Que c'est bon de t'entendre rire!

Les deux femmes restèrent assises là, un bon moment, plongées dans un profond silence jusqu'à ce que Magalie, obstinée, reprenne de plus belle:

— Ils ont retrouvé une petite fille près de Bastille… Morte! lâcha-t-elle, cherchant à provoquer une quelconque réaction chez son amie. Mais j'imagine que t'es au courant?

— Comment pourrais-je l'être ?... On s'en remet une ? esquiva Judith.

— Avec plaisir, oui ! sourit Magalie, cédant à la manœuvre de détournement.

— C'est quand même pas très sérieux, Sarah doit être en train d'arriver. Si elle nous voit comme ça...

— Raison de plus pour se dépêcher !

Elles enchaînèrent la deuxième tournée.

— Ça, c'est fait ! lança Magalie avant de poser son verre sur la table basse. Et maintenant si t'arrêtais de te défiler, Jude... C'est une grosse blague que tu nous fais là, hein ? T'es pas vraiment sérieuse ? Tu ne quittes pas la brigade ?

— Je n'en peux plus. Je ne veux plus de cette vie, Mage. C'est pourtant pas si compliqué à comprendre !

— Que nenni ! Que tu crois ! Moi, je la vois encore, crois-moi, coupa-t-elle attrapant la bouteille pour servir une troisième tournée. Celle-ci va me mettre à genoux.

— Ah ? Et qu'est-ce que tu vois ? s'enquit Judith intriguée.

— La flamme, Jude ! répliqua-t-elle. Juste là, derrière toutes ces larmes qui ne parviennent pas à l'éteindre. Allez, bois, dit-elle levant son verre.

— Waouh ! Quelle poétesse ! Tu t'es racheté du vocabulaire pendant ta convalescence ? On est très loin des « putain », « bordel » et que sais-je encore, la charria Judith avant d'avaler l'amer breuvage.

— Ha... Ha... Ha... C'est ça, rigole ! Tu devrais essayer parfois. Tu comprendrais que ça fait un bien fou de se lâcher verbalement. En attendant, moi... Eh bah moi, je sais que tu n'arrêteras pas ! dit-elle anesthésiée par l'alcool, avant de se lever subitement.

— Tu vas où comme ça ? s'interloqua Judith.

— Où veux-tu que j'aille ?... Rendre l'arme à Fabrice ! C'est qu'il risque d'en avoir besoin demain, le ch'tou !

— Oh mais certainement pas ! Tu ne vas nulle part dans cet état, s'imposa-t-elle, la forçant délicatement à se rasseoir.

— O.K. ! T'as raison ! C'est plus prudent comme ça – réponse bien trop docile qui surprit Judith – mais alors rends-moi service, apporte-lui demain à la première heure, minauda Magalie en servant une quatrième rasade de tequila.

— Ah ! J'avais oublié à qui j'avais affaire, rit Judith. C'est que tu ne perds jamais le nord, toi ?

— C'est ça… Jamais. Allez bois ! À la tienne, à nous. À nos retrouvailles !… Patron !

— Tu ne vas pas t'en tirer aussi facilement, Mage…

— … estueuse, que je suis ? Pff ! J'ai déjà gagné ! T'as aucune chance ! Allez, bois ! Sarah ne devrait plus tarder… Qu'elle ne s'imagine pas que sa pauvre mère noie son désespoir dans l'alcool…

Et après un court instant, Magalie reprit :

— Six-sept ans !

— Six-sept ans, de quoi ?

— La petite qu'ils ont retrouvée… Elle avait à peine sept ans…

— Arrête ça tout de suite, Magalie !

Le groupe n'était rentré au bureau qu'en fin de journée. Les investigations sur la scène de crime leur avaient pris toute la matinée mais aussi une bonne partie de l'après-midi. Le square n'était pas bien grand mais il était public. Et qui dit public, dit travail titanesque. Des montagnes de scellés en tout genre à répertorier, de la canette de coca aux pots de compote, en passant par les chewing-gum collés sous les bancs urbains… à quoi venait s'ajouter l'enquête de voisinage comprenant l'audition de tous les riverains et des quelques commerçants du coin. En somme, nos agents n'avaient pas chômé et c'est éreintés qu'ils se retrouvèrent au 304 aux alentours de 18 heures.

— Bon, maintenant qu'on est entre nous, faut que je vous informe d'un truc, lança Fabrice alors que ses collègues s'installaient à leur bureau respectif. Je vous ai dit que j'étais passé ici à midi pour récup…

— Et ? coupa Marion dont l'impatience et la voix trahissaient une certaine inquiétude.

— Et j'ai trouvé sur le bureau de Judith sa lettre de dèm et son badge.

— Mais nan ! lâcha Yann, incrédule.

— J'en étais sûre, souffla Marion alors que le reste du groupe gardait le silence, assommé par la nouvelle.

— Je suis donc passé voir Magalie… enchaîna Fabrice avant d'être à nouveau coupé par Marion.

— … Quoi, t'as vu Magalie et tu nous dis rien ? s'indigna-t-elle.

— Bon sang Marion ! Qu'est-ce que je suis en train de faire, là ? s'agaça le lieutenant.

— Désolée, bougonna-t-elle en se rasseyant sagement à son bureau.

— J'ai donc demandé à Magalie d'aller la voir et de tenter de la convaincre de reprendre son poste. Je n'ai aucune nouvelle depuis. Tout ça pour vous dire que le retour de Judith est loin d'être gagné, et que Magalie ne devrait pas reprendre le service avant au moins un mois. Donc, en attendant, vous m'avez sur le dos.

— Fait chier, lança Pierre avant d'avaler une gorgée de son café.

— Merci, mon vieux. Je prends ça bien, sourit Fabrice.

— Mais non. Je disais ça pour Judith.

— T'inquiète… Voilà, je voulais juste vous prévenir. En attendant, on a sur les bras une gamine morte dont on ne connaît pas l'identité. Donc on s'y remet et on avisera plus tard. D'ac ?

Personne ne jugea nécessaire de répondre.

— Hé, les gars ! insista le trentenaire. On est d'accord ?

— D'ac ! répondirent-ils à l'unisson.

— Très bien ! Alors, on s'organise comment ? Qui veut s'occuper de l'identité de la môme ? Faudrait chercher du côté des disparitions, fugues ou… si vous avez de meilleures idées… Un client ?

Valérie, qui jusque-là s'était faite toute petite, leva timidement la main. Elle avait intégré l'équipe trois mois plus tôt lors d'une affaire qui marqua le groupe de façon indélébile. Sa nature timide et réservée n'enlevait rien à son professionnalisme et à sa perspicacité.

— Merci Val ! Surtout, ne vous bousculez pas pour m'aider, les autres.

— Moi, je peux rechercher les thanatopracteurs exerçant à Paris, suggéra Marion.

— Les quoi ? interrogea Pierre.

— Embaumeurs, si tu préfères, expliqua Yann avant de poursuivre. Bien que, dans ce cas de figure, le terme ne soit pas tout à fait correct car les pratiques utili...

— ... Stop ! Merci, maître Capello ! coupa Pierre, moqueur. L'ignare que je suis a compris, conclut-il, provoquant un éclat de rire général.

— Vous me déprimez, les gars. L'importance des...

— ... Mots ! On sait, Yann, intervint Fabrice d'un ton canaille. Du coup, Marion, tu prends les thanato... truc, quelqu'un pour lui filer un coup de main ?

— Ouais, moi ! se proposa Pierre. On ne sera pas trop de deux.

— Super !

— O.K., et vous pensez bien à recouper la liste avec les délinquants sexuels et autres pervers en tout genre connus de nos services. Yann ? se retourna Fabrice.

— Je pensais imprimer les photos de ce matin et mettre en place le tableau, maintenant si t'as un truc plus urgent...

— Non, c'est nickel. Et quand t'as fini, tu aides Valérie sur l'identité de la gamine... Il est 6 heures passées, faut que je monte voir Berta, je vous laisse commencer sans moi. Je fais au plus vite...

Fabrice resta une bonne heure avec son commissaire divisionnaire avant de redescendre au 304. Voyant que l'équipe commençait à montrer des signes de fatigue, il leur proposa de reprendre le lendemain matin dès 8 heures.

6

Yann était le plus matinal du groupe. Aimant s'éveiller et entamer doucement sa journée dans le calme de cette grande pièce lumineuse, il avait pris l'habitude d'arriver au bureau une demi-heure avant tous ses collègues. Il se faisait couler un double café bien noir qu'il sirotait en lisant la presse, confortablement assis dans l'un des deux canapés qui lui offraient une vue imprenable sur le cours de la Seine.

Ce mardi matin du mois de mai, il ne dérogea pas à la règle. C'est donc à 7 h 30 qu'il poussa la porte du 304. Quelle ne fut pas sa surprise lorsqu'il aperçut Judith et Magalie au fond desdits canapés, lisant elles aussi la presse, un café encore fumant à la main.

— Qu'est-ce qu'il y a ? J'ai une pomme de terre sur la joue ? le taquina Magalie, voyant Yann figé, la bouche entrouverte, qui restait dans l'encadrement de la porte.

— Trop cool, réagit-il enfin. Trop content de vous revoir ! En revanche, Magalie, ton humour à deux balles ne m'a vraiment pas manqué, railla-t-il avant de lui faire la bise.

— Salut, Yann. Tu vas bien ? s'avança à son tour Judith.

— Beaucoup mieux maintenant que tu es là, patron. Je peux dire patron, hein ? chercha-t-il à se rassurer.

— Disons que…

— … Mais bien sûr que tu peux dire patron, la coupa aussi sec Magalie. Elle ne le sait pas encore mais elle est morte d'impatience de reprendre le taf. Je te fais couler un double café, beau gosse ?

Le reste du groupe arriva au compte-gouttes et c'est toujours avec un fort enthousiasme que le retour de Judith fut accueilli. Après avoir échangé quelques mots, c'est avec beaucoup d'humilité que cette dernière leur fit part de ses doutes concernant sa réintégration.

— Je n'aime pas me répandre en compliments...

— ... Ça, on l'avait bien remarqué, railla Marion, coupant la parole à Fabrice.

— Tu vois... Faut vraiment que tu reviennes, ils n'en peuvent plus de moi, tu vas quand même pas les abandonner, glissa-t-il, tout sourire. Non, plus sérieusement. Je ne vais pas faire de long discours, je veux juste que tu saches qu'à choisir je préférerais que tu réintègres ton poste, pour la bonne et simple raison que depuis que je suis à tes ordres, je ne pose plus tout les matins cette question à la con : C'est aujourd'hui que j'y passe ? Tu prends ça comme tu veux, mais dans ce taf, je ne me suis jamais senti autant en sécurité que depuis que je travaille sous tes ordres. Alors tu comprendras que quand je t'entends dire que tu es un danger public, j'ai doucement envie de rigoler. Maintenant, je ne peux et ne veux pas te forcer. Tu fais ce que tu veux.

— Oui ben moi je peux te forcer, alors le débat est clos, tu restes et point barre, abrégea Magalie. Sinon, Fabrice... Tu ne m'as rien dit pour tes cours ?... T'es balèze d'avoir appris à jouer aussi bien du violon et en si peu de temps !

— C'est vrai, ça, enchérit Pierre, tu t'es cru dans « vis ma vie » ou quoi ?

— Bande d'enfoirés, rit Fabrice. Allez, faites-vous plaisir, je suis de bonne humeur. Et puis surtout, je ne suis plus votre supérieur... Enfin j'espère pour vous.

— Bien ! Vu que vous semblez croire en ma capacité à reprendre du service, je vais vous faire confiance et me laisser une chance. Mais je ne promets rien. Je me réserve le droit de tout lâcher si je vois que je n'y parviens pas. Si nous sommes d'accord là-dessus... Faites-moi un rapide débrief sur l'affaire.

— Oh bah effectivement, ça va être ultrarapide, ironisa Yann. On a une petite fille morte dans un square. Point!

— Rabat-joie, va! le piqua Marion. T'oublies de dire que le corps a été embaumé. C'est pas rien, ça. C'est même une super piste.

— Comment ça? intervint Magalie, surprise.

— T'as bien entendu! Ce qui, à défaut de nous donner une piste, nous en enlève beaucoup, se désola Fabrice. Pas de cause de la mort, pas d'heure du décès, en fait pas grand chose, pour être clair.

— L'identité? s'informa Judith.

— Pas d'identité, rétorqua Pierre bien silencieux jusqu'alors.

— Waouh, ça se présente super bien, dites! s'amusa Magalie.

— J'imagine que vous avez fait des recherches dans le fichier des disparitions inquiétantes?

— Oui, je suis dessus, répondit Valérie de sa voix frêle. Et toujours rien. Hier soir, j'ai pu passer quelques coups de fil aux organismes liés à l'enfance... en vain. Pas de disparition, pas de fugue correspondant au profil de la victime. Rien!

— Sans identité, ça va être bonbon, se désola Judith. Des témoins peut-être?

— Pas de témoin direct, juste le jardinier qui a découvert le corps et la quadragénaire qui s'est invitée à la fête, intervint Yann. Elle s'en serait, d'ailleurs, bien passée. Tu peux me croire!

— Ils sont tous les deux clean d'après mes vérifs, poursuivit Pierre. Donc pas de témoin.

— L'enquête de voisinage n'a rien donné et le rapport d'autopsie ne devrait plus tarder, ajouta Fabrice. Ah j'oubliais, y a quand même un truc... Il semblerait que la petite ait subi des maltraitances physiques.

— Viol, s'agaça Magalie.
— On ne sait pas encore pour le viol, mais en tout cas quelqu'un s'en est servi comme d'un punching-ball, d'après Franck.
— Ce qui explique peut-être pourquoi personne ne déclare sa disparition, conclut Judith.
— Pas d'accord, Jude, intervint Magalie. T'oublies un petit détail…
— … Arg, oui bien sûr ! Et ce n'est ni petit ni un détail. Je suis rouillée, dit Judith penaude.
— T'es peut-être rouillée, mais moi je sais toujours pas de quoi vous parlez, se dépita Pierre. En quoi t'es pas d'accord, Magalie ? C'est plutôt plausible. Tu cognes ta gamine une fois de trop et tu te débarrasses du corps.
— Vous nous avez bien dit que la petite était embaumée ? répéta Judith.
— Oui, enfin de là à être aussi catégorique… Il n'y a pas que les illettrés qui cognent sur leurs gamins, tu sais !
— Certes, mais t'avoueras que si t'es empailleur, faut être un crétin fini pour se débarrasser du corps de ta môme de cette façon.
— Embaumeur, pas empailleur, s'esclaffa Marion.
— Mais, oh ! C'est Yann, le casse-noisettes cruciverbiste du dimanche. Qu'est ce qui t'arrive, Marion ? Je me barre trois mois et tout fout le camp ? Y en a un qui apprend le violon et l'autre qui devient légiste ! Nan mais, c'est un comble ça ! sourit Magalie, sous le regard perplexe de Yann.
— Casse-noisettes cruciverbiste du dimanche ? répéta Yann sous les rires de ses collègues.
— Ouais, désolée, je sais, j'ai oublié Capello et geek, persévéra Magalie. Mais je savais pas trop comment tourner la phrase. Ça aurait été trop lourd que de dire : Yann Capello le geek casse-noisettes cruciverbiste du dimanche…
— Maître…
— Mettre… quoi ?

— Maître Yann Capello le geek casse-noisettes cruciverbiste du dimanche ! C'est ça qu'il aurait fallu dire, Magalie ! Toi aussi t'es rouillée. T'as pris du plomb dans l'aile ou quoi ? lui asséna-t-il, tout sourire.

— Oh superbe, Yann ! s'inclina Magalie. Magnifique ! Bien que je ne me sois pas pris la balle dans l'épaule mais dans le poumon… Mais bon, je te l'accorde, elle est splendide. Voici venu le jour où l'élève a dépassé le maître…

— Voilà, voilà ! coupa Judith. Sur ces bons mots… Moi, je vous laisse.

— Comment ça ? C'était pour rire, Judith. Elle était plutôt bien pensée et surtout très bien placée, non ? s'inquiéta Yann. Je t'ai pas vexée, j'espère ?

— Non, ne t'inquiète pas. Faut juste que je monte annoncer ma réintégration à Jean-Pierre, sourit-elle, tentant de cacher sa gêne.

— Sûre ? sonda Magalie à son tour.

— Oouuii ! Sûre ! Allez, je file, j'en ai pas pour long, les rassura-t-elle en sortant du bureau.

Alors que Magalie et Yann, désappointés, regardaient la porte se refermer derrière leur commandant, Fabrice se glissa discrètement dans leur dos et les gratifia d'une taloche amicale sur le haut du crâne.

— Alors les neuneus ? Vous êtes fiers de vous ? gronda-t-il.

— J'ai pas calculé ! C'était une blague, bon sang, se désola Yann.

— Oups ! sourit bêtement Magalie. Boulette !

* * *

Mardi 6 mai
10 h 10

Il fait beau.
Encore, beau.
Je me sens bien mieux aujourd'hui. Je suis serein et apaisé.

Hier, la fatigue et le stress accumulés du week-end m'ont fait douter. Mais aujourd'hui, tout est rentré dans l'ordre. J'ai bien dormi et me suis réveillé avec l'appétit d'un ogre, signe de bonne santé comme disait ma mère.
Je me sens en grande forme et plein d'entrain pour cette belle journée printanière. Je vais pouvoir aller lézarder au soleil et lire tranquillement la presse en sirotant mon grand café crème en terrasse.

Futile, ce que je vous raconte. Moi qui, il y a moins de quarante-huit heures, ai ôté la vie à une petite fille de sept ans, comment puis-je être aussi… léger, aujourd'hui ? Je dois vous paraître bien cruel ? À vous autres… êtres bien pensants. Cette pauvre fillette, aussi, aurait aimé pouvoir profiter de cette belle journée printanière, me direz-vous. Alors comment puis-je encore avoir de l'appétit après cet acte odieux ? Un être humain ne ferait pas ça…
Alors si je ne suis pas un être humain, que suis-je ?
Je développerai ce lourd sujet un autre jour, car j'ai peur de ne pas pouvoir synthétiser et le fait de vous avoir parlé de café au soleil m'a mis l'eau à la bouche. Je file donc me trouver une terrasse et vous dis à plus tard.

⋆ ⋆ ⋆

— Me voilà de retour, lança Judith en entrant dans le bureau.
— Que t'a dit Jean-Pierre ? s'informa Marion.
— Rien de bien particulier. Je l'ai croisé dans les escaliers, on est allés prendre un café et c'est à peu près tout.
— Comment ça ? gronda Magalie. Tu lui as bien dit que tu reprenais ton poste ?
— Oui, il est ravi et m'a demandé de repasser plus tard pour la paperasse.
— C'est acté alors ? Me revoilà simple lieutenant, se consola Fabrice. C'est avec une joie non dissimulée que je te refile le bébé, patron !

— Merci, Fab. On va s'y mettre sérieusement, alors ! le taquina-t-elle. On en est où ? L'identité de la gamine, ça avance ?

— Toujours rien, se désola Valérie.

— Très bien, faut changer l'angle d'attaque. Y a-t-il des photos exploitables de la petite ?

— Comment ça « exploitables » ? s'étonna Marion.

— Des photos pas trop... choquantes, que l'on puisse montrer aux gens, sans les traumatiser.

— T'es sérieuse, Jude ? Tu veux faire du porte-à-porte avec les photos d'une gamine morte à la main ? s'inquiéta Magalie.

— T'as une meilleure idée, Mage ? Pas de témoin, pas de lieu du crime, pas d'heure du crime... rien ! On n'a rien ! Faut bien commencer quelque part, non ?

— Il y a la piste des thanatopracteurs, intervint Yann.

— Oui et il faut continuer à l'explorer, mais à elle seule et surtout sans l'identité de la victime, elle ne nous servira à rien. Aucun recoupement ne sera possible ! Alors si vous avez une autre solution, je suis preneuse, car tout comme vous, la mienne ne m'enchante guère.

— Moi, je suis quand même très intriguée par le fait que les parents ne se signalent pas, s'inquiéta Marion. Je suis d'accord avec Magalie sur le fait qu'il y a des façons bien plus discrètes pour se débarrasser d'un corps. Mais pourquoi la famille, les amis, les instituteurs ou qui sais-je encore... pourquoi personne ne réagit ? C'est quand même dingue ! Une gamine de sept ans, ça ne disparaît pas sans que personne s'en soucie ?

— La petite a été retrouvée il y à peine 24 heures, lui répondit Pierre. Faut laisser le temps à l'info de remonter jusqu'à nous.

— Ça tient pas ce que tu dis, Pierre, s'immisça Valérie. Je ne sais pas combien de temps ça prend de nettoyer un corps, en tout cas une chose est sûre, dimanche la petite était déjà entre les mains de son bourreau.

— Mais bon sang, bien sûr ! s'écria Magalie, faisant sursauter tout l'auditoire.

— Ça, tu vois, Magalie, ça ne m'avait vraiment pas manqué ! rouspéta Fabrice. Tu vas me faire crever d'un arrêt cardiaque, à force !

— Désolée, mon gros. Passons ! Quelqu'un a pensé au cimetière ? Ce n'est peut-être pas un meurtre ?

— Une profanation ! Bien vu, Mage, acquiesça Judith.

Yann, installé à son bureau, se lança aussitôt dans la recherche d'un dépôt de plainte concernant une éventuelle profanation.

— Dans un premier temps, je me cantonne à la région parisienne, informa-t-il ses collègues.

— Alors, ça donne quoi ? s'impatienta Marion.

— Sur Paris intra-muros… Rien ! J'élargis à la banlieue…

— … Autant chercher une aiguille dans une botte de foin, c'est perdu d'avance, lança Pierre, sceptique.

— Hé, positif, là, le motiva Marion.

— Je m'explique : tout d'abord, si la tombe d'une petite fille avait été profanée, la France entière serait déjà au courant. C'est pas le genre d'info qui met longtemps à sortir des tuyaux. Donc il nous reste deux options, un taré qui se fait plaisir sur des corps de fillettes mortes et donc pour que son plaisir dure, il se doit d'être discret. Ou, et je préférerais cette option, c'est l'un des deux parents qui, dévasté, a voulu rendre un dernier hommage à sa tendre et jolie petite fille ; et dans ce cas, lui aussi aura pris toutes les précautions nécessaires pour que la tombe ne soit pas endommagé.

— Ce que tu peux être défaitiste ! se navra Marion.

— Je dirai plutôt réaliste, enchérit Yann. Les recherches ne donnent rien. Un flop total ! Pierre a sans doute raison.

— Bien ! intervint Judith. Il fallait explorer cette piste, d'autant que l'idée était plutôt bonne. Yann, garde quand même un œil dessus, on ne sait jamais. Nous ne sommes que mardi et si le corps a été pris hier matin, il nous reste une petite chance. Bref, on s'en tient au plan initial, à savoir : porte-à-porte avec une photo de la petite. Marion, tu as vu juste concernant les instituteurs. C'est par là qu'il faut commencer. Je vais demander à Jean-Pierre de faire passer une circulaire dans les établissements scolaires. On va quand même commencer en allant dans les primaires avoisinant le parc. Qui s'y colle ?

Personne ne réagit.

— Vous bousculez surtout pas, les gars, ricana Magalie.

— Bah t'as qu'à y aller toi ! rétorqua Fabrice.

— Je veux bien...

— ... Hors de question ! D'ailleurs, je ne sais pas ce que tu fais encore là, Magalie. Tu es en convalescence, je te signale !

— Oh ça va, tu vas pas me mettre à la porte quand même ?

— Si.

— Jude, s'il te plaît. Je me ferai discrète. Toute petite dans un coin. Dans mon coin, là, juste derrière mon bureau.

— Non...

— ... Et sous le bureau ? Allez, je te jure que je ne sors pas d'ici. Juste le travail de bureau.

— Non, Mage. Tu sais bien que je ne peux pas. Et puis ça va... tu me fais bien rire...

— Quoi ?

— Magalie, intervint Yann tout sourire. « Discret » est un mot absent de ton vocabulaire.

C'est Marion et Valérie qui avaient hérité de la douloureuse mission consistant à agiter sous le nez de pauvres gens la photo d'une petite fille morte. Elles recensèrent donc la liste des écoles élémentaires du quartier où l'on avait retrouvé la fillette, et c'est la mine grise qu'elles entamèrent leur périple. Lorsqu'elles poussèrent la grande porte cochère de la primaire rue Neuve-Saint-Pierre, c'est avec nostalgie qu'elles aperçurent à travers les grandes portes-fenêtres les enfants gambader librement dans la cour de récréation. La jeune femme de l'accueil vint à leur rencontre et, après un bref échange, les mena voir la directrice. Sa réaction fut la même que celles qui allaient suivre : l'horreur, l'indignation, la tristesse, mais aussi une réponse négative à la question : la connaissez-vous ?

Après avoir reçu les derniers résultats de toxicologie, Franck s'était empressé d'envoyer son rapport à Fabrice.

— Je viens de recevoir l'autopsie de la petite, informa-t-il ses collègues.

— Alors ? s'enquit Judith.

— Je crois ne jamais avoir vu de rapport aussi mince, s'étonna le trentenaire. Il n'y a rien ou presque !

— Viol ? continua Judith.

— Oui, se désola-t-il.

— *Fucking bastard*, ne put retenir Pierre.

— Il y a aussi des signes de violences physiques qui d'après Franck doivent être assignées aux parents. Il nous parle de deux fractures aux avant-bras typiques de maltraitance.

— On court vers l'infanticide ou c'est moi qui divague ? intervint Yann.

— Force est de constater que tout nous y mène, abonda Judith. Mais c'est plutôt une bonne nouvelle, si je peux me permettre, car si on trouve l'identité de la petite, on trouvera celles des parents. Fabrice, pour le viol ?

— Oui ?

— Il date de quand ?

— Attends que je vérifie... Franck n'est pas formel, il se contente de nous dire qu'elle a été violée dans les 72 heures précédant sa mort sans pouvoir être plus précis. Et sachant qu'on n'a pas l'heure ni le jour de sa mort, autant te dire...

— ... qu'on est mal barrés ! ponctua Yann.

— C'est pas grave, on avisera le moment venu ! On n'a pas grand-chose mais on va creuser. Pierre, tu vérifies, auprès des services sociaux compétents, s'ils connaissent notre fillette, au vu des violences on a une petite chance pour que ça matche. Yann, toi tu continues sur les thanatopracteurs. Intéresse-toi plus particulièrement à ceux qui sont aussi parents d'une petite fille... D'ailleurs, Franck a-t-il pu dater les fractures, Fabrice ?

— Oui approximativement, répondit-il sans trop s'avancer.

— Parfait ! Tu me farfouilles dans les fichiers d'admission hospitaliers, et tu me sors le nom de toutes les gamines présentant le même type de blessures aux dates correspondantes.

— Je me contente de le faire pour les hôpitaux de Paris ?

— Et région parisienne par extension. Pense aussi aux cliniques privées, bien sûr... On croise les doigts pour qu'avec tout ça, il y ait un nom qui ressorte !

Après avoir écumé tous les établissements publics du quartier dit Saint-Paul, nos deux oiseaux de mauvais augure étendirent leur recherches à l'île Saint-Louis. C'est sous un soleil de plomb que Marion et Valérie traversèrent le pont de Sully jusqu'au quai d'Anjou où elles s'arrêtèrent devant le numéro 7.

— T'es sûre de ton coup, Valérie ? s'étonna Marion.

— Je crois, lui répondit-elle un peu confuse.

— Parce que cet immeuble ne ressemble en rien à une école primaire.

C'était un splendide petit bâtiment de trois étages couronné par une mansarde qui offrait une vue imprenable sur la Seine et sa rive droite. Fraîchement ravalée, la pierre de taille contrastait parfaitement avec les ferronneries noires du long balcon du premier niveau.

Valérie sortit son Smartphone et fit une rapide vérification. L'adresse de l'école privée *Chiron de Thessalie* était pourtant la bonne.

— Qui ne tente rien, s'aventura Valérie appuyant sur le bouton d'entrée.

— Tu dis qu'elle s'appelle comment, cette école ? s'enquit Marion en jetant un œil au square, sur l'autre rive, juste en face de l'école.

— *Chiron de Thessalie*, lui répondit-elle alors que la grande porte en bois massif s'ouvrait sur un petit bout de femme aux allures rigides.

— Chiron ? C'est chelou, oui… Chelou de Thessalie, s'amusa Marion.

— Pour votre culture, Chiron est un personnage de la mythologique grecque à qui on doit notamment l'éducation d'Achille et d'Héraclès… Et vous ? Qui êtes-vous ? À qui doit-on votre éducation ? la fustigea la femme.

— Euh… Police criminelle ! lança Marion pour le moins embarrassée. Non pardon, brigade criminelle… De Paris… Madame, balbutia-t-elle mal à l'aise, arrachant un sourire à sa collègue.

Ce n'est qu'après une vérification en bonne et due forme de l'identité de nos deux lieutenants que la petite dame accepta de les conduire auprès de la direction.

Cette fois, ce fut la bonne ! La directrice, une femme d'une quarantaine d'années au chignon sévèrement tiré, les accueillit dans son bureau décoré de boiseries.

— Oh mon dieu, Élodie ! se chagrina-t-elle à la présentation de la photo.

— Vous la connaissez ? souffla Valérie.

— Oui, c'est une de nos élèves du cours préparatoire… Elle est effectivement absente depuis lundi matin. Nous avons cherché à joindre son père, mais nous n'avons pas eu de réponse jusqu'à présent.

— Et sa mère ? se renseigna Marion.

— Nous ne lui connaissons pas de mère. Le père nous a dit que sa mère était partie et qu'il était le seul tuteur.

— Il va nous falloir ses coordonnées.

— Bien sûr, je vous donne ça.

Elle attrapa le combiné téléphonique et demanda à son assistante de lui apporter le dossier de la petite.

— Vous nous avez dit que vous ne parveniez pas à joindre son père ?

— Oui. Ce matin, nous avons essayé à plusieurs reprises et nous tombons constamment sur sa messagerie.

— Ce matin ? interrogea Marion. Mais vous nous avez dit qu'elle était déjà absente hier…

— … Élodie est souvent absente en début de semaine. Nous avons déjà averti son père à ce sujet. Il nous a alors expliqué qu'il aimait emmener sa fille en week-end pour passer plus de temps avec elle et qu'il avait opté pour un établissement privé pour cette même raison. Il est père célibataire et essaye de compenser le manque affectif maternel de sa fille en passant un maximum de temps avec elle. C'est un père dévoué.

Deux coups rapides sur la porte précédèrent l'entrée de l'assistante. Elle prit le temps de saluer les deux agents avant de déposer le dossier de la jeune Élodie Depino sur le bureau de sa directrice.

— Autre chose, madame ?

— Non merci, Djamila. Je vous fais signe, si besoin.

— Très bien !… Mesdames, salua-t-elle avant de ressortir.

— Qu'entendiez-vous par « souvent absente » ? reprit Valérie.

— Rien de bien préoccupant concernant la scolarité d'Élodie. Un à deux jours par mois à peine. C'est une petite fille très renfermée. Elle a très peu d'amis et reporte tout son affect sur son père. Elle souffre d'un sentiment d'abandon très profond.

— Elle souffrait, intervint Marion un peu agacée par le laxisme de la directrice.

— Je ne comprends pas votre ton, mademoiselle. J'aime mon travail et j'aime les enfants dont je m'occupe. Mon seul but est de les éduquer correctement et de les préparer au mieux à leur vie d'adulte. Je ne peux en rien reprocher à un père d'en faire de même, répondit-elle sèchement. La petite a un niveau scolaire des plus satisfaisant. Son institutrice et moi en sommes arrivées à la conclusion que ce n'étaient pas quelques heures d'absence par mois qui mettraient en péril ses études.

— Nous ne vous jugeons absolument pas, madame, intervint Valérie, cherchant à adoucir la conversation. Nous savons à quel point votre travail est précieux, et oh combien nécessaire.

— Bien évidement, s'excusa Marion. Le meurtre d'un enfant est touj…

— Meurtre ? s'indigna la directrice.

— Euh… Oui ! Je pensais vous l'avoir dit, s'étonna Marion.

— Non, vous aviez omis de me le dire. Meurtre ? Mais comment peut-on faire cela à de si petites créatures ? Dans quel monde vit-on ? A-t-elle souffert ? se désespéra-t-elle.

— Non, rassurez-vous, s'empressa de répondre Valérie. Hormis les absences, avez-vous noté des changements dans le comportement d'Élodie ? reprit-elle.

— Des changements ? Je ne sais pas. Je ne suis pas la mieux placée pour répondre à cette question. Je ne fais que croiser les élèves, je suis plus en contact avec leurs parents, pour être franche. Vous devriez demander à son institutrice.

— Nous comptions justement vous demander s'il était possible de la rencontrer ? continua Valérie, alors que Marion feuilletait le dossier de la petite.

— Elle est actuellement en déplacement avec sa classe. Le mardi, c'est piscine pour les moyennes sections. Je m'empresserai, dès son retour, de l'avertir et lui transmettrai vos coordonnées.

— Merci bien, voici ma carte, sourit Valérie avant de se retourner vers Marion. T'as tout ce qu'il faut ?

— Oui, adresse, téléphone… Je vois ici que le père est médecin. Savez-vous dans quelle branche ? poursuivit Marion.

— Généraliste. L'adresse que vous avez est également celle de son cabinet médical.

— Parfait !

Le cabinet médical d'Olivier Depino se situait à quelques pâtés de maison du parc où l'on avait retrouvé sa fille. Après avoir transmis l'adresse à Judith, c'est à pied que les deux jeunes femmes s'y rendirent. À 16 heures tapantes, tintantes même, elles arrivèrent rue de Rivoli sous le chant carillonnant de l'église Saint-Paul, ce bel édifice baroque dont la première pierre fut posée par le cardinal de Richelieu.

Les cloches ne sonnaient déjà plus quand elles arrivèrent sur le parvis de l'église. La rue de Sévigné se trouvait juste en face, de l'autre côté de la voie qu'elles traversèrent en sautillant, le feu étant en train de passer au vert.

Le cabinet était au tout début de la rue et y avait pignon. Elles entrèrent sans même prendre la peine de s'annoncer.

— Désolée, mesdames, mais le cabinet est fermé. Exceptionnellement, ajouta le jeune assistant.

— Nous ne sommes pas là pour une consultation. Brigade criminelle de Paris, se présenta Marion, montrant son badge au jeune assistant.

— Brigade criminelle ? Est-il arrivé quelque chose au Docteur Depino ?

— Pourquoi cette question ? s'étonna la lieutenant.

— Il devait embaucher ce matin à 8 h 30, mais n'est jamais venu. J'ai essayé de le joindre une vingtaine de fois au bas mot et toujours rien… Personne ne répond. Je n'ai aucune idée d'où il peut être. J'ai dû annuler tous ses rendez-vous. Je suis même monté sonner chez lui. Je vous avouerai que je suis très inquiet.

— Est-ce dans ses habitudes ? demanda Valérie.

— Certainement pas non, bien au contraire d'ailleurs ! Le docteur est toujours très ponctuel.

— Quand l'avez-vous vu pour la dernière fois ? s'enquit Marion.

— Vendredi. Je suis parti comme à mon habitude aux alentours de 18 heures. Il reçoit ses patients jusqu'à 20 heures, parfois plus tard même.

— Vendredi ? Et hier, lundi ?

— Il est de repos le lundi.

— Si je comprends bien… il ne travaille pas non plus le samedi ?

— Si ! Il est à l'extérieur… Le matin et parfois même l'après-midi, il se déplace chez ses patients, ajouta le jeune homme.

— Ce qui explique donc que vous ne l'ayez pas vu ?… Samedi, j'entends !

— Effectivement, je ne travaille pas le samedi.

La sonnette de la porte retentit.

— Étrange, j'étais pourtant certain d'avoir annulé toutes les consultations, s'étonna-t-il.

— Rassurez-vous il doit s'agir de nos collègues…

— … Vos collègues ? Mais pourquoi… et que faites-vous ici, d'ailleurs ?

Judith, accompagnée de Fabrice, fit son apparition.

— Bonjour, monsieur. Je suis Judith Lagrange, commandant et chef de groupe à la brigade criminelle, se présenta-t-elle avant de se retourner vers Marion et Valérie pour un rapide débriefing.

— Mais quelqu'un va me répondre, qu'est-il arrivé au docteur Depino ? s'agaça l'assistant.

— Nous n'en savons pas plus que vous. Nous sommes là pour le découvrir, répondit Marion. Vous nous avez dit être allé sonner chez lui ?

— Oui, et ?

— Où habite-t-il ?

— Au-dessus.

— Avez-vous les clefs ? l'interrogea Judith à son tour.

— Euh… oui. J'ai pas osé entrer…

— Et vous avez bien fait. Fabrice, appelle la proc et demande-lui de joindre le juge pour la perquis'.

— Ok ! J'appelle le juge direct.

— Mieux encore… Monsieur, s'adressa-t-elle au secrétaire. Pourriez-vous nous donner les clefs de son domicile et nous y accompagner ?

— Bien sûr, acquiesça-t-il. Mais pourriez-vous m'expliquer ce qu'il se passe ?

Le bar le Piston Pélican ouvrait à peine ses portes que Magalie y pointait déjà sa frimousse.

— Salut ! C'est ouvert ?

— Hé, Magalie ! Bien sûr... pour toi, toujours ! l'accueillit tout sourire Aurélie, la gérante, qui s'affairait à sortir les tables de la terrasse.

— Tu prends des risques, dit-elle en entrant dans le bar. Me dis pas ça deux fois, t'oublies que je suis en congé... forcé, se désola-t-elle en lui lâchant une bise. Je peux t'aider ?

— Oui, tu vois le tabouret, là-bas ?

— Ouais !

— Ben tu vas poser tes fesses dessus et tu bouges plus jusqu'à ce que je te sonne, sourit la jeune femme. Allez, bouge de là et laisse-moi sortir ma terrasse.

— Y en a marre, je suis pas handicapée quand même.

— Si Magalie, tu es handicapée. Plus pour longtemps et tant mieux pour nous autres ! Mais tu es handicapée, alors... pas bouger.

— Gnin gnin gnin, se résigna Magalie.

C'est alors qu'un homme de 35 à 40 ans entra d'un pas de velours dans le bar et s'empressa d'aider la gérante.

— Lui, il a le droit ? s'offusqua Magalie.

— Oui, lui, il a le droit ! la nargua Aurélie, avant de se retourner vers l'homme. Merci, Jeff !

— Non, c'est normal, répondit-il timidement.

— Tu bois un verre ?

— J'ai une course à faire avant, je reviens dans un quart d'heure.

— Cool !

Jeff ressortit du bar aussi discrètement qu'il y était entré.

— Alors, comment va mon handicapée préférée ? taquina Aurélie, revenant derrière le comptoir.

— Mal, elle va mal ! Elle se fait chier comme un rat mort, ton handicapée préférée. Sinon... Dis-moi, il est beau gosse, le gars, là ! Tu lui as dit que t'étais maquée ? la charria Magalie.

— Ah ah ! s'esclaffa Aurélie. Mais de quoi tu parles ?

— Ouais, c'est ça, ouais ! Prends-moi pour une buse. Tu sais, je vois tout, moi...

— C'est vrai, j'oubliais, miss capitaine à la crim', railla-t-elle à son tour.

— Arf... je t'ai déjà dit que c'est pas que je voulais te le cacher, ça ne m'est juste pas venu à l'esprit de te le dire. C'est tout !

— Ah ah ! En trois ans, ça t'est pas venu à l'esprit... mais oui bien sûr ! Allez... Je te sers quoi ?

— Ok désolée, je recommencerai pas. Je jure de dire la vérité et rien que la vérité. Mais change pas de sujet comme ça. Il a presque couru pour t'aider... le beau gosse. Jeff, c'est ça, hein ? Moi, je dis : c'est un signe...

— Oui, oui, t'as raison. Signe que c'est un mec gentil. Tu bois quoi ?

— Pff ! Gentil, ouais... Gentil, parce que plein d'arrières-pensées qui gambadent dans sa petite tête !

— Ah là là, vous les flics, toujours suspicieux...

— ... Tu vois ! Et après tu me demandes pourquoi je voulais pas te dire que j'étais flic...

— ... Ah bah voilà ! Tu avoues donc que tu ne voulais pas me le dire, sourit Aurélie triomphante.

— Grrr !

— Je t'ai eue !

— Tu cherches du taf, dis ? Parce qu'actuellement on est en sous-effectif à la brigade, s'inclina Magalie, fair-play.

— Oh non, c'est pas pour moi, tout ça. Et sinon pour la énième fois, tu bois quoi ?

— Mets-moi un café, steup' ?

— Va pour un café. Et sinon, plus sérieusement, comment vas-tu ?

— Hormis le fait que je m'emmerde sévère, ça va pas trop mal. Judith s'est enfin décidée à reprendre le taf. Preuve qu'elle va mieux. Et ça... c'est cool !

— *Good news*, se réjouit la jeune femme en servant l'amer breuvage à son amie. Et tes vacances en Normandie ?

— Bretagne ! Ouais, cool ! Ca m'a fait du bien de sortir de… tout ça.

— T'y as laissé tes démons, j'espère ? s'inquiéta Aurélie.

— Une bonne partie, oui, murmura Magalie en touillant son café.

— Hum, t'avoueras que t'es pas super convaincante, là…

— T'inquiète, ça va ! J'ai juste besoin d'activité. Ça me rend dingue de tourner en rond. Je me lève le matin et j'ai rien à faire. Il n'y a rien de pire pour moi, se désola-t-elle avant d'avaler son café d'un trait.

— Il ne te reste plus longtemps à tenir, la rassura Aurélie. Le plus gros est derrière toi.

— Je sais, mais bon… la patience n'a jamais été l'une de mes qualités.

— Ha ha, ça c'est sûr, rit Aurélie de bon cœur.

— Chut, voilà ton beau gosse qui revient, murmura Magalie, espiègle.

— Mais que t'es con, ma parole, lança Aurélie alors que Jeff poussait la porte du bar.

— Hé, de retour, t'as trouvé ce que tu voulais ? l'accueillit la barmaid en lui servant une pinte de Pilsner Urquell.

— Oui, merci.

— Pilsner comme d'hab, s'assura-t-elle avant de poser la bière sur le comptoir.

— Oui merci. C'est toujours 6 euros ? s'enquit-il, lui tendant un billet de cinq et une pièce de un.

— Oui, mais celle-ci est pour moi.

— Non, non, merci mais je préfère la payer.

— T'inquiète… Tu payeras la deuxième, sourit-elle, lui offrant un clin d'œil.

Le grand gaillard d'un mètre quatre-vingt-cinq sembla gêné par la gentillesse de la barmaid. Après être resté figé un court instant, son billet à la main, il s'installa sur le tabouret de bar face à sa pinte et se mit à fixer les fines bulles de gaz qui s'en échappaient. Il resta là un bon moment, hypnotisé par la valse ascendante de ces petites billes d'or, et n'entama sa bière qu'une fois la mousse retombée. Il avait en lui quelque chose d'intrigant ; son attitude, son regard, ou peut-être tout simplement son physique.

Magalie ne parvenait pas à décoller son regard de cet étrange personnage, allant jusqu'à le fixer outrageusement.

— Hé ! la fit sursauter Aurélie. Tu feras gaffe, t'es bloquée sur le « beau gosse », lui murmura-t-elle.

— Hein ? Non... Enfin oui, un peu... Il est chelou, nan ?

— Oui, un peu... Mais il est surtout très sympa, poli, souriant... bref, un client comme je les aime.

— Ouais ben moi, il me fait flipper ! Y a un truc qui va pas chez ce gars.

— Mais, arrête. Tu vois le mal partout. Il est juste... Différent. Y a pas de mal à ça ?... Vivement que tu reprennes ton taf, se moqua-t-elle.

— C'est ça, rigole !

— Allez, décroche un peu de ce pauvre garçon. Dis, faut que je descende à la cave deux minutes. Tu peux veiller au grain ?

— Oui sans problème, mais mets-moi une super bock, avant !

Aurélie lui ouvrit la bouteille de bière lusitaine avant de s'engouffrer dans la cave. Magalie tentait de ne pas fixer l'inconnu mais n'y parvenait pas. Ses yeux dérivaient systématiquement vers Jeff, épiant et scrutant ses moindres mouvements, et arriva ce qui devait arriver... L'homme s'en aperçut. Intrigué et ne sachant pas comment réagir, il lui adressa un sourire forcé mais cordial. *Trop tard pour détourner le regard,* pensa-t-elle. *Autant y aller franco.*

— Salut !

— Bonjour, lui répondit-il, perplexe.

— T'habites dans le coin ? lança-t-elle à travers le bar.

— Oui.

— Cool, moi aussi, sourit-elle bêtement. Le quartier te plaît ?

— Oui, ponctua-t-il sèchement.

Ils restèrent là, deux bonnes minutes, à regarder leur verre respectif sans qu'aucun son vienne rompre le silence abyssal qui emplissait le bar. L'homme était à nouveau absorbé par sa bière alors que Magalie, gênée, s'acharnait à vouloir décoller l'étiquette de sa bière bouteille. Le limier s'éveillait en elle. Elle n'y pouvait rien, ce garçon l'intriguait.

Il fallut attendre qu'Aurélie tout essoufflée sorte de la cave pour mettre un terme à son calvaire.

— Personne ? s'informa la barmaid.

— Non, répondit Magalie. Juste moi et… l'autre, finit-elle par chuchoter.

— Oh mais ce que tu peux être relou. Ça suffit, on va mettre fin à ta paranoïa, conclut-elle en se retournant.

— Et comment comptes-tu t'y prendre ?

— Comme ça ! Jeff, s'écria-t-elle.

L'homme releva la tête aussi sec.

— Je te présente Magalie. C'est une voisine.

— Oui, j'ai cru comprendre. Enchanté, Magalie.

— Salut, bégaya Magalie rouge de honte.

— Tu bois un verre avec nous ? continua la barmaid.

— Euh…

— Allez, finit-elle par insister. Ça fait deux semaines que tu viens boire ta bière tous les jours et on ne se parle jamais… Tu m'as aidée tout à l'heure, c'est le prix à payer. Double peine ! le taquina-t-elle. Obligé de boire un coup avec nous.

— Eh bien dans ce cas, sourit-il.

Il récupéra sa bière et s'approcha des deux femmes, attrapant un siège au passage, puis s'installa aux côtés de Magalie.

— Nous sommes donc voisins, se lança-t-il, un soupçon de gêne dans la voix.

Fabrice n'eut que quelques minutes à patienter pour obtenir le feu vert du juge chargé de l'enquête. Nos quatre agents s'empressèrent de gravir les quelques marches qui séparaient le cabinet médical de l'appartement. Une fois devant la porte, Judith frappa deux coups secs. Elle tendit l'oreille et, ne percevant aucun mouvement, entreprit d'ouvrir à l'aide des clefs que lui avait données le secrétaire.

Ils découvrirent une vaste entrée décorée avec soin et finesse. De toute évidence, l'homme gagnait très bien sa vie. Les pièces s'enchaînaient sans jamais laisser le visiteur indifférent. Haut de plafond, l'appartement était spacieux et extrêmement lumineux, ce qu'on était loin d'imaginer de l'extérieur, la façade étant un peu étriquée.

Les agents se divisèrent en deux groupes ; Judith et Valérie s'attelèrent à l'inspection des chambres et salles d'eau, laissant Fabrice et Marion s'occuper des pièces à vivre.

— Waouh, s'extasia cette dernière devant une toile aux dimensions aussi excentriques que l'était son style. Le moins qu'on puisse dire, c'est que ce mec a du goût !

— De l'argent aussi, nota Fabrice. Je trouve ça un peu *too much* pour deux personnes. Enfin, je dis ça je dis rien !

— Il semblerait qu'il ne l'ait pas volé, l'assistant nous a dit qu'il bossait comme un dingue.

— Raison de plus, il n'a même pas le temps d'en profiter, railla-t-il.

— Oh le rabat-joie ! Tu ne t'offrirais pas le luxe d'un grand appart' si tu en avais les moyens ?

— Grand, oui ! Mais là, soyons sérieux, on est dans la démesure. Il vit seul avec sa gamine, si j'ai bien compris ?

— Oui et ?

— Et... Eh ben je sais pas... ça te choque pas, toi ? s'étonna-t-il.

— Moi, j'ai tendance à ne pas envier ce que les autres ont. Sans quoi, je serais sans doute dépressive... T'es dépressif ? le taquina-t-elle.

— Ne va surtout pas croire que je sois jaloux. Je n'ai d'ailleurs aucune raison de me plaindre. C'est juste que je trouve que plus on avance et plus les inégalités se font sentir.

— Fabrice ! Tu fais l'impasse sur l'histoire de l'humanité, là… Depuis que l'homme existe il y a des inégalités. À croire que l'homme trouve son équilibre dans le déséquilibre.

— Super, et à quel prix ?

— Celui qui fait qu'on ne manque pas de travail toi et moi, conclut-elle tout sourire. Et sinon, tu trouves quelque chose ?

— Oh oui ! Je trouve des trucs, trop trop de trucs, je te dis ! sourit-il à son tour.

— Comme tu dis, Fabrice, trop de trucs, intervint Judith de retour de son inspection. Je trouvais que le doc faisait un parfait coupable. Je commence à croire que c'est la parfaite victime, en fait !

— Comment ça ? s'inquiéta Marion.

— Passeport, cash… et pas qu'un peu, brosse à dents, fringues… énuméra Valérie. Tout est là !

— Pas très logique pour quelqu'un qui chercherait à fuir. Ce qui m'amène à croire qu'il est peut-être mort à l'heure qu'il est.

— Ce n'est donc peut-être pas la petite qui était visée, lança Fabrice.

— Peut-être pas. C'est même fort probable. Bon, on fait venir l'identité, je veux qu'ils retournent le moindre centimètre de cet appartement. On ne sait jamais… Il faut croire à la chance.

— Je les appelle, dit Marion le téléphone déjà en main.

— O.K. ! Fabrice, tu les attends avec Marion. Une fois qu'ils sont là, t'en profites pour faire l'enquête de voisinage. Moi, je repars au bureau avec Valérie.

— Et on fait quoi de l'assistant ?

— Tu vois ce qu'il peut te dire de plus… Pense à récupérer l'agenda du doc et si possible le nom de ses patients, qu'on puisse recouper tout ça… Et tu prends rendez-vous avec lui pour une audition, bien sûr. On est parties, Valérie ?

— Je te suis !

Il était près de 18h30, le bar s'était rempli. Aurélie, qui avait dû prendre le service de façon plus soutenue, avait laissé Magalie en tête-à-tête avec Jeff qui, au fil de la conversation, s'était avéré un peu plus loquace, laissant de côté sa timidité.

— Si je reprends un demi, vous me suivez? proposa-t-il à Magalie.

— Pas pour le moment, non! Mais surtout, que cela ne t'empêche pas d'en reprendre un.

— Je ne sais pas, pour le coup. Je n'ai pas trop l'habitude de boire. Vous non plus d'ailleurs, remarqua-t-il.

— Figure-toi que moi, d'habitude, je les enchaîne. Mais là, vu la dose de médocs que je m'enfile par jour, je préfère y aller mollo.

— Vous êtes sous traitement à cause de ça? s'enquit-il, pointant son bras en écharpe.

— C'est ça! répondit-elle avant de finir le peu de bière tiède qui lui restait.

— Vous vous l'êtes luxé?

— Non!

— Un accident?

— En quelque sorte, oui. Mais parlons d'autre chose. Tu as donc emménagé dans le quartier il y a deux semaines?

— Oui, pour le moment je n'ai pas encore trouvé d'appartement. Je loue une chambre à côté. Mais il est vrai que ce quartier est sympa.

— Tu vivais où, avant?

Cette question eut pour effet d'assombrir le visage du jeune homme, ce qui n'échappa pas à Magalie. Le garçon leva la main à l'attention de la barmaid et lui commanda une autre bière.

— Ça va? s'inquiéta Magalie.

— Oui très bien, sourit-il, tentant de faire bonne figure.

Mais il était trop tard; Magalie, en bon limier qu'elle était, sentit qu'il ne fallait pas qu'elle lâche le morceau.

— Cool. On disait quoi, du coup? reprit-elle alors qu'Aurélie déposait une troisième pinte devant Jeff. Ah oui, donc tu habitais où, avant de venir dans le 20e?

— Non loin de Mulhouse, se reprit-il.

— Mulhouse ? Marrant, je ne te voyais pas du tout originaire de Mulhouse. Tu n'as pas du tout l'accent alsacien.

— C'est que je suis né à Paris, se justifia-t-il.

— Ah d'accord ! Tu y es donc resté combien de temps, à Mulhouse ?

— Dix-huit ans ! répondit-il du tac au tac avant de prendre une énorme gorgée, vidant plus d'un tiers de sa bière.

— Ah, quand même, oui ! Et tu as su résister à leur accent tout ce temps. Moi, je dis bravo ! Surtout à la campagne… Tu devais faire tache avec ton accent parigot ?

— À la campagne ? s'étonna-t-il, manquant de s'étouffer.

— Oui, tu m'as dit non loin de Mulhouse…

— Oh non, c'est juste que les gens connaissent Mulhouse. C'est la plus grande ville du coin mais ce n'est, heureusement, pas la seule. Vous connaissez la région ?

— Pas du tout ! Jamais mis les pieds là-bas. Je suis passée une fois en coup de vent à Strasbourg, mais sinon, nan ! Faudra que j'aille y traîner mes guêtres, un de ces quatre. Tu me fileras quelques adresses.

Jeff resta silencieux.

— Et pourquoi es-tu parti ? poursuivit-elle.

— Folle envie de revoir la tour Eiffel, esquiva-t-il.

— Non, je pensais à : pourquoi es-tu parti t'installer là-bas ?

— Ah ça ? Eh bien, c'est une question que je me pose encore.

— Tu m'intrigues !

— Rien de très intéressant, souffla-t-il avant de boire d'un trait ce qui restait de sa bière. Il se fait tard ! Je vais rentrer chez moi.

— Comme ça ? s'étonna-t-elle, ahurie face à la descente du garçon.

— Oui, je suis fatigué et pour ne rien vous cacher, un peu ivre aussi.

— Raison de plus, taquina-t-elle.

— Merci, mais je vais y aller. On se recroisera sans doute…

De retour au quai des Orfèvres, Judith s'empressa de monter au quatrième étage voir Jean-Pierre, laissant Valérie rejoindre Yann au 304.

Lorsqu'elle arriva devant la porte de son commissaire divisionnaire, elle sentit sa gorge se serrer. C'est dans ce même bureau que, quelques mois plus tôt, elle avait malencontreusement tiré sur Magalie. Elle inspira un grand coup et se lança. Mais quand, après avoir frappé deux coups secs, elle ouvrit la porte, le choc émotionnel fut dévastateur. Son cœur s'emballa brutalement, cognant vigoureusement et frénétiquement dans sa poitrine. Le souffle court, elle eut un moment de flottement et crut même perdre connaissance.

Jean-Pierre, qui n'avait rien manqué de la scène, s'empressa de venir à son secours.

— Assieds-toi donc, Judith, s'alarma-t-il. Tout va bien ?

— Ça va, tenta-t-elle.

— Parfait, répondit le divisionnaire pour ne pas la mettre mal à l'aise. Alors, raconte-moi cette première journée.

— Je m'y remets doucement…

— … mais sûrement, te connaissant, sourit-il. Tiens avant que j'oublie, il me faut ta signature là-dessus, dit-il en lui mettant le formulaire de réintégration sous les yeux. Et sinon, au sujet de notre affaire… ça avance ?

— Avance, je ne sais pas. En tout cas, on a l'identité de la petite…

— … J'en ai entendu parler. Mais ? Car il y a un mais…

— Mais, son père est aux abonnés absents. Il ne s'est pas présenté au travail et il n'est pas chez lui. Bref, j'ai comme un mauvais pressentiment.

— Tu as besoin d'autres agents ou tu t'en sors ?

— Non, pour le moment ça va.

— Magalie est montée me voir à midi.

— Que te voulait-elle ?

— Devine.

— Et que lui as-tu répondu ?

— Qu'il était encore un peu trop tôt pour parler de réintégration. Maintenant si tu as besoin d'elle, au bureau uniquement, je peux réfléchir.

— Non, elle a besoin de repos, on en rediscute dans quelques semaines.

Trois coups discrets se firent entendre. Berta invita la personne à ouvrir la porte. Valérie fit son apparition dans l'encadrement.

— Entre ! s'impatienta Judith intriguée. Du nouveau ?

— Oui, la bonne nouvelle c'est qu'on a retrouvé le père et la mauvaise c'est qu'il est…

— … Mort ! coupa Judith.

— Oui, et dans des conditions épouvantables, semblerait-il.

Malgré l'interrogatoire en bonne et due forme que Magalie avait imposé à Jeff, elle n'était pas parvenue à soulager sa curiosité. Le regard du trentenaire, parfois fuyant, ajouté aux mystères qui entouraient son passé, l'avait laissée sur sa faim. C'est donc très naturellement qu'elle entreprit de suivre le jeune homme. Prétextant une course à faire, elle informa Aurélie de son retour imminent.

La filature ne dura que quelques secondes. En sortant du bar, Jeff traversa la voie et emprunta la rue Planchat. Et alors que Magalie le suivait du regard, il s'engouffra dans le deuxième bâtiment. Elle se figea, craignant d'avoir éveillé les soupçons du jeune homme. Mais après avoir sagement patienté une minute et voyant que la porte restait close, elle se décida à traverser. En s'approchant de l'immeuble, elle aperçut sur le mur une plaque corrodée par la rouille laissant difficilement apparaître un « H ».

Une plaque d'hôtellerie !… Mais bien sûr. Il loue une chambre, se souvint-elle avant de lever la tête, espérant apercevoir une quelconque activité derrière les fenêtres de cette façade défraîchie.

Pressée par sa curiosité dévorante, elle ne put se retenir de pousser la porte. Elle s'étonna de découvrir derrière celle-ci un sombre corridor jonché de vieux pavés usés, presque lustrés. Elle s'y engagea d'un pas de velours et aperçut sur la droite une première porte vitrée qui donnait accès à une cage d'escalier. Jetant un œil à travers, elle découvrit accrochée au mur une succession de boîtes aux lettres. *Des habitations privées ?* s'étonna-t-elle. *Pas de lumière, escalier bien trop sombre… Jeff n'est pas passé par là,* spécula-t-elle. Elle continua donc jusqu'au bout du couloir et poussa l'autre porte vitrée, qui cette fois-ci ouvrait sur une étroite courette.

L'hôtel se trouvait dans le bâtiment en fond de cour.

C'est alors que prise, de remords ou peut-être de honte, elle jugea bon de rebrousser chemin, s'indignant de son comportement. *Mais de quel droit ? Aurélie a sans doute raison… On est vraiment tous des paranoïaques, nous autres les flics*, sourit-elle avant de repartir en sens inverse.

7

Après avoir appris que le père d'Élodie avait été retrouvé mort dans sa propre cave, Judith, accompagnée de Valérie et Yann, se rendit sans attendre rue de Sévigné.

L'accès à la rue était entravé par les voitures de la scientifique et de la police. Trois agents de circulation tentaient tant bien que mal de soulager le nœud qui s'était créé au croisement avec la rue Saint-Antoine, mais les automobilistes exaspérés par cet embouteillage incompréhensible s'en donnaient à cœur joie, klaxonnant à tue-tête, plongeant ainsi tout le quartier dans une cacophonie insupportable. Comprenant qu'elle n'y parviendrait pas en voiture, Judith gara son véhicule sur un arrêt de bus en prenant soin d'abaisser le pare-soleil sur lequel était inscrit « police ». C'est donc à pied que nos trois agents parcoururent les 250 mètres qui les séparaient du cabinet médical.

L'accès à la cave se faisait par une épaisse porte en bois au fond du cabinet. L'escalier débouchait sur un premier sas dans lequel gisaient de vieux casiers métalliques. Le local était privé et visiblement inutilisé. Le sous-sol était, comme bon nombre de sous-sols parisiens, insalubre. La moisissure avait eu tout le temps de recouvrir les vieilles pierres suintantes. Le sol, de terre battue, était jonché de petits excréments, qui laissaient deviner la présence de rongeurs de plus ou moins grande taille. L'humidité, à laquelle s'ajoutait l'odeur de putréfaction, rendait l'air irrespirable.

Les pièces étaient exiguës et c'est très difficilement que les techniciens en identification criminelle (TIC) de blanc vêtus parvenaient à faire correctement leur travail, se marchant les uns sur les autres.

L'un d'entre eux remarqua la présence de nos trois agents et les invita à se munir de gants en latex et de patins avant de passer dans la cave voisine. Ce qu'ils firent sur le champ.

— C'est l'horreur à côté, dit-il s'adressant à Yann. Il reste des masques dans la mallette, là-bas... Je vous conseille vivement de les mettre, l'air y est irrespirable.

Les propos du technicien intriguèrent les trois agents qui, après avoir pris la peine de suivre ses conseils, s'empressèrent d'aller constater par eux-mêmes l'ampleur du drame.

Cette pièce était bien plus spacieuse que le sas et formait un «L». L'Identité et l'équipe de médecine légale s'affairaient dans un silence pesant. L'odeur était de plus en plus insupportable, tellement viciée qu'il fallait, même à travers le masque, respirer par la bouche pour ne pas sentir ses propres viscères remonter au fond de la gorge. Valérie marqua une pause. Son regard était flottant, elle était devenue presque translucide. Judith la pria de remonter prendre l'air, voyant que la jeune lieutenant était à deux doigts du malaise. Elle ne se fit pas prier et, d'un pas chancelant, se retira.

Il faisait une chaleur intenable. Les techniciens n'avaient eu d'autre choix que de placer trois énormes spots lumineux de façon à éclairer la pièce correctement. Yann sentait des perles de sueur se former sur son front; il tentait tant bien que mal de les essuyer du revers de sa manche, prenant soin de ne pas contaminer ses gants et la scène de crime. C'est alors que Fabrice sortit du renfoncement qu'offrait la pièce. Son teint était blafard. Lui aussi semblait souffrir de claustrophobie.

— Ah, vous voilà! haleta-t-il.

— Ça va? s'inquiéta Judith, voyant son collègue blême.

— J'ai vu mieux, souffla-t-il. Le corps est juste là, à droite. Franck est dessus.

— Où est Marion?

— Avec Franck. Moi, je remonte, faut que je prenne l'air.

Il s'enfuit en vacillant jusqu'à l'escalier.

Judith et Yann se regardèrent, un point d'interrogation gravé sur le front. Valérie était une jeune recrue, et même si l'on ne s'habitue jamais à voir la mort en face, on peut néanmoins avec l'expérience se forger les armes qui nous la rendent supportable. Expérience que Fabrice avait eu tout loisir d'acquérir ces six dernières années.

Ils prirent leur courage à deux mains et s'engagèrent dans l'aile de la cave.

Judith marqua l'arrêt et resta figée sans que son visage trahisse le dégoût qui l'envahissait. Yann, lui, ne put empêcher le pas de recul que lui imposa la vision du cadavre, laissant s'échapper un « Oh mon Dieu! »

— Je ne pense pas que Dieu y soit pour quelque chose, jeune homme! lança le légiste sans même se retourner. C'est plutôt l'œuvre du diable... Mais tu as raison! Peut-être pouvons-nous entrevoir, ici, une forme d'allégorie biblique?

Voyant la fébrilité de Yann croître, Marion attrapa le tube de crème mentholée dans la trousse du légiste et le lui lança.

— Tiens, va pas nous faire une syncope, toi aussi, s'alarma-t-elle.

— Merci, suffoqua le jeune lieutenant.

Il releva légèrement son masque et appliqua l'onguent à la base de son nez.

— Bonsoir, Franck, salua Judith.

— Oh! dit ce dernier, se retournant brusquement.

Le légiste était équipé d'une lampe frontale. La chaleur des spots aurait pu, dans un espace aussi exigu, détériorer d'éventuels indices précieux. Aveuglée par la lumière, Judith plissa les yeux et mis la main devant son visage.

— Mais quel plaisir de te savoir à nouveau parmi nous! Tu as repris le service depuis longtemps? s'informa-t-il en prenant soin d'éteindre sa loupiote.

— Non ! Ce matin. En revanche, je ne suis pas sûre que ceci soit de l'ordre du plaisir, essaya-t-elle de plaisanter en pointant le corps.

La scène était christique. Au fond du renfoncement, le corps nu du médecin trentenaire était suspendu par les poignets à deux fixations murales qui menaçaient à tout instant de lâcher. Les poings, fermement entravés par de robustes chaînes métalliques, semblaient s'être brisés tant l'homme avait dû se débattre. Des dizaines d'entailles plus ou moins profondes sculptaient le cadavre. Des langues de chair pendouillaient ça et là, léchant délicatement le corps de la victime. Les plaies étaient si nombreuses que le sang qui s'en était écoulé avait recouvert le moindre centimètre de peau du pauvre docteur. Son visage tiré, meurtri, couvert d'ecchymoses et révulsé traduisait parfaitement l'insoutenable violence du supplice. La mort lui était venue à petit feu au cours d'un calvaire qui, au vu de l'horreur, avait dû durer des heures et des heures.

Le faible éclairage de cet appendice de cave étriqué épargnait à nos deux nouveaux arrivants les détails barbares de la mise à mort. C'est sans doute ce qui poussa Franck à les inviter à se rapprocher du corps. Judith qui, jusque-là, était restée de marbre face à l'innommable, s'avança précautionneusement. Marion, qui s'était faite discrète, lui tendit une lampe de poche. Judith l'alluma et pointa le rayon sur le visage tuméfié de la victime. Examinant le corps à la lumière vive de sa Maglight, soudain elle se figea, tétanisée. Son visage se tira, ses masséters se contractèrent violemment, révélant l'ampleur de la vague d'écœurement qui venait de la submerger.

— Le meilleur pour la fin, comme dit l'adage, tenta à son tour d'ironiser le médecin légiste.

Judith resta sans voix. Sa mâchoire se décrocha, faisant glisser très légèrement son masque sur l'arête de son nez. Elle fixait le corps de la victime, effarée, paralysée.

Yann, qui se tenait toujours en retrait, fut surpris par le comportement de sa supérieure. Intrigué, il s'approcha à son tour.

— Mais quelle horreur, s'écria-t-il subitement, un geste inconscient incitant ses deux mains à venir se blottir dans son entrejambe.

Après avoir supporté les coups, après avoir été tailladé, après avoir été vidé de son sang, la victime avait tout simplement été émasculée. Sa verge et une partie de ses testicules gisaient à ses pieds sur une terre battue détrempée par le sang.

Yann, de plus en plus blême, recula de quelques pas. Le souffle court, il enleva son masque, cherchant un peu d'air. Il inspira fort et comprit aussitôt son erreur. L'ignoble odeur de putréfaction combinée à l'humidité prit le pas sur la crème mentholée et fit valser l'ensemble de son système gastrique. Marion, n'ayant rien manqué de la scène, accourut et c'est in extremis qu'elle arriva à sa hauteur armée d'un sac à scellés. Le jeune homme se libéra promptement et proprement du contenu de son bol alimentaire dans la poche en plastique. Deux techniciens, soucieux de préserver la scène de crime, se précipitèrent à leur tour et raccompagnèrent le jeune lieutenant à l'étage.

— J'ai moi-même eu un haut-le-cœur, admit Franck. Ce tableau, en plus d'être abject, fait appel à quelque chose de plus… profond auprès de la gent masculine. Ce que tu peux comprendre assez aisément, Judith, sourit-il en cherchant à excuser la faiblesse du jeune lieutenant.

— Je le comprends parfaitement. Cela m'est insupportable et pourtant je n'ai aucune idée de ce dont on parle. Je ne peux qu'imaginer. Rassure-moi, Franck… Il était mort quand on lui a fait ça ?

— Eh bien non ! se désola-t-il. Non, il était de toute évidence bien vivant, au vu de la perte de sang occasionnée par l'émasculation… C'est une légende urbaine qui dit que l'homme ne peut survivre à l'ablation de… de ce qui fait de lui un homme. C'est d'ailleurs l'une des parties du corps les moins utiles, si tu me permets le raccourci. Le corps humain a été très bien pensé, car en cas de grand danger, il se cantonne à protéger les organes vitaux tels que le cerveau, le cœur, ou encore les poumons. Il est donc clair que, dans une telle situation, les organes dit périphériques sont laissés pour compte.

— Ce pauvre homme a dû souffrir le martyre ! intervint Marion, choquée.

— Je préfère ne pas avoir à l'imaginer, si cela ne te dérange pas, ma chère Marion.

Judith balayait du faisceau de sa lampe de poche le corps du docteur quand une masse jaunâtre à ses pieds attira son attention.

— Qu'est-ce ?

— Du citron, répliqua Franck.

— Du citron ?

— Jusqu'où ira l'horreur, railla-t-il. Quand je suis appelé sur une scène de crime, je m'attends à tout. À tout ce qui est imaginable, en tout cas. Je dois bien admettre aujourd'hui que je manque terriblement d'imagination. Nous sommes en train de gravir les cimes de la barbarie, ma chère.

— J'ai peur de ne pas comprendre, Franck.

— Le citron… sur les plaies… ça pique !

— Je ne sais pas ce que cet homme a bien pu faire, mais le tueur voulait le voir souffrir. Peux-tu nous donner l'heure de la mort ?

— Dans la nuit de dimanche à lundi. J'aurai plus de précisions après autopsie.

— Autre chose ?

— Ça ne te suffit pas ?

* * *

Mardi 6 mai
17 h 28

Barbarie, atrocité, monstruosité, cruauté, horreur… Tant de mots qui traduiront à peine ce que ressentiront les personnes qui découvriront le corps de cet enfoiré.

Il est vrai que le tableau n'est pas des plus gais. Mais à quoi qualifie-t-on le degré de barbarie d'un crime ? En quantité de sang ? En qualité de souffrance ? Les deux, me direz-vous ! Si c'est le cas… j'accepte volontiers tous les noms d'oiseaux que vous m'adresserez. Je les assume, sans peine.

Il est écrit : tu ne tueras point ! Mais il est aussi dit : tu ne jugeras point. Ou un truc comme : qui n'a jamais péché jette la première pierre (désolé, mes références sont bibliques, c'est juste que je préfère ne pas trop m'aventurer à citer d'autres croyances et religions que je sais moins connaître. Mais j'imagine qu'en fouillant bien, on doit y trouver des citations similaires). Soit ! Tout cela pour dire que si mes actes sont innommables les vôtres le sont tout autant, à la différence que moi je les assume.
Belle affaire, me direz-vous.
Pas si belle en réalité, car sachez que je n'éprouve aucun plaisir à découper le pénis d'un homme. Je ne suis par ailleurs aucunement frustré. Je ne suis certes pas en couple mais si cela m'était vraiment nécessaire, je le serais sans doute et très certainement sans mal. Ma gueule est un peu cassée mais il semblerait que ça plaise aux filles.
Alors pourquoi ai-je passé plus de quatre heures à torturer le père d'une charmante petite fille ?
Sachez que je commençais à m'en lasser, sans quoi j'aurais bien laissé traîner le supplice quelques heures de plus. Et puis l'air devenait irrespirable dans cette cave. J'essayerai de trouver un endroit moins suffocant la prochaine fois. Un peu plus aéré.
Le problème, c'est le bruit. Cet enfoiré ne cessait de crier et puis de geindre. Insupportable ! Des « s'il vous plaît » à la pelle, des « je vous en supplie » en veux-tu en voilà. Aucune fierté. Une vraie tapette, ce gars (je n'ai rien contre les gays, soyez-en sûr).
Non, en fait je dois bien admettre qu'au bout d'un moment ça devient lassant. Et puis l'air de rien, c'est éprouvant et très fatigant. Mais bon, qui a dit que ce serait facile.

Je comprends que vous ne saisissiez pas. Alors je vous pose la question : quel traitement doit-on offrir aux salauds qui violent leur fille ? Quelle peine doit-on leur administrer ? Moi, à tort peut-être, j'ai opté pour l'action. Rendre leur dernier souffle insurmontable. Faire en sorte que ces enflures regrettent le jour de leur naissance. Leur donner une idée de ce qu'ils imposent à leurs frêles victimes. Dans le cas présent celui de sa propre fille, sa propre chair, son propre sang !
Ce bâtard organisait des partouzes pédophiles avec ses potes les tarés du cul et offrait sa fille sur un plateau à des pervers dégoulinants de bons sentiments. Essayez donc d'imaginer ce qu'a été le printemps de la vie de cette jeune et adorable petite Élodie qui s'est fait passer sur le corps par des dizaines de gros dégueulasses.
De l'empathie, me dites-vous ? De l'empathie, j'en ai à revendre. J'en ai tellement que je suis prêt à me transformer en l'un d'eux... Un monstre !
Il est évident que quelqu'un devait agir. La justice des hommes ne répond en rien à mes exigences morales. C'est la mort qui doit survenir. La mort lente et douloureuse. Il faut que la douleur soit à la hauteur des préjudices commis. Alors oui, je me suis transformé en monstre sanguinaire qui trouve son salut dans le regard apeuré de ces erreurs de la nature, et j'en assume pleinement la charge. Je ne me substitue pas à Dieu, rassurez-vous ! Je suis juste un être définitivement perdu qui s'est donné pour mission de se faire justice lui-même. Et advienne que pourra ! Si je dois vous heurter, vous indigner, ou que sais-je encore, je le ferai et n'attendez pas de moi des excuses. Je fais ce que je dois faire et nul ne parviendra à me détourner de mon but.
Pourquoi ai-je tué la petite ?
Comment pensez-vous pouvoir soigner ce genre de plaies...

***

8

Le vingtième arrondissement était un de ces quartiers populaires où les riverains se fréquentaient, se connaissaient et aimaient se rencontrer autour d'un verre dans les bistrots du coin.

Il était 18 heures passées lorsque Magalie franchit la porte du Piston Pélican. Depuis qu'elle était sortie de l'hôpital, près d'un mois plus tôt, elle avait pris l'habitude de venir tuer une partie de son temps au bar. Bien qu'elle ne puisse abuser de l'alcool vu son état de santé, elle y retrouvait avec plaisir ses voisins pour partager un apéro agrémenté de petites brèves de comptoir. Aurélie, la jeune gérante, lui avait pour ainsi dire sauvé la vie au mois de mars, car c'est elle qui avait fourni à Judith le portrait-robot du bourreau qui l'avait alors enlevée. Les deux femmes étaient déjà des connaissances, mais cet événement les avait considérablement rapprochées.

Lorsque Magalie entra dans le bar, elle fut heureuse d'y trouver accoudés Richard et Elsa. Elle les salua et prit place avec eux. Elle commanda un Perrier, enviant secrètement ses deux collègues en les voyant avaler leurs bières fraîchement servies. Les brèves allaient bon train, chacun apportant sa pierre à l'édifice. Magalie appréciait la compagnie de ses nouveaux amis. Loin des horreurs que lui infligeait son travail, elle se surprit soudain à penser que peut-être Judith avait raison de vouloir lâcher la crim' ! *S'offrir une place au soleil et profiter pleinement de l'insouciance collective ?* songea-t-elle. Mais cette idée fut balayée d'un trait par l'arrivée de Jeff. Chassez le naturel et il revient au galop ! C'était plus fort qu'elle, cet homme l'intriguait. Son instinct d'enquêteur la titillait. Il fallait qu'elle approfondisse le sujet. Il fallait qu'elle sache.

Richard, ce grand gaillard d'un mètre quatre-vingt-dix maigre comme un clou, était un garçon extrêmement sociable. C'est d'ailleurs l'un des premiers voisins qui vint à la rencontre de Magalie au début de sa convalescence. Et il avait sans doute dû faire de même avec Jeff, car c'est très naturellement que ce dernier vint saluer tout ce beau petit monde. L'opportunité était trop belle. Elle savait avoir le temps d'une pinte pour en apprendre un peu plus sur le mystérieux Jeff.

— Comment ça va, Jeff? l'accueillit Richard.

— Pas trop mal.

— Une pinte comme d'hab?

— Volontiers. Ta journée s'est bien passée? s'enquit Jeff.

— Oui, c'était calme au taf, répondit-il.

— Rappelle-moi ce que tu fais.

— Éducateur.

— Ah oui, c'est vrai. Et toi, c'est dans la prod que tu travailles si mes souvenirs sont bons, ajouta-t-il en se retournant vers Elsa.

— Oui, répondit-elle timidement.

— Et toi? s'immisça Magalie, sautant sur l'occasion. Tu fais quoi d'ailleurs?

— Je travaille le bois.

— C'est vague, sourit-elle.

— Ébéniste ! expliqua Richard. Ce gars est un dieu du couteau et du tenon-mortaise.

— Ciseaux, précisa Jeff. On utilise des ciseaux à bois.

— Même combat, blagua Richard.

— Cool ! C'est un métier noble, admira Magalie qui elle aussi aimait travailler le bois, à ses heures perdues.

— Si vous le dites. Et vous?

— Comment ça : et moi? s'inquiéta-t-elle.

— Dans la vie… C'est quoi votre job ?

Magalie se décomposa et se mit à balbutier maladroitement quelques mots avant qu'Elsa n'intervienne.

— T'es chiante à jamais vouloir dire ton métier. Moi à ta place, je le crierais sur les toits. « M'emmerdez pas les gars, je suis flic », s'amusa-t-elle.

— Clair ! Qui n'a jamais rêvé d'être flic au moins une fois dans sa vie, abonda Richard.

Et merde ! pensa Magalie qui, la tête baissée, ne remarqua pas la soudaine crispation de Jeff.

— Ne serait-ce que pour pouvoir sortir ta plaque quand un chauffard te grille la priorité, poursuivit Richard tout sourire.

— Vous êtes… flic ? souffla Jeff, abasourdi.

— C'est-à-dire que… bafouilla Magalie avant de se faire couper la chique par Richard.

— … Elle est pas flic, elle est super flic, mec. La crim', mon gars ! Et tu vois ça, enchérit-il en pointant le bras en écharpe de Magalie. Ça, c'est une balle…

— … Bon, ça va, Richard ! coupa Magalie sèchement. Je pense que Jeff a compris. Il n'y a pas de sot métier comme on dit, tenta-t-elle de sourire.

— C'est sûr ! Mais je t'avouerai que si t'avais été un bleu au carnet de prunes, peut-être qu'on ne serait pas en train de boire des coups ensemble, la taquina Richard.

— Si j'avais su, soupira Jeff avant d'avaler une gorgée de sa bière.

Cette réflexion interpella Magalie.

— Pourquoi ? Un problème avec les flics, peut-être ? le sonda-t-elle.

— Pas avec les bons, nan ! Le problème c'est que je n'en ai jamais rencontré, lâcha-t-il avec une assurance teintée d'énervement.

L'atmosphère se crispa. Jeff, que tous connaissaient de nature timide et plutôt réservée, venait de plomber l'ambiance.

— Eh ben voilà, c'est chose faite, tenta d'apaiser Richard. Tu viens d'en rencontrer une, de bonne flic. Je disais la même chose que toi au début. Et maintenant, je bois des coups en sa compagnie. Comme quoi… sourit-il.

— Hum ! fit Jeff avant de finir sa bière d'un trait. Sur ces bons mots je vais rentrer chez moi. Salut tout le monde…

— Non c'est trop facile, s'agaça Magalie. T'es là, tu balances et tu te casses. Je n'ai même pas le droit de me défendre. Tu vas rester là, je t'offre une pinte et on va s'expliquer.

— Ah, les flics et leurs directives. Tu fais ça et tu la boucles. C'est bon, j'ai déjà donné.

— Ah oui ? Eh bien explique-nous ! Tu sembles avoir eu maille à partir avec certains de mes confrères. Il y a bien une raison à ça ?

— Eh bien figure-toi que non, aucune raison !

— Tiens donc, tu me tutoies maintenant !

— Oh oh oh, intervint Richard. On va redescendre, les enfants. Pourquoi vous vous énervez ? On est cool, là ! On boit des coups, on rigole, on chambre…

— Oui et pendant ce temps, il y en a qui se font démonter par des flics et d'autres qui violent et qui tuent à tour de bras !

— Je te trouve dur, Jeff. Magalie est quelqu'un de bien, rétorqua Elsa de sa voix fluette et réconfortante. Tu ne la connais pas et tu la juges sans lui laisser une seule chance de s'expliquer.

— Pourquoi ? Tu crois que quand tu te retrouves en garde à vue, ils te laissent le temps de t'expliquer, eux ?

— 48 heures, oui ! ironisa Magalie. Mais à t'entendre, ça, tu le sais déjà ! le tacla-t-elle.

— Pff !

— Alors ?

— Alors, quoi ?

— Pourquoi t'es-tu retrouvé en garde à vue ?

— Parce que vous êtes tous des incapables. Et ça me désespère, car pendant ce temps de vrais connards courent les rues et se jouent de vous… et de nous. Voilà pourquoi ! Et contrairement à toi, Richard… Moi je préfère les… Comment t'as dit ? Les bleus au carnet de prunes, car au final ils sont bien plus utiles et bien moins nocifs. Sur ce… Bonne soirée !

Il fit volte-face et sans attendre de réponse, d'un pas rapide et franc, prit la porte. Aurélie, voyant Jeff sortir, rejoignit le groupe.

— Jeff est parti… Il a oublié de me payer !

— Il était un peu énervé, l'informa Elsa. Il n'a pas dû calculer.

— Ah, O.K. Effectivement ça ne lui ressemble pas. Rien de grave, j'espère ?

— Disons que le courant ne passe pas trop entre Magalie et Jeff.

— Bon sang, Magalie, je t'ai dit de le laisser tr…

— … Hé ! J'ai rien fait, O.K. ! Je commence à en avoir ma claque que tout le monde me tombe dessus. Elle se retourna vers Richard et Elsa. Quant à vous deux, maintenant vous comprenez pourquoi je n'aime pas parler de mon taf au tout-venant. Donc la prochaine fois… Merci de vous abstenir !

Magalie ne tarda pas à sortir du bar, laissant ses compagnons de fortune autour d'une partie de 421. La réaction de Jeff l'avait laissée perplexe. Vexée par la violence de ses propos et tiraillée par sa curiosité, elle décida de rendre visite au trentenaire. Elle remonta la rue de Bagnolet sur une dizaine de mètres et entra chez le fleuriste. Elle en ressortit une minute plus tard avec la première botte de fleurs qu'elle y trouva. Une fois devant l'hôtel rue Planchat, elle marqua une pause. Prise de doutes, elle hésita à pousser la porte de l'immeuble. C'est alors qu'un jeune couple en sortit, ce qu'elle considéra comme un signe. Elle s'engouffra dans le bâtiment. Une fois dans la cour, c'est la porte de l'accueil de l'hôtel qu'elle poussa. Une jeune femme d'une vingtaine d'années, assise derrière le petit comptoir, releva la tête et l'accueillit de son plus beau sourire.

— Bonsoir mademoiselle, lança Magalie.
— Bonsoir, lui répliqua-t-elle reposant son stylo sur ce qui devait être un cahier de cours.
— Alors voilà, je cherche la chambre de Jeff, je voudrais lui faire une surprise, dit-elle en lui montrant les fleurs.
— Oh ! C'est marrant d'offrir des fleurs à un garçon, sourit l'étudiante avant de jeter un coup d'œil au registre. Jeff, me dites-vous… Alors… Non… Je ne trouve pas de Jeff, puis-je avoir son nom de famille ?
— C'est-à-dire que je ne l'ai pas. On s'est rencontrés au bar d'à côté. Je viens d'y passer et on m'a dit que c'était son anniversaire. Je voulais juste lui fêter de vive voix… Il est pas très bien ces derniers temps et je…
— Je comprends. Peut-être pouvez-vous me le décrire, alors ?
— Bien sûr ! Un bon mètre quatre-vingt-cinq, châtain foncé, la gueule un peu cassée…
— Ah oui je vois, il est entré, il y a peu ! C'est au deuxième étage, chambre 203. Par l'escalier juste derrière vous.
— Merci beaucoup. Bonne fin de soirée.
— Souhaitez-lui de ma part, sourit la jeune femme.
— Souhaiter quoi ? s'étonna Magalie avant de comprendre sa bourde en voyant un point d'interrogation se dessiner sur le visage juvénile de l'étudiante. Oh oui ! Bien sûr ! Je lui souhaiterai bon anniversaire de votre part. Bonne soirée, dit-elle avant de s'éclipser dans l'escalier.
Je suis rouillée, bordel. Il est temps que je reprenne du service, pensa-t-elle en montant les marches deux par deux. Rythme qu'elle ne parvint pas à tenir longtemps. Sa blessure au poumon la faisait souffrir. Son souffle était court et saccadé, accélérant considérablement son rythme cardiaque. Une fois arrivée au deuxième étage, elle marqua un temps de pause afin de récupérer. C'est après deux bonnes minutes qu'elle s'approcha de la chambre 203 et sans aucune hésitation frappa deux coups secs à la porte. Il ne fallut que quelques secondes à Jeff pour venir ouvrir.

— Mais qu'est-ce que vous foutez, là, bon sang ? Vous me suivez ? s'offusqua-t-il.

— Cool, tu me re-vouvoies. C'est donc que tu es calmé et qu'on va peut-être pouvoir discuter comme des adultes, sourit-elle.

— Des fleurs ? pointa-t-il, décontenancé.

— Oh ! Euh oui ! Il me fallait un argument pour passer l'accueil.

— À savoir ?

— C'est ton anniversaire.

— J'y crois pas ! se dépita-t-il. Sérieusement ? Et elle a gobé ça ?

— Oui. Elle te souhaite plein de bonnes choses, d'ailleurs. Je peux entrer ?

Il regardait Magalie, toute penaude, son bouquet de lys jaunes à la main.

— On vous file des cours de théâtre chez les flics ? Ça fait partie de la formation, n'est-ce pas ?

— On peux voir ça comme ça, oui.

Maintenant que les choses étaient claires, autant jouer franc-jeu, se dit-elle. Il lui fallait le mettre en confiance et ce n'était pas en le braquant qu'elle y parviendrait.

— On est partis sur de mauvaises bases, toi et moi. Je veux juste discuter. Surtout que pour être franche, je suis en partie d'accord avec toi.

— Ah oui ? Comme c'est étrange. C'est encore une de vos techniques à la con ?

— Je suis d'accord sur le fait que quand le flic est pourri, c'est dramatique. La balle que je me suis prise, c'est celle d'un flic, si tu veux tout savoir.

Il n'est pas question de mensonge, pensa-t-elle. *Juste d'omission. Et ça, oui… c'est une technique de flic.*

— Pas ici ! répondit-il au bout de cinq interminables secondes. Y a un petit bar plus haut dans la rue.

— Parfait. Je peux te laisser les fleurs ? la nana à l'accueil risque de pas comprendre sinon, minauda-t-elle.

— Pff, se désespéra-t-il en attrapant le bouquet. Attendez-moi. Je prends mes affaires, l'informa-t-il avant de refermer la porte au nez de Magalie.

C'est dans un profond silence qu'il marchèrent jusqu'au bar. Une fois à table, Magalie se laissa tenter par un demi alors que Jeff prit un coca.

— Alors ? De quoi parle-t-on ? lança-t-il sèchement.

— Bah, je sais pas. Laisse-moi réfléchir... de toi, s'amusa-t-elle.

— Le flic qui vous a tiré dessus, il voulait vous tuer ?

— J'ai dit de toi, pas de moi.

Jeff resta silencieux, attendant une réponse.

— O.K., j'ai compris, je parle de moi et tu parles de toi ?

— Waouh, se moqua-t-il.

— O.K. Alors on va commencer par le tutoiement. Ça m'aiderait. Je suis sûre d'être plus jeune que toi. On est d'accord ?

— O.K. La balle, poursuivit-il.

— Oui, pour tuer. Enfin pas pour me tuer, moi. Pour tuer un flic véreux. Je me suis mise au milieu. Et bim, coma et tutti quanti...

— Je croyais que c'était un flic qui t'avait tiré dessus.

— Oui. C'est mon chef de groupe, ricana-t-elle.

— Et ton chef de groupe voulait tuer un autre flic ? s'enquit-il, ahuri.

— C'est ça ! Ça a l'air bizarre dit comme ça, mais ça s'explique assez aisément.

— J'ai tout mon temps.

— Pff ! Bien, pour la faire courte, cet enfoiré de ripoux a tué le mari de ma collègue, il y a plus de sept ans. Quand elle l'a découvert, elle a très logiquement voulu le buter. Et vu que je ne voulais pas qu'elle passe le reste de sa vie derrière les barreaux, je me suis mise au milieu. Geste certes absurde, mais au final, tout est bien qui finit bien. Je suis en train de boire une bière et elle est sans doute chez elle bien au chaud. Ça te va ?

— Et le pourri ?
— Oh lui, il est en taule pour un bon bout de temps.
— T'es donc en train de me dire que les flics ne sont pas contre l'idée de se faire justice eux-mêmes ?
— C'est pas ce que j'ai dit ! Bref ! À ton tour.
— Et après tu veux que je change d'avis ?
— Écoute, tu ne vas pas me faire regretter de t'avoir dit la vérité ?
— O.K. ! Que voulez… veux-tu que je te dise ?
— Ce qui a provoqué ta haine viscérale envers les flics, par exemple.
— Je n'ai pas de haine viscérale envers les flics. Je trouve juste qu'ils font mal leur travail et que ça a des répercussions dramatiques sur la vie des gens.
— Quelles répercussions ça a eu sur la tienne ?
Jeff baissa la tête et se mit à jouer avec son verre de coca.
— Je croyais que c'était un coup toi, un coup moi ?
— Ça, c'est ce que tu as dit. Je n'ai jamais confirmé.
— Je croyais qu'on était là pour discuter ?
— Tu m'excuseras mais je n'ai pas confiance en toi. Et je n'ai pas vraiment envie d'avoir à me justifier.
— Justifier de quoi ? Je ne sais pas de quoi tu parles. Je veux juste savoir ce qui te permet de m'en mettre plein la gueule alors qu'on ne se connaît pas.
— Eh bien moi non plus… Je ne connais pas l'Alsace.
— Hein ? Comment ça ? Je ne comprends pas, reprit-elle. Tu n'as pas passé dix-huit ans en Alsace ? Tu m'as baratinée ?
— Non !
— Eh ben ? Mulhouse, c'est pas en Alsace ? s'étonna-t-elle.
— Si, ainsi qu'Ensisheim, dit-il, la fixant de son regard noir.

Magalie se figea, il ne lui fallut qu'une seconde pour comprendre. La maison centrale d'Ensisheim était connue de tous les flics de France et de Navarre car c'est dans cette prison que les plus grands criminels français purgeaient leur peine. Fourniret, Heaulme, Émile Louis et j'en passe, tous y avaient séjourné, voire y séjournaient encore. Cette maison carcérale était devenue synonyme de monstruosité. On ne pouvait s'imaginer l'ambiance d'un tel lieu.

Jeff continuait à la fixer alors que Magalie, prise au dépourvu, ne savait plus quoi dire. Elle était partagée entre le dégoût et la colère.

— Ensisheim, souffla-t-elle enfin.

— C'est ça, Ensisheim ! Dix-huit ans à Ensisheim, ajouta-t-il.

— On ne se retrouve pas là-bas pour un délit mineur, spécula-t-elle.

— Effectivement ! Viol, assassinat et actes de barbarie sur une mineure de 17 ans, lâcha-t-il sèchement, cherchant à choquer son interlocutrice.

Magalie resta silencieuse, sondant Jeff. Celui-ci la fixait, immobile. Son regard empreint de tristesse et d'un soupçon de malice ne laissait guère de place au doute. Il ne bluffait pas. Magalie fit le calcul rapidement. Elle lui donnait entre 35 et 40 ans. Si, comme il l'affirmait, il avait passé dix-huit ans de sa vie en prison, cela signifiait qu'il y était entré aux alentours de la vingtaine.

— Ça explique le fait que tu n'aies pas pris l'accent alsacien, sourit-elle, cherchant à voir où la mènerait la conversation. (Mais son interlocuteur resta silencieux.) Tu as donc passé dix-huit ans de ta vie en prison pour avoir violé et tué une jeune fille. Et tu détestes les flics. J'imagine que la prochaine phrase sera : « Je suis innocent ! »

— Je suis innocent ! Mais j'ai été jugé coupable. L'enquête a été menée à charge. J'étais le coupable parfait. J'ai été broyé par l'appareil judiciaire… Ça te fait marrer ?

— Oui ! Ça a toujours l'art de me faire rire. À vous entendre, vous n'êtes jamais coupables. Ça en devient pathétique, dit-elle en se levant de table.

— Voilà ! Comme d'habitude, les flics et leurs convictions à la con.

— Mais oui, d'accord ! Tu n'as rien à te reprocher, on sait, persifla Magalie enfilant délicatement sa veste de peur de réveiller sa blessure.

— Pense ce que tu veux. J'ai purgé ma peine et je ne dois plus rien à la société. Mais ça, tu t'en fous, n'est-ce pas ?... Ma vie est définitivement ruinée... J'imagine que tu as une idée de l'identité de mes colocataires. Je ne te ferai donc pas de dessin. Je ne me plaindrai pas non plus.

— Tu ne te plaindras pas ? Tu crois que je ne connais pas le manège des pervers narcissiques ou psychopathes dans ton genre ? T'inquiète, j'ai une bonne idée de ce que tu cherches à faire. Trouve une autre cliente car ça ne prend pas avec moi, lui assena-t-elle avant de tourner les talons.

— C'est toi qui es venue me chercher. C'est toi qui as voulu que je te parle. Et maintenant, tu me tournes le dos et tu t'en vas ? Et tu veux que j'aie de la considération pour vous ? l'interpella-t-il, avant de reprendre : c'est des gens comme toi qui ont détruit ma vie. Mais ça, c'est pas le plus grave. Non, ça, ce ne sont que les dommages collatéraux. Ce qui m'emmerde, ce n'est pas d'avoir ruiné ma vie mais de laisser les vrais responsables continuer à pourrir celle des autres en toute impunité. Car il y a une chose que je suis sans doute le seul à savoir... C'est que vu que ce n'est pas moi, c'est forcément quelqu'un d'autre. Et ce quelqu'un d'autre, au vu de ce qu'il a fait subir à cette pauvre fille, ne se sera certainement pas arrêté en si bon chemin. J'ai purgé ma peine et ne dois plus rien à personne ! Explique-moi quel est mon intérêt à te déballer tout ça ?

Magalie marqua l'arrêt sans pour autant lui refaire face. Il venait de marquer un point. *Pourquoi se serait-il grillé s'il avait été coupable ?* pensa-t-elle.

— Jean-Francois Bonnet, c'est mon nom, enchérit-il se levant à son tour. Fais-en ce que tu veux. Colle des affiches trois par quatre dans tout le quartier si ça te chante. De toute façon, je suis en sursis, conclut-il avant de sortir du bar, laissant Magalie sur place, perplexe et pensive.

Judith arriva chez elle à 22 heures tapantes. Elle ne put retenir son sourire maternel quand elle aperçut Sarah affalée dans le canapé, somnolant devant un épisode de *Docteur House.*

— Salut, m'man, marmonna l'adolescente.

— Salut ma puce, lui répondit-elle se penchant sur son front pour y déposer un baiser. Tu as mangé ?

— Oui, j'ai fait des pâtes. Je t'en ai laissé, il te suffit de les réchauffer. Ta rentrée s'est bien passée ?

Judith s'installa aux pieds de l'adolescente.

— On n'en a pas parlé. Pour être franche, je ne pensais pas reprendre le travail…

— … Moi, je savais que tu le reprendrais, sourit-elle.

— Ça t'embête ?

— Non. Tu sais ce qui m'embête, comme tu dis ?

— Non.

— Mes parents sont flics. Je ne connais rien d'autre que ça. Pourquoi veux-tu que ça m'embête ? En revanche, voir ma mère au bord des larmes du matin au soir, ça… ça m'est insupportable. Il est temps d'aller de l'avant, maman. Le plus dur est derrière nous. Maintenant il faut se relever et continuer à vivre ; pour toi, pour moi et pour papa qui n'a pas la chance de pouvoir le faire.

— Oh mon Dieu ! soupira Judith.

— Quoi ?

— Où est passée ma petite fille ? sourit-elle lui caressant la joue.

— Juste là, sauf que faut enlever le « petite » maintenant. Au fait, rien à voir, mais Magalie veut que tu la rappelles. Elle voulait pas te déranger au bureau, l'informa Sarah.

— O.K. Je réchauffe tes bonnes pâtes et l'appelle.

— Attention, j'ai dit que j'avais fait des pâtes, j'ai jamais dit qu'elles étaient bonnes, précisa la jeune fille, arrachant un rire à sa mère.

Après avoir quitté, ou plutôt s'être fait quitter par, Jeff, Magalie avait pris le chemin de la maison. Cette histoire l'avait pour le moins perturbée. Les propos du jeune homme résonnaient en elle sans qu'elle parvienne à se faire une idée. Il avait réussi son coup. Le doute s'était bel et bien installé. Des tonnes de questions tintaient et re-tintaient dans sa tête. *Pourquoi ? Quel intérêt pour lui de m'avouer ça ? Aucun ! C'est même dangereux, je peux ruiner sa nouvelle réputation*, soliloquait-elle, remontant machinalement la rue de Bagnolet. *Si c'est un taré de psychopathe, il aurait mieux fait de garder ça pour lui et de reprendre ses activités sanguinolentes sans éveiller de soupçon. À moins qu'il n'ait peur de retomber dans ses travers ? Il veut peut-être que je l'en empêche ?… Ou alors… il est réellement innocent et dans ce cas, le vrai coupable court toujours. Quoique, dix-huit ans sont passés… Il est peut-être mort, le vrai coupable ? Et si c'est le cas… ? Oh mon Dieu si c'est le cas… Dix-huit ans à Ensisheim ! Mais, non ! Pas possible ! S'il était normalement constitué, il se serait tiré une balle. Tu ne restes pas enfermé dix-huit ans avec les pires tarés de la planète sans que ça te laisse des séquelles… Quoique en y réfléchissant, il est quand même très bizarre ce garçon. Grrr, putain, fait chier ! Je dois le croire ou pas, bordel ? Oh et puis pourquoi je me prends la tête ?… Pourquoi je me retrouve toujours dans des situations à la con, comme ça ? À croire que je les cherche ? Oui Magalie, oui tu les cherches. Bien sûr que tu les cherches ! Tu t'y es mise toute seule, dans ce merdier. Tout ça à cause de ton esprit tordu de fli… Mais ? C'est vrai ça d'ailleurs ! Il ne pouvait pas savoir que j'étais flic !*

Elle s'arrêta soudain en plein milieu du trottoir.

— Il ne le savait pas avant ce soir !

Elle se remit en marche et ne lui fallut que deux minutes pour arriver chez elle, la tête toujours aussi pleine d'incertitudes.

Bonnet, se répéta-t-elle en se dévêtant de sa veste.

Ce nom ne lui disait rien. Âgée de douze ans à l'époque des faits, elle n'en avait gardé aucun souvenir. Si certaines affaires marquent les annales de la crim', celle-ci n'en faisait visiblement pas partie. Après une rapide recherche sur Internet, elle tomba sur un épisode de *Faites entrer l'accusé* consacré au meurtre de Julie Van den Brake, victime de Jean-François Bonnet. Elle se prépara rapidement un plateau-repas et, une fois confortablement installée dans son canapé, lança l'émission.

Julie Van den Brake, une jeune fille de 17 ans, avait été retrouvée dans un hangar désaffecté d'Issy-les-Moulineaux. Son corps gisait au beau milieu de détritus en tout genre. Violée à plusieurs reprises et battue à mort, son visage avait été éclaté à coups de marteau. Les dents avaient été cassées dans leur quasi totalité. Les enquêteurs auraient tout le mal du monde à identifier le cadavre. Un marteau et une brique tachés de sang, ainsi qu'une bouteille de white-spirit, avaient été retrouvés non loin de la dépouille. À une dizaine de mètres de l'amoncellement de détritus, il y avait un campement de fortune où des canettes de bière, des mégots et des cadavres de joints avaient également été prélevés.

Sans l'identité de la victime, les policiers de la DRPJ de Versailles étaient bien embarrassés en ce début d'enquête. Pas de piste viable, rien à se mettre sous la dent, juste un corps trônant au beau milieu d'un tas d'ordures et de déchets.

À l'époque, la médecine légale n'en était qu'à ses balbutiements en termes de génétique. L'ADN ne servait que d'élément comparatif, incriminant ou discriminant un suspect éventuel, et ce n'est qu'en 1998, suite à l'affaire Guy Georges, que le fichier national automatisé des empreintes génétiques (FNAEG) a vu le jour.

Les enquêteurs n'avaient donc d'autre solution que de prendre leur mal en patience. Sans dents, l'identification de la jeune fille s'avérait compliquée. La seule solution était de lui trouver un parent de façon à pouvoir comparer son ADN. C'est donc ce qu'ils s'attelèrent à faire en convoquant les familles des jeunes femmes portées disparues correspondant au physique de la victime. L'idée était bonne mais les résultats furent des plus décevants. Un certain découragement commença à se faire sentir au sein de la DRPJ. Et c'est dans ce climat de désolation que, comme par miracle, cinq semaines après la découverte du corps, un témoin bien avisé se présenta dans les locaux versaillais. Fort de détails et de certitudes, ce jeune homme affirmait avoir vu à plusieurs reprises un marginal traîner aux alentours dudit hangar. La description du rôdeur était des plus précises. Un portrait-robot fut alors édité et transmis aussitôt à tout les commissariats et gendarmeries de France.

Magalie resta sceptique en voyant le visage recomposé du suspect. Celui-ci ne lui rappelait absolument pas Jeff. *Mais soit*, pensa-t-elle, connaissant les difficultés qu'avaient les témoins à dresser de bons portraits-robots.

Absorbée par l'émission, elle mit du temps à réaliser que son portable vibrait. D'un geste précipité et maladroit, elle l'attrapa. Il lui glissa des mains, passant sous la table basse. Elle dut se plier et tendre son bras valide pour parvenir à le récupérer. Geste vain, car à peine le téléphone dans sa main, l'appel bascula sur son répondeur. Elle souffla, agacée par sa gaucherie et par la douleur que lui avait infligée la contorsion. Elle hésita à rappeler sur-le-champ mais se ravisa, préférant finir de regarder le documentaire. Judith attendrait.

La propagation du portrait du suspect porta ses fruits. Une semaine plus tard, une équipe des mœurs croisa un jeune homme de 19 ans correspondant trait pour trait à l'homme recherché. *Trait pour trait?* pensa Magalie. *C'est pas non plus super ressemblant.* C'est alors qu'une photo de Jeff jeune fut dévoilée plein écran. Le choc fut tel qu'elle en lâcha son bout de fromage. L'homme que l'on nommait Jean-François Bonnet ne ressemblait que de loin, de très loin même, au Jeff qu'elle venait de rencontrer. La tête rasée, le visage rond et poupon, le nez parfaitement droit, c'est avec grande difficulté qu'elle parvint à le reconnaître. Elle tressaillit en réalisant que les dix-huit ans de prison l'avaient brisé au sens propre comme au sens figuré.

Jean-François Bonnet fut alors placé en garde à vue. Très rapidement, le jeune homme lâcha une première version sans pour autant avouer le crime.

— Oui je connais ce hangar, c'est là que je squatte, les informa-t-il. Oui, les canettes sont à moi ainsi que les joints, dut-il admettre. Mais pour le reste, je ne sais pas de quoi vous parlez. Je n'ai pas vu de fille dans ce hangar, s'entêtait-il. Je n'ai tué personne, bon sang. Je suis innocent ! Le seul truc que vous pouvez me reprocher, c'est de me défoncer à l'héro, conclut-il de plus en plus fébrile.

Mais les inspecteurs, persuadés de détenir leur homme, montaient en pression, lui martelant de plus en plus violemment ce qu'ils considéraient être la vérité. Le garçon, bien qu'en manque, ne se démontait pas. Il n'avait pas vu de corps et connaissait encore moins la victime. Et même si ses propos devenaient de plus en plus incohérents, il parvenait contre toute attente à maintenir le cap. Au bout de six heures, les enquêteurs décidèrent de lui offrir une trêve. Trêve de courte durée, car moins d'une heure plus tard, ils le ressortirent de sa cellule. Ses yeux étaient exorbités et injectés de sang tant son corps réclamait sa dose d'héroïne. Les inspecteurs visiblement très agacés reprirent de plus belle, avec cette fois-ci une preuve indiscutable de la culpabilité du jeune homme, selon eux. Ses empreintes, en plus d'avoir été retrouvées sur les canettes, se trouvaient également sur le marteau qui avait servi à exploser la boite crânienne de la jeune femme.

— Bien évidemment qu'elles sont sur le marteau, se défendit-il. C'est mon marteau et vous les trouverez aussi sur le couteau, vu que c'est aussi mon couteau.

Dès lors, la garde à vue se changea en véritable cauchemar pour Jeff. Les assauts des inspecteurs incrédules se faisaient de plus en plus virulents, et comment leur en vouloir. En manque de sommeil, en manque de drogue et en manque de nourriture, le jeune homme réussit à maintenir la pression près de dix-neuf heures avant de craquer.

— D'accord ! Oui, c'est moi, je l'ai violée et je lui ai explosé le crâne à coups de marteau. J'étais défoncé. Je ne me rappelle pas grand-chose. Juste que je l'ai tuée et violée.

Il était néanmoins incapable de leur révéler l'identité de la victime, sachant qu'il ne la connaissait pas.

— Puisque je vous dis que je ne sais pas comment nous nous sommes rencontrés. J'étais déchiré, je vous dis !

Mission accomplie, il avait avoué, non sans mal, mais avoué.

Cela faisait bientôt deux mois que le cadavre de la jeune femme avait été découvert. C'était bien beau d'avoir un coupable mais encore fallait-il un nom à mettre sur la victime. Cinq jours après que Jeff se soit mis à table et comme par enchantement, l'identité de la jeune fille fut révélée. Elle s'appelait Julie Van den Brake. Sa disparition avait été prise pour une fugue, vraisemblablement à juste titre car elle précédait sa mort de plus de deux mois. Son père avait été convoqué et les résultats comparatifs des ADN ne laissaient guère de place au doute.

Jeff, envoyé en maison d'arrêt, fut placé sous méthadone pour contrecarrer les effets du manque de façon à le stabiliser. Il put ainsi être présenté au juge d'instruction chargé de l'affaire. Plus serein et ayant pris conscience de ce qu'il risquait, il revint immédiatement et fermement sur ses aveux, reprenant sa version initiale. Mais le mal était fait, la machine judiciaire était en route. Un jeune avocat fut commis d'office. Son manque d'expérience patent mena Jeff tout droit en cour d'assises où il fut condamné de façon expéditive à perpétuité avec vingt ans de sûreté. Il eut beau clamer, crier, hurler son innocence, le couperet était tombé irrévocablement, car à l'époque si vous ressortiez coupable des assises, l'unique recours qu'il vous restait était la cour de cassation. Mais pour cela, il aurait fallu de nouveaux éléments, de nouveaux témoins, une nouvelle enquête qui puisse lui apporter une quelconque nouvelle preuve afin que le dossier soit réouvert.

Le présentateur, Christophe Hondelatte, conclut l'émission par un solennel : « Depuis, du fond de sa cellule, Jean-François Bonnet ne cesse de clamer son innocence et à la date d'aujourd'hui cela fait 16 ans qu'il purge sa peine en Alsace en compagnie des plus grands tueurs en série français ». Il enfila sa veste en cuir noir et sortit du décor avec en fond sonore le générique de l'émission.

Magalie resta immobile, perdue dans ses pensées. Elle espérait en regardant l'émission acquérir la conviction que Jeff était coupable. La seule chose qu'il en était sorti était que Jeff faisait un parfait coupable ; pour le reste...

9

Le ciel s'était un peu voilé en ce mercredi matin. Une fine pluie était annoncée pour le début d'après-midi.

Comme à son habitude, Yann arriva le premier, suivi de près par Judith. Il échangèrent quelques mots en prenant leur café et s'accordèrent un petit quart d'heure de détente pour lire la presse en attendant l'arrivée du reste de l'équipe. C'est au compte-gouttes que celle-ci arriva pour finir au complet et d'attaque à 8 h 30.

— Franck m'a promis le rapport d'autopsie de Depino pour 10 heures, les informa Fabrice.

— Parfait ! Et sinon, sur la famille, on en est où ? s'enquit Judith.

— Les parents habitent à Lyon, enfin pas loin, intervint Valérie. On a appelé les collègues. Ils comptent leur rendre visite dans la matinée. En tout cas, c'est ce qu'ils m'ont dit, hier soir. Pas plus d'info depuis.

— O.K., si pas de nouvelles, je te laisse les rappeler avant le déj'. Des frères, des sœurs ?

— Non, fils unique. Il avait sa fille et c'est à peu près tout, semblerait-il.

— Des news de son ex-femme, Pierre ?

— Non, ça ne donne rien, *nothing* ! Elle a vidé son compte bancaire puis plus rien. Pas la moindre trace de cette gonzesse ! Un vrai fantôme ! La seule chose que je sais, c'est qu'elle s'est barrée quand la petite avait deux ans. Pas de news depuis ! Elle s'est littéralement évaporée. *Like a spirit* ! Pas de soins médicaux, en tout cas pas sous son numéro de sécu. Bref, le néant. J'ai appelé les douanes, hier soir, pour avoir la liste des passagers aériens de l'année concernée. On ne sait jamais. Ils sont censés m'envoyer le manifeste, au plus vite.

— Parfait. Marion ?

— Moi, je suis sur les patients du docteur. Pour le moment rien de probant, aucun recoupement. Des malades et c'est à peu près tout.

— Très bien ! Valérie, en attendant que Lyon te rappelle, tu t'occupes de la victimologie : ses hobbies, phobies, vices, qualités, amis, ennemis et tutti quanti... Une fois que tu as des noms, je veux leur pedigree... à tous. Si trop de gens, tu te fais aider. Fabrice et Yann, je vous laisse rendre visite aux patients que Depino a consultés le samedi.

— O.K., Marion t'as les adresses ? s'informa Fabrice.

— Yep, je te sors ça, tout de suite.

— Et toi ? s'enquit Yann.

— L'assistant de Depino ne devrait plus tarder. Il est convoqué pour 9 heures. Je verrai bien s'il peut nous aider à trouver un semblant de début de piste.

Ça faisait bien longtemps que Magalie n'avait pas passé une aussi bonne nuit. Elle n'avait souffert ni de sa blessure, ni de ses cauchemars récurrents. Lorsqu'à 9 heures moins le quart son réveil sonna, elle se leva d'un bond, de bonne humeur, et fraîche comme un gardon contre toute attente. Elle longea le couloir qui la menait au salon, passa derrière le bar de la cuisine et alluma la bouilloire, attrapa une pomme et la croqua à pleines dents en rejoignant le salon. Elle s'empara machinalement de la télécommande, alluma la radio, croqua à nouveau dans la pomme et la posa sur la table basse avant d'aller se soulager aux toilettes. Lorsqu'elle revint dans le salon, elle fut surprise de voir que son téléphone portable était allumé. *Merde, Judith*, pensa-t-elle. *Elle va s'inquiéter, faut que je l'appelle.* Ce qu'elle s'empressa de faire.

— Bon sang, Mage ! Qu'est-ce que tu foutais ? s'énerva Judith.

— Bonjour, Jude. Ouais, je vais bien et toi ?

— Sérieux, ça me fait pas rire, Mage. J'étais morte d'inquiétude. Pourquoi tu ne me réponds pas ? Tu me dis de te rappeler et tu ne réponds pas. C'est pas sérieux, bon sang !

— Je ne t'ai pas répondu parce que j'étais au lit avec une bombe atomique, Jude !

La blague eut l'effet escompté, à savoir un silence abyssal empli d'une gêne adolescente. Magalie profita du moment de faiblesse de sa collègue une poignée de secondes avant d'éclater de rire.

— Allez, je te fais marcher, Jude. Voyons, avec mon bras en écharpe et mon emmental de poumon, je vois mal comment je pourrais m'adonner au sport en chambre. Et puis avec qui, d'ailleurs ?

— T'es vraiment con, Mage ! Bon O.K., je te l'accorde, j'ai peut-être oublié de te dire bonjour avec tout ça, se mit-elle à rire à son tour.

— Bon, comment ça va, sinon ?

— Hum, bof, avoua-t-elle. L'affaire se complique.

— T'as besoin de moi, avoue ?

— Non, Mage, je n'ai pas besoin de toi. Tu es en convalescence. Tu restes chez toi et tu te reposes.

— Grrr… Bon, je peux au moins passer vous faire la bise dans l'aprem ?

— Non, Magalie. Tu n'as rien à faire au bureau.

— Si, le ranger, répondit-elle d'un ton espiègle. Nan, plus sérieusement, j'aimerais passer récupérer deux trois trucs et du coup je préférerais être sûre que tu sois là, pour te faire un bécot par la même occasion. Maintenant, si c'est plus pratique demain ou plus tard dans la semaine même, dis-le-moi, minauda-t-elle les dents serrées en espérant que Judith morde à l'hameçon.

— O.K., viens quand tu veux dans ce cas. Mais je ne veux pas te voir te mêler de l'affaire en cours, est-ce clair ?

— Parfaitement clair, patron. Je te dis à tout à l'heure, alors ?

— Yep, à tout'.

— Cool ! La bise.

Magalie raccrocha et se mit à jubiler.

— Pff, trop facile ! Je fais d'elle ce que je veux.

L'assistant du docteur Depino arriva avec dix minutes de retard au 304. Son visage était tiré et ses cernes creusaient anormalement ses yeux, les rendant presque invisibles derrière ses épaisses lunettes. De toute évidence, le jeune homme n'était pas à l'aise.

— Bonjour monsieur Belkacem, l'accueillit Judith.

— Ben Salem, moi c'est Ben Salem. Mais appelez-moi Farid.

— Oh, désolée ! Va pour Farid, alors, sourit-elle, gênée.

— Pas de souci, c'est moi qui suis désolé pour le retard. C'est juste que c'est un vrai labyrinthe, ici.

— Question d'habitude. Je peux vous offrir un café, un thé ou un jus de fruit, peut-être ?

— Non merci, je viens de petit déjeuner. Je suis rassasié.

— Très bien, nous allons commencer, alors. Veuillez me suivre à côté, l'invita-t-elle en passant dans l'une des salles d'audition adjacentes à l'*open space*.

— O.K., s'exécuta-t-il.

— Vous ne semblez pas à l'aise, dites-moi ? Y a un souci ? s'enquit-elle s'installant à table.

— Non, non. C'est juste que c'est ma première au 36. Je n'ai pas l'habitude de me retrouver chez les flics, euh pardon, la police, la crim', je voulais dire, se rattrapa-t-il en prenant place face au commandant.

— Ha ha ! Flics, poulets, condés, keufs, schmits… Bref ! Appelez-nous comme vous voulez, on n'est plus à ça près, s'amusa Judith. Si vous saviez…

— Kisdé !

— Pardon ? s'excusa-t-elle, encore tout sourire.

— Kisdé, c'est ce qu'on disait dans mon quartier. Enfin quand j'étais jeune.

— Ok, va pour kisdé, ça en fait un de plus à mon répertoire. Bref revenons-en à l'affaire. Et n'ayez crainte, cette audition est une pure formalité. À moins que vous n'ayez tué votre patron ?

Le jeune homme ne réagit pas.

— Vous avez tué le docteur Depino ? réitéra-t-elle.

— Non, non, bien sûr que non, s'écria-t-il. Je n'avais pas compris que c'était une question. Mais non, il était chouette avec moi. Pourquoi l'aurais-je tué ?

— Donc nous sommes d'accord, ceci est une simple formalité. En revanche j'ai besoin de vous, de votre mémoire et de votre bon sens.

— O.K., que puis-je faire ?

— Répondre à mes questions, sourit-elle en attrapant son stylo et son bloc. Bien ! Depuis combien de temps travaillez-vous pour le médecin ?

— Deux ans, bientôt trois.

— Lui connaissez-vous des inimitiés ?

— Pas à ma connaissance. Non !

— Personne… sûr ? Je vous demande de bien réfléchir. Ça peut avoir une importance capitale.

— Non, réellement je ne vois pas. Le docteur était plutôt discret. Nous avions, certes, de très bonnes relations mais elles se cantonnaient strictement au domaine professionnel.

— Hum. Très bien, marmonna-t-elle, griffonnant son bloc-notes. Un souci avec l'un de ses patients ?

— Pas à ma connaissance, non. Il est très demandé et se voit dans l'obligation de refuser de nouveaux malades. C'est un très bon médecin.

— C'était un très bon médecin… Qui tient sa comptabilité ? continua-t-elle sans cesser d'écrire.

— En grande partie lui et son comptable, mais il m'est arrivé de le dépanner de temps à autre.

— Rien d'anormal ? demanda-t-elle en le fixant…

— Je ne pense pas. J'ai fait deux ans de médecine, en revanche je suis un manche en compta. Il me disait quoi faire et je m'exécutais.

— Savez-vous s'il devait de l'argent à quelqu'un ?

— Comment voulez-vous que je sache ce genre de chose ?

— Certes ! Lui connaissiez-vous des aventures ?

— Sexuellement parlant ?

— Oui.

— Je vous ai dit, en trois ans je ne suis jamais monté chez lui alors qu'il habite au-dessus du cabinet.

— Justement, vous auriez pu apercevoir une femme en sortir.

— Non, pas de femme, désolé. Je me rends bien compte que je ne vous suis d'aucune aide, mais Depino était un homme discret. Pour moi, il était honnête et de surcroît un très bon patron et collaborateur. Je me plaisais chez lui. Sans parler du salaire qui était plus que convenable.

— Très bien. On va faire autrement, dit-elle en posant son stylo. Y a-t-il, alors, quelque chose qui vous vienne à l'esprit et qui puisse m'être utile ? Réfléchissez, Farid... Une patiente plus proche que de coutume ? Ou, je ne sais pas moi... Une engueulade avec un voisin...

Le visage de l'assistant se figea, ce qui n'échappa à Judith.

— Farid, ce n'est vraiment pas le moment de me cacher des choses, gronda-t-elle.

— Je ne vous cache rien, c'est juste que...

— Que quoi, Farid ?

— J'aime mon travail et mon patron était quelqu'un de...

— ... Bien, le coupa-t-elle. Ça, je le sais déjà. Mais, quoi ?

— Je ne veux pas salir sa mémoire, avoua-t-il enfin.

— Écoutez-moi bien, Farid. Au stade où nous en sommes, sa mémoire, c'est le cadet de mes soucis. Je ne vous traumatiserai pas en vous montrant les sévices qu'il a subis, mais pour preuve, l'un de mes collègues a vomi en voyant le corps. Alors si vous avez une information à me donner, c'est le moment.

— Ce n'est pas une info… C'est plus un sentiment.

— Je n'ai pas de temps à perdre, Farid, gronda-t-elle à nouveau.

— Très bien, mais je n'ai aucune preuve de ce que j'avance. Il se trouve qu'une fois, je me suis demandé s'il n'était pas… gay, lâcha-t-il timidement en se frottant les mains sur ses cuisses tant elles étaient moites.

— Gay?

— Vous voyez, je dis n'importe quoi… Il a une gamine et puis…

— … Ça expliquerait pas mal de choses, réalisa Judith.

— Comment ça? s'étonna-t-il.

— Pourquoi avez-vous eu ce sentiment?

— Rien, pour rien. Enfin je veux dire, pas grand-chose. Juste une phrase entre deux portes.

— Quelle phrase? s'impatienta-t-elle.

— Il y a, je sais pas moi, trois, quatre mois, alors qu'il raccompagnait l'un de ses patients à la porte; patient avec qui il s'entend bien sachant qu'ils se tutoient…

— … Oui…

— … ben l'homme en question lui a dit quelque chose comme: «on se voit ce week-end»… Avec un sourire… coquin.

— Coquin? Et? répéta Judith perplexe.

— C'est pas tant ce qu'il a dit, c'est plus la réaction. Lui avait l'air tout émoustillé à l'idée de le voir, alors que le docteur était plutôt comme… ultra-gêné. Un truc comme ça. Vous voyez? Il lui a même fait les gros yeux. Comme si ma présence le dérangeait.

— Et c'est là que vous vous êtes dit qu'il était possible…

— … Qu'il soit gay, oui! Mais bon, j'en sais rien, c'est juste une impression comme une autre.

— Le nom?

— Pardon?

— Le nom de ce monsieur?

— Oh, non, non, non. Écoutez, je ne veux pas lui attirer d'ennuis. Il est marié. Je crois même qu'il a des enfants. Et puis surtout, il est avocat. J'ai pas du tout envie d'avoir des problèmes avec ce genre de gars.

— Les problèmes, vous préférez les avoir avec moi ?

Judith sortit de la salle d'audition et raccompagna Farid à la porte. Une fois le témoin sorti, elle se retourna vers le groupe et, sans remarquer la présence de Luc, interpella Marion.

— On a peut-être le début d'une piste ! L'assistant vient de me dire, avec toutes les précautions adéquates, qu'il avait des doutes sur la sexualité de Depino.

— Quand tu dis sexualité, tu entends... homosexuel ? s'étonna Marion.

— Oui ! Il n'est pas sûr, mais a pu avoir un doute. Et oui, je sais, il est père, tatati tatata, mais avoue que ça expliquerait le départ de sa femme.

— En lui laissant sa fille ? intervint Pierre sceptique.

— Et pourquoi pas ? s'offusqua Valérie. Il gagnait bien sa vie. La directrice de l'école dit de lui qu'il était un père aimant. Et puis c'est peut-être la mère qui maltraitait la petite. Alors pourquoi pas avoir la garde ?

— Pour rien, je dis juste ça parce que, s'il s'était avéré gay, elle aurait pu facilement obtenir la garde ainsi qu'une très jolie pension au passage, car je crains que certains juges n'aient l'esprit bien plus étriqué que le tien, Valérie ! se défendit Pierre. Maintenant il est vrai que si elle tapait sur sa gamine...

— Gay, pas gay, il faut en avoir le cœur net quoi qu'il en soit. On va donc creuser...

— ... Surtout que ça expliquerait sans mal le *modus operandi*, commenta Luc qui, jusque-là silencieux et touillant son café, n'avait rien loupé de la conversation.

Judith tressaillit, surprise d'entendre le criminologue dans son dos.

— Luc ? s'étonna-t-elle, lui faisant face.

— Judith. Je suis ravi de te voir… en aussi bonne forme.

— Mais que fais-tu là ?

— Je travaille, sourit-il avant de boire d'un trait l'amer breuvage. Et toi ? la taquina-t-il.

— Moi ? Euh… Bah… Pareil, bredouilla-t-elle, gênée par la situation.

— Personne ne t'a prévenue ?

— Non, intervint Marion. Avec tout ça, on a oublié ! s'excusa-t-elle.

— Oublié quoi ? s'inquiéta Judith se retournant vers sa collaboratrice.

— Jean-Pierre m'a proposé un poste, s'expliqua Luc. Poste que j'ai accepté.

— Un poste ? Quel poste ?

— Consultant psychiatre au sein de la brigade criminelle. En d'autres termes et même si je n'affectionne pas ce mot : profiler !

— Mais, c'est à Paris ?

— Oui, rit-il. Ici même ! J'ai cru que tu serais contente pour moi.

— Non… enfin oui, bafouilla-t-elle. C'est juste que je te croyais reparti dans le Sud.

— Tu aurais su que non, si tu avais daigné me répondre. Je me suis inquiété, tu sais ?

C'eut pour effet de jeter un grand froid dans le bureau ; tous les agents se regardèrent les yeux écarquillés. Judith, blême, tenta une réponse, mais aucun mot ne parvint à se frayer un chemin jusqu'à ses lèvres. Ce fut Marion qui vint au secours de sa collègue.

— Luc, qu'entendais-tu par « ça explique le mode opératoire » ?

— Désolé, Judith, lui murmura-t-il, je suis parfois gauche. Mon but n'était pas de te mettre mal à l'aise. Je suis ravi de te savoir de retour, lui sourit-il avant de se retourner vers Marion. L'émasculation ! Si nous avons affaire à un homophobe, quoi de plus logique que l'émasculation. On guérit le mal en ôtant le mal !

— Sympa ! railla Pierre, un brin de dégoût dans la voix.

— C'est ce que je me suis dit, se reprit enfin Judith. Et peut-être même que ça explique le mode opératoire pour la petite. Pas d'agression, ni de blessure, le but de la manœuvre n'étant pas de la faire souffrir mais juste de la...

— ... sauver en la libérant de son enveloppe corporelle, conclut Luc avant de se retourner vers Judith. Il est vrai qu'avec toi dans ces locaux, ma présence n'est plus nécessaire, lui sourit-il.

Judith entreprit, sans tarder, de rendre visite au supposé amant de Depino. C'était un avocat d'affaires qui avait ses bureaux dans le huitième arrondissement de Paris, non loin de l'Arc de Triomphe. Il était près de 11 heures, elle savait que la circulation serait fluide, il ne lui faudrait donc qu'une dizaine de minutes en voiture pour y arriver. Elle pourrait ainsi voir l'avocat avant qu'il parte déjeuner. Luc se proposa de l'accompagner, ce qu'elle ne put lui refuser.

— J'espère que tu ne t'es pas sentie obligée de dire oui, s'inquiéta-t-il.

— Non, esquiva-t-elle.

— Parfait ! sourit-il, ne cherchant pas plus loin. J'ai lu le dossier, ça ne se présente pas super.

— C'est le moins que l'on puisse dire, dit-elle en ouvrant la portière de sa golf.

— Il se peut qu'il y en ait d'autres, tu sais ?

— Je sais, répondit-elle s'installant au volant.

Luc grimpa à son tour, côté passager, alors que Judith sortait le gyrophare par la fenêtre, avant de l'aimanter au pavillon. Elle démarra aussi sec et engagea la voiture rue de Harlay afin de rejoindre la rive droite. Un silence abyssal avait envahi l'habitacle. Luc, mal à l'aise, regardait défiler sous ses yeux les touristes émerveillés qui jouissaient de la vue imprenable que leur offrait le Pont-Neuf sur le

Louvre. Ce n'est qu'en arrivant rue de Rivoli qu'il tenta une nouvelle approche.

— Je ne veux pas être intrusif, Judith. J'ai bien conscience que tu viens de traverser une dure épreuve et je veux t'éviter des désagréments supplémentaires. Je vois bien que ma présence t'incommode. Alors tu n'as qu'un mot à dire et je retourne voir Jean-Pierre pour lui dire que finalement je décline son offre.

— Pourquoi l'as-tu accepté ?

— Pardon ?

— Pourquoi as-tu accepté le poste ? reformula-t-elle.

— Eh bien, car il m'intéresse !

— Ce n'est donc pas à cause de moi ?

— Non, voyons ! J'ai passé des années à courir les prisons pour auditionner des criminels en tout genre. J'en ai fait le tour. Aujourd'hui, je pense pouvoir être utile autrement qu'en écrivant des thèses ennuyeuses que personne ne lira.

— J'ai au moins deux agents qui les ont lues, tes thèses ennuyeuses, comme tu dis !

— Eh bien, disons que je n'ai plus rien à écrire, ou plutôt que j'aimerais pouvoir mettre en pratique ce que j'ai écrit.

— Ce n'est donc pas à cause de moi que tu as pris le poste ?

— Non, je te le répète ! répondit-il fermement.

— Alors explique-moi… pourquoi devrais-tu le refuser ? À cause de moi ?

Luc fixa Judith. Il était un peu décontenancé et ne savait pas quoi répondre. Elle stoppa le véhicule le long des arcades aux abords du jardin des Tuileries.

— Écoute, Luc, il est vrai que je ne t'ai pas répondu, il est vrai que je viens de vivre une dure épreuve. Et même si je sauve les apparences, sache que j'en suis encore malade. Ce n'est pas à toi que je vais pouvoir le cacher. J'ai peur de moi et de mes réactions. Hier, je suis montée voir Jean-Pierre dans son bureau. J'ai cru tomber dans les pommes quand j'y suis entrée. Je me suis revue prendre l'arme, avec cette volonté de tuer Hugues. Je me suis vue armer le bras. J'ai vu Magalie tomber devant moi, je pouvais sentir l'odeur de la poudre tellement le souvenir était présent. Je t'ai vu te précipiter sur moi avec ce… ce regard…

Elle marqua une pause, ne trouvant plus les mots. Les larmes étaient montées sans qu'elle puisse les refouler.

— Quel regard, Judith ?

— Un mélange de peur, d'horreur, de déception, de dégoût…

— J'ai effectivement eu peur, Judith. Mais pas pour ma personne. J'ai cru que tu allais retourner l'arme contre toi. À aucun moment je n'ai eu de dégoût ! Bon sang, Judith. Moi, du dégoût pour toi. Mais de quoi parles-tu ?

— J'ai honte, Luc.

— Je ne peux pas te dire ce que j'aurais fait dans de telles circonstances. Chacun de nous réagit selon son vécu. Mais pour avoir rencontré des parents, des maris, des enfants dévastés par l'assassinat d'un proche, je t'assure que si on prend pour argent comptant ce qu'ils disent, bien plus d'un réagirait comme toi.

— J'ai voulu le tuer, et encore aujourd'hui il m'arrive de regretter d'avoir loupé mon coup.

— En plus d'avoir été un collègue exécrable et corrompu, Hugues a tué ton mari, Judith ! Il a rendu ta fille orpheline ! Quoi de plus compréhensible que de vouloir lui rendre la monnaie de sa pièce ? Jusque-là tout va bien, je t'assure.

— Je n'ai pas voulu, Luc ! J'ai essayé si bien que j'ai failli tuer Magalie.

— Oui, et il va falloir vivre avec maintenant. Alors deux possibilités : ou tu laisses ta honte et ta culpabilité te ronger jusqu'à l'os, ou tu décides, car c'est une décision que tu as à prendre, Judith, ou tu décides d'aller de l'avant. Et de vivre !

— Je croirais entendre Mage.

— Magalie, sous ses airs d'handicapée des sentiments, est bien plus lucide que bon nombre de mes confrères. Tu as le droit d'être en colère contre toi. Sers-t'en pour avancer, Judith !

— Hum, marmonna-t-elle en tournant la clef de contact.

Pierre, toujours sur les traces de l'ex-femme du docteur, allait de désillusion en désillusion. Le manifeste des voyageurs aériens sur la période concernée n'avait rien donné. Par ailleurs, comme elle était femme au foyer, il n'y avait aucune piste exploitable du coté professionnel. Ses parents étaient morts. Ses amis, qui étaient-ils ? Allez savoir ! Elle s'était, tout simplement, évaporée. Une RIF (recherche à l'intention des familles) avait bien été déposée par son mari, mais l'enquête se résumait à l'audition d'une voisine qui disait qu'elle était dépressive et voulait changer de vie.

— C'est quand même complètement dingue de disparaître comme ça sans que personne n'en ait rien à foutre, s'agaça Pierre.

— Toujours rien ? se renseigna Marion.

— À part le fait qu'elle a vidé son compte en banque trois jours avant sa disparition, non, rien ! se dépita-t-il, se levant pour aller à la machine à café. Et vous, ça avance ?

— Oui, mais rien de bien fou non plus, admit Valérie.

— C'est sûr, enchérit Marion. Ce mec fréquente toutes sortes de notables, avocats, médecins, architectes, tous s'accordent à dire qu'il était brillant, sympa, drôle…

— … Et ils sont, bien sûr, tous très attristés de ce qui lui est arrivé ! conclut Valérie.

— Et pour ses parents ?

— J'ai eu les gars de Lyon. Les parents sont effondrés, bien évidemment. Ils ont pris des billets pour Paris et devraient arriver en fin de journée.

— *Great* ! On va encore passer un super moment ! ironisa Pierre.

La porte du 304 s'ouvrit brusquement, faisant sursauter nos trois agents.

— Ta-tiiiin ! claironna Magalie tout sourire. C'est moi ! Ah ah, je t'ai vu mettre la main à ton holster, Pierrot, se fendit-elle.

— T'es vraiment complètement tarée. Ça s'est pas arrangé !

— Et pourvu que ça dure, sourit Marion, se levant pour accueillir Magalie. Ça va bien ou bien ?
— Super ! Et vous, ça avance ?
— Pas vraiment, mais bon, la routine quoi.
— Bah, il n'y a que vous trois ? Où est Jude ?
— Partie auditionner un avocat dans le huitième, lui répondit Valérie.
— Avec Luc, enchérit Marion un brin de malice dans la voix.
— Sérieux ? Il se sont enfin croisés ? Alors, alors ?
— Ah les meufs, vous êtes bien toutes les mêmes, se navra Pierre. Bon moi, je vais mettre de la musique dans mes oreilles et vous laisser déblatérer. Je retourne à ma chasse aux fantômes.
— Rabat-joie ! Alors, alors ? s'impatienta Magalie.

Logé avenue Georges V, le cabinet de l'avocat était cossu. Situé au premier étage d'un bel immeuble haussmannien, la porte donnait sur une énorme pièce qu'éclairaient trois gigantesques portes-fenêtres.
C'est avec un dédain non dissimulé que la secrétaire accueillit Judith et Luc.
— Que puis-je faire pour vous ? lança-t-elle sans même prendre la peine de leur adresser un bonjour.
— Dire à maître Hanin que nous désirons nous entretenir avec lui, répondit Judith agacée par l'attitude de la secrétaire.
— Et c'est pour ? continua la jeune femme sur le même ton pédant.
— Maintenant ! C'est pour maintenant, enchérit Judith en lui mettant son insigne sous le nez. À moins que vous ne préfériez expliquer à votre patron qu'il va devoir, grâce à vous, se déplacer jusque dans nos bas quartiers pour une audition au poste ?
La secrétaire imperturbable marqua un temps d'arrêt, prenant le temps d'étudier la plaque de Judith.
— Brigade criminelle. C'est au 36 quai des Orfèvres, me semble-t-il ? Il y a plus bas comme quartier, répliqua-t-elle

nonchalamment, sans se démonter. Mais bon, parce que nous sommes de bons citoyens et que nous voulons vous aider dans votre basse besogne, je vais tenter de vous arranger une entrevue, asséna-t-elle avant de se lever et de s'engouffrer dans le couloir.

— Grrr, gronda Judith.

— Tu dois bien admettre que sous ses airs bovins, cette fille a la répartie cinglante, rit Luc.

— Ça va, n'enfonce pas le clou !

Il ne fallut que quelques secondes à l'avocat pour se présenter à Judith.

— Bonjour, madame, dit-il en lui tendant la main. Monsieur, se retourna-t-il vers Luc. Ma jeune et tendre épouse vient de me dire que la brigade criminelle voulait s'entretenir avec moi. Alors me voilà, que puis-je pour vous ?

— Votre épouse ? souffla Judith incrédule, la mâchoire tombante dessinant aussitôt un sourire sur le visage de Luc.

— Oui, je sais, murmura l'avocat. Il n'y a pas grand-chose qu'un homme riche puisse se refuser. Alors pourquoi s'en priver ? Installons-nous donc, les invita-t-il.

Ils prirent place face aux portes-fenêtres sur les fauteuils en cuir noir capitonnés.

— Néanmoins, reprit-il, sachez que cette femme est d'une intelligence redoutable. J'ai bien conscience de notre différence d'âge. Je sais donc que si j'avais été fauché, elle m'aurait sans doute écrasé sans même me remarquer. Mais par chance, je suis riche et en plus d'être belle, elle est aussi très bonne comédienne. En tout cas suffisamment bonne pour parvenir à me faire oublier que c'est à mon argent qu'elle en veut. Passons ! Que puis-je faire pour vous, commandant ?

— Eh bien, c'est-à-dire que... begaya-t-elle, tentant de remettre de l'ordre dans ses pensées. Connaissez-vous le docteur Depino ? se reprit-elle enfin.

— Oui, c'est un ami. Pourquoi vous intéressez-vous à lui ? s'inquiéta le quinquagénaire. Il a des soucis ?

— Visiblement, vous n'êtes pas au courant ?

— Au courant ?
— Le docteur Depino a été séquestré puis assassiné.
Judith marqua une pause, voyant que l'avocat accusait le coup.
— Assassiné, me dites-vous ?
Il se leva, un peu sonné, avant de se poster devant la fenêtre.
— Oui. C'est ce qui nous amène ici. Nous aimerions connaître la nature de vos relations.
— Eh bien, nous sommes amis comme je vous l'ai dit.
— Alors peut-être pourriez-vous nous donner des informations sur lui.
— Comment va sa fille, Élodie ?
— Elle... elle est également morte. Désolée de vous l'apprendre si brutalement.
L'homme resta placide, regardant le cortège de belles voitures s'arrêter devant le grand hôtel de l'autre coté de la rue.
— Je crains de ne pas pouvoir vous aider. Nous sommes effectivement amis, mais je n'ai absolument aucune idée de qui aurait pu... Enfin je ne sais pas quoi vous dire.
— Peut-être lui connaissez-vous une relation intime ?
— C'était un homme à femmes, et j'en connais peu qui lui ont résisté. Son expérience d'homme marié ne l'avait pas comblé. Il préférait garder sa liberté et collectionnait les aventures sans lendemain.
— Une plus qu'une autre ? Ou peut-être une femme mariée ?
— Non, rien de ce genre ! Il était clair avec ses conquêtes. Il va falloir enquêter ailleurs que du côté sexuel !
— Une idée ?
— Aucune. Je suis désolé, mais il va falloir que je me remette au travail. N'hésitez pas à me joindre en cas de besoin. Je ne peux pas vous offrir de piste, mais peut-être pourrais-je les fermer.
— Très bien. Merci d'avoir pris le temps de nous recevoir.

Une fois que Marion eut exposé à Magalie dans les plus petits détails la rencontre entre Judith et Luc, elle se remit au travail, laissant sa collègue vaquer à ses occupations. Magalie s'installa à son bureau, et profita de l'absence de Jude pour se lancer dans des recherches sur l'affaire Van den Brake, espérant trouver dans la base de données de la crim' de nouveaux éléments. Recherches malheureusement vaines car à l'époque des faits, l'informatique n'en était qu'à ses balbutiements. De plus, l'affaire avait été traitée par la PJ de Versailles. Aucune chance de mettre la main sur quelque document que ce soit au 36. Sans compter que le meurtre était résolu et jugé : plus de scellés, plus de dossiers, plus rien. Il ne lui restait qu'à retrouver les inspecteurs ayant travaillé sur l'affaire pour espérer en savoir un peu plus. Grâce à l'émission, elle avait déjà quelques noms. Elle les entra dans le moteur de recherche interne et trouva deux adresses. Puis elle consulta le fichier carcéral de Jeff. Il avait passé la totalité de sa détention à Ensisheim. Détenu modèle, il s'était quand même vu refuser toute ses demandes de sortie. Il avait donc dû attendre le jeu des remises de peine pour se voir enfin libérer. En approfondissant les recherches, Magalie nota qu'en 1996, il avait été admis pendant près de deux mois à l'infirmerie pour une tentative de suicide. Le rapport psychiatrique soulignait une lourde dépression due au refoulement de ses actes, qui l'amenait à ne pas accepter sa condition de détenu car il se croyait innocent, et pensait donc retrouver la liberté en mettant fin à ses jours.

Il se croit innocent, songea Magalie. *Et s'il l'était ? Visiblement, c'est sa condition de détenu qu'il ne supportait pas. Mais là, il n'est plus détenu et pourtant il se croit toujours innocent. C'est le fait d'être un assassin qu'il n'accepte pas, en fait !*

Elle éteignit l'ordinateur et se leva.

— Bon moi, vu que Judith n'arrive pas, je vais y aller, informa-t-elle ses collègues.

— O.K., tu veux que je lui passe un message ? proposa Marion.

— Non t'inquiète, je l'appellerai plus tard. En revanche, je compte sur toi pour me tenir au jus de l'évolution de ses rapports avec Luc.
— Promis !

Lorsque Judith et Luc revinrent de leur audition avec l'avocat, ils trouvèrent l'équipe bien sagement installée devant leurs postes de travail respectifs. Pierre fut le premier à réagir.
— Alors, gay or not gay ? s'amusa-t-il.
— Visiblement... not gay, répliqua Luc.
— Ha ha ! Et il a pris ça comment, le gars, quand vous lui avez demandé ?
— Je ne lui ai pas demandé, répondit Judith en s'installant à son bureau.
— Si tu lui as pas demandé, comment sais-tu qu'il ne l'est pas ? s'enquit Marion, étonnée.
— Disons que vu l'entrée en matière, il a de lui-même répondu à la question, railla Luc.
— Vu le personnage, tu veux dire, argumenta Judith.
— Hé, vous nous expliquez ? s'agaça Marion.
— Le gros bonhomme bedonnant mais richissime qui se sort la petite jeunette cupide... tu vois le genre !
— Pour sa défense, il l'assume pleinement, enchérit Luc.
— Luc, cette femme pourrait être sa fille, bon sang !
— O.K., mais...
— ... Luc, un conseil d'ami, laisse tomber, préconisa Pierre. Ce sont des femmes... libérées ! Elles sont trois ! Et surtout, elles sont toutes armées jusqu'aux dents, taquina-t-il. Alors, vraiment, fais gaffe à ce que tu t'apprêtes à dire.
Judith éclata de rire.
— Merci Pierrot. Écoute-le, Luc ! N'oublie pas que j'ai la gâchette facile, railla-t-elle à son tour lui adressant un clin d'œil. Bon, trêve de plaisanterie. Vous en êtes où de votre côté ?

— Rien de bien intéressant, intervint Valérie. Les parents de la victime seront à Paris ce soir.

— Sinon, tous ses amis sont sous le choc et ne voient pas d'explication.

— De mon côté, comme je te le disais ce matin, j'ai toujours rien sur son ex-femme. En revanche, j'ai eu l'idée de vérifier les comptes de Depino et je viens de trouver des mouvements réguliers et non expliqués... et sans doute non explicables, car c'est du cash. Pour la traçabilité, on l'a dans l'os.

— Combien ?

— Ça dépend des semaines, mais toujours des sommes rondes ne dépassant jamais les 2 000 euros. Généralement plus autour des 1 500.

— Le jeu ?

— J'y ai pensé, oui ! C'est pourquoi j'ai poussé la recherche aux cercles de jeux, mais aucune carte n'est à son nom. Pas de trace non plus sur les sites de jeux en ligne. Si ce mec est accro aux jeux d'argent, il le cache bien.

— Pour la drogue, on peut oublier, intervint Marion. Il est médecin, accès facile, et en plus 2 000 balles de dope dans le sang par semaine, ça laisse des séquelles. Du coup, il nous reste quoi ?

— Les prostituées, clama Luc.

— Yep, je suis arrivé à la même conclusion que toi, abonda Pierre.

— Très bien. Pierre, appelle les gars des mœurs et demande-leur s'ils ont déjà eu affaire à Depino. Et sinon... autre chose ?

— Oui, le rapport d'autopsie est arrivé, ajouta Valérie. Je suis dessus, là.

C'est alors que Fabrice et Yann entrèrent dans le bureau.

— Hé, vous êtes tous là ? Vous n'êtes pas allés manger ? s'étonna Yann.

— Non, pas encore !

— Bah, désolé, on vous a pas attendus. On vient de se prendre un sandwich, s'excusa-t-il.

— Pas de souci ! Vous avez du nouveau ? s'informa Judith.

— Peut-être, confia Fabrice. Le dernier patient du doc, programmé à 18 heures, nous a dit que Depino avait reçu un coup de fil qui lui demandait de se rendre à son cabinet pour un rendez-vous de dernière minute. Le patient est sûr de lui, car le doc lui aurait alors dit qu'il était éreinté et qu'il se serait bien passé de cette urgence.

— Faut juste retrouver ce coup de fil et avec un peu de chance, on aura notre patient mystère, enchérit Yann.

— Parfait, tu t'en charges ?

— C'est comme si c'était fait ! J'en profiterai pour vérifier sa téléphonie. À moins que quelqu'un soit déjà dessus ?

— Non, je voulais justement m'en charger... c'est avec plaisir que je te laisse le bébé, lui sourit Marion.

— Oki, va pour la téléphonie alors.

— Valérie, l'autopsie ? se retourna Judith.

— Disons que rien de bien nouveau. Franck a ajusté l'heure du décès entre 2 et 3 heures du matin.

— Bon, si tu trouves quelque chose d'intéressant, tu nous en fais part. Pour ceux qui ont faim, allez manger... Oui, Marion, tu voulais dire un truc ?

— Je me disais que vu qu'on a les heures approximatives des décès, que par ailleurs on sait dans quel coin se trouvait notre homme, Yann pourrait peut-être demander aux opérateurs de nous communiquer les numéros de téléphone qui ont borné dans la zone dans la nuit de dimanche à lundi ?

— T'imagines le nombre de 06 que tu vas te taper ? s'immisça Fabrice.

— C'est pas con ! souligna Yann. Avec un peu de chance la borne du square n'est pas la même que celle rue de Sévigné...

— ... il suffira donc de comparer les deux listings.

— Fonce ! l'encouragea Judith.

10

Magalie, parisienne de souche, n'appréciait guère le métro. Comme elle aimait le dire : *« Je n'ai rien contre les transports en commun ! Ce qui me dérange… c'est le commun ! »*. Motarde dans l'âme, elle ne se déplaçait dans Paris qu'au guidon de sa Laverda Jota 1000, son petit bijou de plus de 30 ans qu'elle avait soigneusement retapé pièce par pièce. Mais sa blessure au poumon l'empêchait de jouir des avantages des deux-roues. C'est donc très agacée qu'elle sortit de la bouche de métro à Alexandre Dumas. Elle remonta la rue de Bagnolet à grands pas, direction rue Planchat. Elle savait Jeff au travail mais voulait lui laisser ses coordonnées.

Cette fois-ci, c'est un homme d'une quarantaine d'années qu'elle trouva derrière le comptoir de l'hôtel.

— Bonjour, monsieur.

— Madame.

— J'aurais aimé laisser un mot à monsieur Bonnet. Que dois-je faire ? Vous le laisser ou lui glisser sous la porte ?

— Monsieur Bonnet est dans sa chambre. Peut-être serait-il plus simple que vous le lui montiez ?

— Ah ? s'étonna-t-elle. Vous êtes sûr ?

— Certain, il est monté il y a moins de cinq minutes… Une baguette à la main, pour tout vous dire.

— Oh ! Bon super, je monte alors. Merci !

Elle s'engouffra dans le couloir et monta les escaliers jusqu'au deuxième. *On est quel jour ? Mercredi, bizarre qu'il ne soit pas au taf. Il est sans doute rentré manger,* pensa-t-elle avant de donner trois coups secs à la porte.

C'est en survêtement que Jeff vint ouvrir.

— Magalie ? s'étonna-t-il. Décidément, vous ne pouvez plus vous passer de moi !

— Salut !

— Salut, répondit-il perplexe. Que faites-vous ici ?

— Je croyais qu'on se tutoyait ? sourit-elle.

— Que fais-tu ici ? rectifia-t-il d'un ton monotone.

— Je voulais te laisser un mot, mais ton logeur m'a dit que tu venais de monter, alors je me suis dit que c'était plus simple de venir te voir en direct.

— C'est un vrai moulin, cet hôtel ! Soit ! C'est quoi le mot que tu voulais me laisser ?

— Mon téléphone.

— Pour ?

— Je peux entrer ?

— Je préfèrerais pas, dit-il en sortant de la chambre et refermant la porte derrière lui.

Magalie trouva cette réaction suspecte, et ne put s'empêcher de le taquiner.

— Tu caches un cadavre ?

— Qu'est-ce que tu me veux, Magalie ?

— Écoute, tu ne peux pas balancer à un flic ce que tu m'as dit hier soir sans que ça titille sa curiosité. Tu peux comprendre ça ?

— C'est toi qui as insisté pour que je te le dise.

— Oui, d'accord ! Mais le résultat est le même.

— Et que veux-tu que j'y fasse ?

— On pourrait discuter de ça ailleurs que dans un couloir, non ?

— Je n'ai plus rien à te dire, Magalie. Tu me crois, tu ne me crois pas… Je m'en moque. Mes dix-huit ans je les ai faits, je ne dois rien à personne.

— J'imagine bien, oui. Écoute, je suis allée à la brigade ce matin, espérant y trouver des infos sur ton affaire. Mais je rentre bredouille, se dépita-t-elle. Je vais être franche, je ne suis pas convaincue de ton innocence, mais je dois bien admettre que je ne suis pas non plus convaincue de ta culpabilité.

— Je te le répète, c'est ton problème. Pas le mien !

— Oui, et c'est bien pour ça que je suis là, sourit-elle. Parce que c'est mon problème. Du coup j'essaye de le résoudre... mon problème.

Jeff fixait Magalie, intrigué. Il ne parvenait pas à comprendre pourquoi elle se montrait aussi insistante.

— Si ce que tu dis est vrai, poursuivit-elle, tu comprendras que je ne peux pas rester sans rien faire. Je suis flic, Jeff ! Et malheureusement il me reste encore un peu d'éthique. Je ne peux décemment pas fermer les yeux là-dessus. Le hic, c'est que je n'ai pas de biscuit. Rien à me mettre sous la dent. Donc je ne sais pas par où commencer mon travail...

— Travail ? la coupa-t-il.

— Oui !

— Tu veux faire quoi, là ? Reprendre une enquête de plus de vingt ans ?

— Pourquoi pas ?

Jeff, sceptique sur les bons sentiments de Magalie, épiait ses moindres gestes, faciès, tics, mais la jeune femme restait de marbre. Rien ne trahissait une éventuelle manipulation. Et puis quel aurait été le but ? Sans dire mot, il entra dans sa chambre en prenant le soin de refermer la porte derrière lui. Magalie, outrée, resta plantée là, au beau milieu du couloir, ne comprenant pas l'attitude du jeune homme. Elle se surprit à vouloir forcer l'entrée de la chambre pour l'insulter et finit par se raviser. *Après tout, pourquoi s'emmerder pour quelqu'un de si peu scrupuleux ?* pensa-elle. Et alors qu'elle faisait volte face, la porte se rouvrit.

— Entre ! lâcha Jeff, nonchalamment.

Magalie se retourna, surprise. Elle vit la porte ouverte, mais pas de Jeff. Un doute traversa son esprit, une peur, même. Et s'il s'agissait d'un guet-apens ? Mais sa curiosité, encore et toujours sa curiosité, la poussa à entrer.

La chambre était spartiate. Les murs, dénués de décoration, étaient jaunis pour ne pas dire sales. Le coin cuisine, dont la pellicule de gras semblait séculaire, était étriqué mais fonctionnel. Une porte sur sa droite donnait sans doute dans la salle d'eau. La pièce d'une vingtaine de mètres carrés ne comportait que peu de meubles. Une vieille table en bois usée sur les coins, une chaise en formica bleu ciel, et un lit une place, dont les draps avaient été tirés. Trois simples étagères dans une alcôve montraient la teneur de la garde-robe du trentenaire. Magalie resta debout, n'osant pas prendre ses aises.

— Ça te paraît petit et sale, j'imagine ?

— Euh… non, non ! C'est… fonctionnel, dit-elle un peu gênée.

— C'est deux fois plus grand que ma cellule à Ensisheim. Dix-huit ans dans la moitié de cette pièce… Et t'as vu, j'ai même une porte entre les toilettes et la table. Certes, il est vrai qu'au final, vu qu'ici je n'ai pas de coloc, je pourrais m'en dispenser. Pour ce qui est de la fenêtre, elle m'offre une vue minable sur la pauvre façade grise du bâtiment en face, mais elle n'a pas de barreaux et je peux même l'ouvrir. Bon, c'est la fermer qui pose réellement problème. Mais soit, c'est quand même le grand luxe ! ironisa-t-il.

Magalie ne répondit pas. Les seules choses qui lui venaient en tête étaient de mauvais goût, tel que le comparatif de la taille de sa cellule avec celle du cercueil de Julie Van den Brake. Elle préféra donc garder le silence et voir où l'emmènerait Jeff.

— Il me reste un peu de café tiède… ça te dit ?

— Volontiers !

— Je t'apporte ça. Prends donc place, l'invita-t-il en pointant la chaise.

Magalie s'exécuta et s'installa à table.

— Sucre ?

— Non, merci. Je ne fais plus de sport, alors j'essaye de faire un peu attention.

— Tu veux garder la ligne, sourit-il en posant un mug ébréché sur la table.

— Quand on fait mon taf, ça aide de courir vite, s'amusa-t-elle.

— Effectivement, vu sous cet angle, admit-il tout sourire, s'asseyant à son tour sur le lit.

— Tu ne bosses pas aujourd'hui ?

— Non.

— Ah ? Et pourquoi ? s'enquit-elle, intriguée.

— Parce que je n'ai pas de travail, marmonna-t-il.

— Comment ça ? Tu m'as dit être ébéniste ?

— Et je le suis ! J'ai appris le métier à Ensisheim. J'y ai travaillé pendant les seize dernières années, ce qui me vaut d'avoir de quoi vivre très correctement, aujourd'hui. J'ai épargné tous mes salaires pendant presque vingt ans.

— Mais du coup, qu'est-ce que tu fais de tes journées ?

— Je m'acclimatise… non… ça se dit ? J'ai comme un doute.

— Je dirais plus : je m'acclimate. Quoiqu'il en soit, j'ai compris.

— Dix-huit ans c'est long… Je me suis acheté l'ordinateur que tu vois, là. Je m'essaye à Internet et tous ces trucs que je ne maîtrise pas du tout.

— Oh ! réalisa-t-elle. Mais on ne vous forme pas en prison ?

— Ha ha ! rit-il. Le but de l'emprisonnement est de te couper de l'extérieur, Magalie ! Internet, si je comprends bien l'outil, est une fenêtre, ou plutôt une porte, une énorme porte vers l'extérieur. Tu crois réellement que l'administration va te laisser manipuler de tels instruments ? Alors de là à te former… Mais bon, je ne suis pas le dernier des crétins et même si je ne comprends pas tout, je ne désespère pas d'y arriver.

— Je ne suis pas une geek, mais je peux te donner un coup de main, si tu veux ?

— Geek ?

— Oui, un geek c'est… Laisse tomber ! Je peux t'expliquer les bases en tout cas.

— Avec plaisir, ça pourra m'être utile.

— J'imagine qu'avec l'ordi tu t'es acheté un téléphone ?

— Pour quoi faire ?

— Attends, laisse-moi réfléchir… Bah pour téléphoner par exemple, le charria-t-elle.

— À qui ?

Magalie perdit son sourire aussi sec. Se sentant un peu bête, elle attrapa le mug et avala un peu de son café, qui de tiède était passé à froid.

— Ne sois pas gênée. J'imagine à quel point il est difficile de comprendre. Je ne te le demande pas, d'ailleurs.

— Tes parents, ils vivent sur Paris ?

— Peut-être. Enfin ma mère est morte, quant à mon père, j'imagine qu'il s'est retrouvé quelqu'un. Peut-être est-il encore sur Paris ?

— Tu ne le vois plus ?

— Il est passé me voir une fois, il y a quelques années. Un colloque à Mulhouse.

— Et ?

— Il est venu me dire que ma mère était morte quelques mois plus tôt… à cause de moi !

— Oh ! Des frères et sœurs ? dériva-t-elle.

— Oui, une sœur. Pas vue depuis. Je suis même pas sûr de la reconnaître si je la croise. Peut-être même que je suis tonton, va savoir ? Et non, pas d'ami, non plus. Pour te la faire courte, hormis mon avocat et une fois mon père, pas de parloir pour moi. Y a bien des femmes qui m'ont écrit, mais j'ai toujours trouvé ça… malsain. Alors je ne répondais pas ! Et toi ?

— Moi quoi ?

— Je sais pas… parents, frères, amis, mari ?

— Euh… Ma mère est morte quand j'étais jeune, mon père a tenté de sauver les meubles. Il est mort à son tour il y a quelques années. Et sinon pas de frères, pas de sœurs. Pour le mari, ma dernière relation sérieuse était avec un psychopathe, mais je te passerai les détails. Quant aux amis, oui, comme tout le monde. Enfin, se reprit-elle comprenant sa bévue, comme… comme…

— … tout le monde ! T'inquiète, c'est moi l'extraterrestre, ne te formalise pas, sinon on n'est pas sortis de l'auberge ! Et puis des amis, j'en ai. C'est juste qu'ils ne sont pas vraiment fréquentables et qu'à choisir je préfère les savoir où ils sont. Car quand ton pote te dit : « Allez, fais pas chier, on est entre nous ! Fais-moi rêver. Décris-moi le bruit des dents qui sautent quand tu lui as martelé la tête à cette salope. » Hé ben là, outre l'envie de vomir, tu te dis que jamais tu ne présenteras ce mec à ta mère, railla-t-il. Tu te dis aussi que finalement, et même si parfois vous vous plantez, ben c'est quand même bien de mettre ce genre de gars entre quatre murs. Le seul souci c'est que t'es bien obligé de cohabiter avec ces erreurs de la nature, s'assombrit-il.

— Je vois bien de quoi tu parles. Je les côtoie, moi aussi !

— Oui, mais tu ne vis pas avec !

— Toi non plus ! sourit-elle.

— Certes, je ne vis plus avec.

— Comment c'est arrivé ? poursuivit-elle plus sérieusement.

— De quoi ?

— Comment en es-tu arrivé là ?

— Je me le demande encore. J'en ai aucune idée. Je méritais sans doute des claques, mais ça ? Je pense pas !

— Comment ça a commencé, alors ?

— L'adolescence ! grimaça-t-il. Tu sais, l'âge ingrat où tu te crois homme. Je crois que c'est là que tout a commencé. Fils d'un des grands pontes de la chirurgie cardiaque, je me suis perdu. Le fric de papa, une mère aimante complètement aux fraises, et la connerie d'un gamin de 18 ans, voilà ce qui m'a conduit à Ensisheim.

— J'ai peur de pas comprendre.

— Un môme écervelé plein aux as, qui tombe en toute conscience dans la drogue, tout ça pour punir son père adultère et lui foutre la honte de sa vie auprès de ses potes. Tu penses défendre ta mère sans te rendre compte que tu es en train de la tuer. Car ce que j'avais pas calculé, c'est que j'allais prendre goût à la dope. Au final, la petite vengeance pubertaire : envolée ! La seule chose que t'as dans le crâne, c'est combien de grammes tu vas réussir à te coller dans le nez. Alors ton père te fout à la porte et toi, persuadé d'être un surhomme, tu lui dis d'aller se faire foutre… Et voilà comment les emmerdes commencent !

— Tu m'as dit de ne pas me formaliser, alors… C'est un peu facile de remettre tout ça sur le dos de la drogue. Cette fille est morte, Jeff ! Ça, ce n'est pas une hallu ! C'est bien réel !

— Je ne l'ai pas tuée, bordel !

— Il y a tes empreintes sur le marteau, un témoin t'a vu quitter l'entrepôt, hagard et couvert de sang ! Comment expliques-tu ça ?

— Je ne l'explique pas ! Et c'est bien ce qui m'a valu perpète ! Ce gars, le fameux témoin, je ne l'ai jamais vu de ma vie si ce n'est le jour du procès. C'est toi qui me dis que la drogue a bon dos. Je te renvoie la délicatesse. Tu crois réellement que j'aurais pu tuer une jeune femme sans me rappeler de quoi que ce soit ? Pas une bribe de souvenir ! Rien, que dalle !

— L'alcool peut provoquer l'amnésie, alors la drogue… Et puis tu oublies la puissance de l'inconscient…

— … Ne me bassine pas avec ces conneries de psy à la con, s'emporta-t-il. J'ai envie de vomir rien qu'en regardant les photos de la scène de crime. Et si le témoin dit vrai, qu'ai-je fait des vêtements tachés de sang ? l'interpella-t-il. J'étais à la rue, Magalie ! J'avais en tout et pour tout une paire de baskets, un jean, une parka, deux sweats, trois calbutes et deux tee-shirts. Fringues qui ont été retrouvées sur moi ou dans le hangar à dix mètres du cadavre. Je n'ai pas tué cette nana ! Et si ce n'est pas moi, c'est quelqu'un d'autre.

— Qui d'autre, alors ?

— J'en sais rien. Le témoin !

— Le témoin ?

— Je n'étais pas à Issy, ce jour-là. Ce gars ment ! Alors très logiquement, je me pose la question : pourquoi ment-il ? Je suis le coupable parfait. Trop parfait ! Jeune drogué en voie de marginalisation. C'est un peu facile, non ?

Il se leva brusquement, faisant sursauter Magalie. Il attrapa un épais dossier sur la dernière étagère de l'alcôve, et le jeta sur la table.

— Ouvre-le ! s'envola-t-il. Ouvre-le, bon sang ! répéta-t-il en reprenant place sur le lit. Tout est là, parfaitement là, et parfaitement à charge. C'en est trop beau. En plus d'être un taré qui aime le sang des jeunes vierges, je suis le dernier des idiots. Car il faut être sacrément con pour laisser autant d'indices. Et le mobile, explique-moi quel est le mobile… Je ne suis pas fou ! Je ne l'ai pas tuée ! Et si tout le monde m'a fait porter le chapeau, c'est qu'il y a une raison. C'est mathématique. Si ce n'est pas moi, c'est quelqu'un d'autre. Cette fille ne s'est pas éclaté la tronche toute seule !

Magalie, perplexe, ne sachant pas comment réagir face à l'énervement de Jeff, restait vissée immobile à sa chaise, fixant d'un regard inquiet le jeune homme au bord de la rupture. Jeff, prenant conscience de son emportement, respira un grand coup et laissa sa tête tomber dans ses mains. Après un lourd silence, il reprit plus calmement.

— À quoi bon ? se résigna-t-il. Je suis désolé de t'avoir crié dessus. J'y ai cru, tu sais. Ça m'a même fait du bien d'y croire. Ironique, non ? Croire que j'étais ce monstre amnésique me permettait de dormir ! Ça expliquait pas mal de choses, je n'avais plus de question à me poser. J'étais enfermé avec des fous car, moi-même, j'en étais un. Sauf que tout cela ne fonctionne qu'un temps. Tu donnes tout pour y croire car ça te facilite la vie, mais au fond de toi, tu sais... Mais bon, ça, tu peux vivre avec ! Tu veux que je te dise avec quoi les gens normaux ne peuvent pas vivre ?

— Dis-moi.

— Avec la culpabilité ! lança-t-il en relevant la tête.

— Je ne comprends pas. Tu dis être innocent !

— Pendant dix-huit ans, j'ai fréquenté, j'ai même partagé le pain avec, ce que l'humanité porte de plus exécrable. Des monstres froids et sanguinaires qui ont un orgasme à chaque fois qu'ils revivent leur crime. Une simple petite goutte de sang te les envoie au septième ciel. Irrécupérables. Ces personnes sont irrécupérables ! Tu les colles dehors et il ne leur faut pas trois heures pour réitérer. Le pire c'est qu'ils te le disent, ils en ont pleinement conscience et ils s'en foutent royalement. Ils pourraient se bouffer entre eux si tu les laissais faire... Le gars qui a tué Julie Van den Brake est l'un d'entre eux ? Il a peut-être même tué d'autres filles ? Tout ça, à cause de qui ? À cause de moi, bien sûr ! Parce que j'ai pris sa place ! Alors, je sais, tu vas me dire que ce n'est pas de ma faute. Je m'en moque ! C'est grâce à ça que je suis encore en vie. C'est le seul but que je me sois fixé. Trouver cet enfoiré et le mettre hors d'état de nuire ! Et tant que ce ne sera pas chose faite, je culpabiliserai d'avoir pris sa place... Maintenant si tu veux m'aider, il va falloir me croire quand je te dis que je n'ai pas tué Julie... Je ne t'en voudrais pas si tu décidais de partir.

Magalie ne savait pas quoi penser de tout cela. Jeff semblait sincère, mais son expérience et sa récente relation amoureuse avec un tueur en série l'avaient rendue non plus suspicieuse, mais bel et bien paranoïaque. Pouvait-elle encore se faire confiance dans ce genre de situation ? Elle sondait Jeff, espérant trouver une preuve irréfutable de son innocence ou même de sa culpabilité. Rien ! Elle ne décelait rien ! Toujours aussi indécise, elle ouvrit le dossier et se mit à le feuilleter machinalement. Elle s'offrait ainsi quelques secondes de répit avant d'avoir à lui donner une réponse. Il y avait, sur chacune des feuilles de l'épais dossier, des annotations diverses et variées, manuscrites par la même personne. *Pourquoi se ferait-il chier à lire et relire ce pavé, s'il était coupable?* pensa-t-elle tournant les pages. Elles étaient toutes, sans exception, griffonnées de pense-bêtes et de théories plus ou moins réalistes.

— O.K. ! Je te crois, lâcha-t-elle brusquement.

— Tu me crois? murmura-t-il, ahuri.

— Oui, c'est bon, je te crois! répéta-t-elle, continuant à tourner frénétiquement les feuillets du dossier de plus en plus noircis. Le témoin est mort? s'enquit-elle en se retournant vers Jeff.

Il ne répondit pas. Il était comme figé, absent. Des larmes avaient fait surface, faisant scintiller ses joues creuses et terminant leur course en gouttelettes sur sa barbe de trois jours. La mâchoire de Magalie se décrocha en voyant l'homme en pleurs.

— Hé, Jeff, ça va?

— Oui, se reprit-il en passant le revers de sa main sur sa barbe pour sécher les quelques larmes.

— Sûr? Je veux pas enfoncer le couteau mais il me semble avoir vu des larmes. Et moi, les gens qui pleurent... j'aime pas trop. Je trouve ça un peu... gnan gnan, tu vois! Si tu veux, je te laisse un peu seul et je repasse plus tard.

— Non, ça va je t'assure. Désolé de t'avoir imposé ça. Je ne recommencerai pas, promis, finit-il par sourire.

— Très bien, alors par quoi on commence? Ah oui... le témoin est mort?

— Oui. Il s'est suicidé! se dépita Jeff. Je voulais le choper entre quatre yeux et il s'est suicidé.

— Je lis qu'il est mort, il y a cinq ans.

— C'est ça. Juste quand il avait enfin accepté de me rencontrer.

— Comment ça?

— Je l'ai harcelé pendant des années. Je lui ai écrit un millier de lettres espérant avoir une explication sur son faux témoignage.

— Et?

— Et il me dit O.K. avant de se suicider, cet enfoiré!

— C'est étrange, quand même, s'étonna Magalie.

— Etrange ? Vicieux, tu veux dire !

Magalie ne répondit pas, cherchant dans l'épais dossier les circonstances du suicide. Jeff se leva pour refaire du café, laissant son invitée prendre connaissance de l'affaire.

— Il est écrit ici que ton fameux témoin était atteint d'un cancer au poumon.

— Ouais, je sais. Me demande pas d'avoir pitié de ce pauvre type.

— Non, mais ça explique peut-être pourquoi il a mis fin à ses jours.

— Oui, ben il aurait pu me libérer avant de se balancer par la fenêtre. Ça m'aurait toujours fait cinq ans de moins.

— Il s'est défenestré ?

— Oui, enfin non ! Il s'est balancé d'un toit, pour être exact, dit-il en revenant deux cafés à la main. C'est tout à la fin du dossier, si tu cherches les éléments concernant le suicide.

— O.K., merci. Tu sembles bien connaître le dossier, dit-elle en se rendant directement aux dernières pages.

— Je l'ai lu et relu un millier de fois, espérant tomber sur le détail qui me disculperait. En vain !

— T'as de quoi écrire ?

— Oui, pourquoi ? T'as un truc ? espéra-t-il, ouvrant le tiroir de la table et en extirpant un bloc-notes.

— Non, mais je prends le nom de l'enquêteur qui a constaté le suicide.

— Pour quoi faire ?

— Pour aller lui rendre une petite visite, sourit-elle en lui adressant un clin d'œil.

— Qu'est-ce que tu veux qu'il te dise ? Ça fait plus de cinq ans !

— Qui ne tente rien n'a rien, dit-elle en attrapant son portable dans sa poche.

Elle alluma son iPhone et appela Marion sous le regard inquisiteur de Jeff.

— Salut !... J'ai besoin que tu me rendes un petit service... Non, juste le numéro d'un collègue et un dossier sur une affaire de rien du tout... Mais non, Judith ne va rien te faire du tout, vu que tu ne vas rien lui dire du tout… Oui je sais… oui… oui… mais c'est pour moi et je te jure sur ma vie que ça n'a rien à voir avec Thierry. Je veux juste rendre service à un pote… T'es la meilleure ! Je t'envoie un mail tout de suite. Merki, choupette ! Et bon app'… Bon, ça c'est fait, lança-t-elle en se retournant tout sourire vers Jeff. On devrait avoir le dossier dans une petite heure.

— Qu'est-ce que tu penses trouver dans ce dossier ?

— Rien. Je veux juste voir les recherches qui ont été faites et qui ont conclu au suicide.

— Tu n'y crois pas ?

— Je ne sais pas. Je veux vérifier. C'est quand même bizarre qu'il décide de te rencontrer après toutes ces années pour finir par faire le saut de l'ange. S'il était l'assassin, il n'aurait jamais accepté de te rencontrer, si ce n'est pour se confesser en voyant sa mort approcher. Et dans ce cas, il serait venu avant de se jeter d'un toit. Donc il est clair que s'il s'agit d'un faux témoignage, il couvre quelqu'un. Si c'est le cas, ce quelqu'un avait toutes les raisons du monde pour se débarrasser de ton homme. Donc je préfère vérifier. Tu me donnes deux secondes, que j'envoie ce mail à Marion.

Fabrice et Yann étaient restés au 304 pour vérifier la téléphonie du docteur Depino alors que le reste du groupe s'était accordé une pause-déjeuner au Soleil d'Or.

— Ça y est, ils nous ont envoyé les relevés téléphoniques, lança Yann.

— Rapide, pour une fois, s'étonna Fabrice.

— J'ai mes entrées, lui confia Yann.

— Je vois ça !

— Tu préfères quoi, les téléphones ayant borné sur place ou les fadettes de Depino ?

— Va pour les fadettes. Tu me les envoies ?

— J'ai tout mis sur le serveur.

— O.K.

Marion entra dans le bureau.

— Ça avance, les gars ? s'enquit-elle, s'installant à son bureau.
— On est dessus, lança Yann sans décrocher le regard de son écran.
— T'es toute seule ? s'étonna Fabrice.
— Euh, oui ! J'ai fait vite. J'ai un mail urgent à envoyer. Les autres sont au café. Ils ne vont pas tarder.
— Concernant l'affaire ?
— Non, non. J'ai oublié d'envoyer un document à mon chéri. Je viens de me faire tirer les oreilles, minauda-t-elle.
— Ah ! Dépêche-toi alors, compatit Fabrice avant de reprendre ses recherches.
Une fois installée, Marion s'empressa d'ouvrir sa boîte mail. Magalie lui demandait de lui transférer le dossier sur le suicide d'un certain Baptiste Vinici. Elle entra le nom dans la base de données et n'eut aucun mal à mettre la main dessus. Le dossier avait été classé sans suite, près de cinq ans plus tôt. Marion ne put s'empêcher d'y jeter un coup d'œil, ne comprenant pas ce qui amenait Magalie à s'intéresser à un quinquagénaire dépressif domicilié à Vanves. Après une rapide lecture et sachant que Judith n'allait plus tarder à rentrer de sa pause, elle finit par envoyer le dossier sans chercher plus d'explications. Et alors même qu'elle cliquait sur « envoyer », la porte du 304 s'ouvrit.
— Ça va les gars ? salua Pierre tout sourire.
— Yep et toi ? répondit Yann du tac au tac.
— Parfait ! Après un bon burger bien saignant, tout va toujours mieux, sourit-il.
— Ça avance ? se renseigna Judith.
— On y travaille !
— Bien, vous nous dites dès que vous avez quelque chose. Marion, c'est bon ? C'est réglé de ton coté ?
— Oui, je viens de lui envoyer le document. Encore une prise de tête esquivée, feinta-t-elle.
— Cool. Le planning ?
— Moi, j'appelle les mœurs pour Depino et continue sur ses comptes et bien évidement sur sa femme, intervint Pierre.

— Je peux continuer la victimologie, si tu veux, proposa Marion.

— Parfait ! Valérie ?

— Je pensais me remettre sur les thanatopracteurs.

— Je préférerais que tu briefes Luc sur tous les détails de l'enquête, qu'il puisse nous donner un premier profil. Enfin... si tu n'y vois pas d'inconvénient, Luc ?

— Non, bien au contraire. On va dans une des pièces d'audition, proposa-t-il à la jeune femme.

— O.K., je te suis, s'exécuta Valérie.

Le téléphone fixe de Yann se mit à sonner. Il s'empressa de décrocher, alors que Judith rejoignait Fabrice à son poste de travail.

— T'es sur les fadettes. T'as trouvé le numéro de notre patient de la dernière heure ?

— Oui, je pense. J'ai le choix entre ces deux-là. Mais dans le premier cas, on est mal, car c'est une carte prépayée.

— Et dans le deuxième ?

— Je viens de lancer la recherche...

— ... Les gars du labo viennent de m'appeler, intervint Yann. Ils s'arrachent les cheveux sur l'ordi portable de Depino.

Remarque qui eut pour effet de stopper tous nos agents dans leur labeur.

— Ils semblerait que le doc soit un adepte du *deep web*, poursuivit-il.

— *Deep web* ? s'ahurit Judith.

— O.K., va falloir penser à s'y mettre, patron, sourit-il. Le *deep web*...

— ... Autrement dit, le web profond, traduisit Pierre.

— Oui bon, je n'y comprends rien en informatique, mais je parle anglais couramment, Pierre, s'offusqua-t-elle.

— Bref, reprit Yann, le *deep web*, c'est la partie de la toile qui n'est pas ou peu indexée.

Un point d'interrogation s'inscrivit sur le front de Judith.

— Indexé ?... En simple et sans décodeur, ça donne quoi ? demanda-t-elle.

— C'est simple, là, se dépita le jeune homme. Comment t'expliquer…

— … Si je comprends bien, ce qu'il dit c'est que c'est une partie d'Internet qui est cachée, à laquelle les moteurs de recherche n'accèdent pas, ou peu, tenta Marion. La partie submergée de l'iceberg, en somme.

— En gros c'est ça, bien que ce soit bien plus complexe, parce que certains moteurs…

— … C'est bon, j'ai pas besoin d'en savoir plus, le coupa Judith. Et en quoi ça nous intéresse ?

— Les gars du labo n'arrivent pas à reconstituer son historique, si ce n'est les dernières broutilles. Le doc était visiblement doué en informatique. Il fait tourner, sur sa machine, des VPN, Tor et I2p, ce qui nous pousse à croire qu'au delà du *deep web*, il fréquente des réseaux de peer-to-peer dans le *dark web*…

— … *Dark web* ? se décomposa Judith. Il est profond ou obscur, ce web ? Faudrait savoir !

— Ça y est, moi aussi, je suis paumé, avoua Fabrice.

— Pas étonnant, Yann est un geek. Vous savez, cette partie de l'humanité incapable de communiquer avec le reste du monde, sourit Pierre.

— Eh ça va oui, se vexa le jeune homme, comment veux-tu que je sois plus clair ?

— Laisse faire l'humain, continua-t-il à le taquiner. Ce qu'il essaye de vous expliquer, c'est qu'au vu des logiciels trouvés dans le PC du doc, tout porte à croire qu'il se rend sur des sites internet ultra-secrets et ultra-planqués que seuls les utilisateurs connaissent. Ces sites sont introuvables tant que personne ne vous en donne l'adresse. En gros, Judith, c'est comme si tu construisais une cabane en plein milieu de la forêt amazonienne et que tu y invitais des potes en leurs filant les coordonnées GPS. Nulle autre personne ne pourra trouver ta cabane sans ces coordonnées, conclut-il tout sourire.

— Donc si je comprends bien, la forêt amazonienne c'est le *dark web*, la cabane c'est le site en question, les potes c'est le peer-to-peer et les coordonnées GPS, c'est l'adresse du site ?

— *Exactly* ! Tu vois, Yann, pas si compliqué au final, le nargua Pierre.

— D'accord, reprit Judith, mais en quoi ça nous intéresse ?

— Eh bien, reprit Yann, quand on se planque sur le *dark web* c'est qu'on veut sortir des radars gouvernementaux. Alors tout n'est pas lié à la cybercriminalité mais c'est, en tout cas, un bel espace de jeu.

— Je vois. Crois-tu que les techniciens parviendront à y accéder ?

— Ce n'est pas le problème d'y accéder. Moi-même, je vais y faire un tour de temps en temps. Le souci est de retrouver les sites consultés.

— Mais c'est possible ?

— Tout dépend du niveau de protection des données du doc.

— En tout cas, intervint Marion, ce qui est sûr, c'est que plus ses données sont protégées et plus il a de trucs à se reprocher, notre médecin !

— De fortes chances oui, mais c'est tellement vaste…

— Très bien, tu restes en contact avec le labo.

— J'y comptais bien !

— Dès que t'as des infos, tu les donnes à Pierre et il nous les traduira, s'amusa-t-elle avant de lui offrir un clin d'œil amical.

Le dossier de Baptiste Vinici était mince. Les investigations sur la mort du quinquagénaire avaient été plus que succinctes et avaient trop rapidement conclu à un suicide au goût de Magalie. Elle décida donc de rendre une petite visite de courtoisie au lieutenant alors chargé de l'enquête. Ce dernier était toujours en poste à la DPJ de Vanves.

Ne se sentant pas de retraverser Paris en métro, elle opta pour le taxi qui, à cette heure-ci, l'emmènerait à bon port en un rien de temps *via* le périphérique.

Elle arriva au croisement de la rue Marcheron et de la rue Diderot à 15 heures tapantes. Le commissariat venait d'être refait à neuf, et elle se surprit à contempler ce bâtiment blanc de quatre étages avant de se décider à en pousser la porte.

L'accueil était agréable, pour une fois. Loin du hall de gare bruyant dont elle avait l'habitude au 36. Elle s'avança et prit machinalement un ticket qui, tel une fine langue tatouée, pendait de sa bouche métallique, mais avant même qu'elle ait eu le temps d'en lire le numéro, la jeune gardienne de la paix l'interpella.

— Bonjour, en quoi puis-je vous aider, madame ?

Magalie resta sans voix devant tant de politesse et de courtoisie. *Elle vient de sortir de l'école, la choupette*, pensa-t-elle, avant de se reprendre.

— Bonjour. J'aimerais avoir un entretien avec le lieutenant Boubakar Fané.

— Je peux peut-être vous aider ?

— Oui, sourit Magalie, en prévenant le lieutenant Fané.

— C'est-à-dire qu'avant de vous emmener voir le lieutenant, il faudrait que je sache ce qui vous amène ici. C'est pour un dépôt de plainte ?

— Non. Je suis Magalie Binet, capitaine à la brigade criminelle de Paris. Bon, là j'ai eu un petit souci comme vous pouvez le voir, dit-elle en lui montrant son bras en écharpe. Du coup, j'en profite pour boucler la paperasse. J'ai deux trois questions à poser au lieutenant au sujet d'une vieille affaire de suicide sur laquelle il a travaillé. C'est pourquoi ce serait super sympa de votre part de l'appeler, conclut-elle, lui offrant un joli sourire.

Après une courte hésitation, la jeune femme prit le combiné et appela le lieutenant, tout en invitant Magalie à s'asseoir sur les banquettes en tôle perforée derrière elle.

Elle n'attendit que cinq petites minutes avant de voir s'ouvrir la porte blindée derrière le comptoir. L'homme était gigantesque et soigneusement habillé. Sa peau ébène scintillante contrastait de plein feu avec sa chemise blanche immaculée.

Il eut un bref échange avec sa collègue, avant de venir à la rencontre de Magalie.

— Bonjour, il semblerait que vous souhaitiez me voir, déclara-t-il en s'avançant, la main tendue.

— Bonjour, lieutenant. Oui, je sais que je débarque sans prévenir, mais je n'en aurai pas pour longtemps.

— Ma collègue m'a dit que vous étiez capitaine au 36.

— Effectivement.

— Puis-je voir votre plaque, s'il vous plaît?

— Mais bien sûr, affirma-t-elle sans se démonter.

D'un geste désinvolte, elle fouilla la poche intérieur de sa veste, feignant une petite douleur à la poitrine.

— Bizarre… Bon ben, je ne l'ai pas. J'ai dû l'oublier. En revanche, j'ai ma carte d'identité. Si vous avez de quoi noter, je vous donne mon matricule et vous invite à vérifier sur votre base de données la véracité de mes propos, sourit-elle, confiante.

— On va faire ça, je ne vais pas vous renvoyer direct, vu votre état, la testa-t-il.

— Merci, ça m'aurait fatiguée, pour pas dire gonflée, de faire l'aller-retour. J'étais dans le coin et je me suis dit que l'occasion faisait le larron.

— Comment vous êtes-vous fait mal? se renseigna-t-il en lui tournant le dos pour prendre un stylo et un bloc-notes sur le comptoir.

— On m'a tiré dessus! Mais ça va beaucoup mieux, maintenant.

— Oh? Vous faites un métier dangereux, s'amusa-t-il. Alors, j'écoute!

— Capitaine Magalie Binet, matricule: 1703A77115, énonça-t-elle promptement sans la moindre hésitation. Et voici ma carte d'identité si besoin, ajouta-t-elle en lui tendant le petit rectangle bleu plastifié.

L'homme contourna le comptoir et s'avança vers l'un des ordinateurs. Magalie gardait le sourire, bien que l'angoisse de se voir démasquée lui ait serré la gorge. Il releva la tête de l'écran et, d'un signe, proposa à Magalie de le rejoindre.

Une fois dans son bureau, il l'invita à prendre place et s'installa face à elle derrière une montagne de dossiers multicolores.

— Alors que puis-je pour vous, maintenant que les présentations sont faites ?

— Juste quelques renseignements au sujet d'une affaire que vous avez traitée, il y a quelques années.

— Ah ? s'étonna-t-il.

— Oui, l'affaire Vinici.

— Vinici, Vinici, réfléchit-il un instant avant de se mettre à pianoter sur son clavier. Ah, oui ! Baptiste Vinici. Il a sauté d'un toit pas loin d'ici.

— C'est ça. Je voulais savoir si la possibilité que ce ne soit pas un suicide est envisageable.

— Pourquoi ? s'inquiéta l'homme.

— Disons que j'ai plusieurs raisons de croire qu'il peut s'agir d'un homicide.

— C'est marrant que vous me disiez ça, car à l'époque j'avais fait part de mes doutes à mes supérieurs. Et puis au final, on a classé le dossier.

— Pourquoi aviez-vous des doutes ?

— Rien, c'est juste que généralement, on retrouve une lettre, ou alors y a un appel aux proches avant la mort. Bref, là, ça semblait sortir de nulle part. Et puis le toit ? Les gens se défenestrent de chez eux, de leur bureau ou alors d'un pont offrant une belle vue. Ici, je ne comprends pas ce qu'il est venu faire sur ce toit.

— Comment ça ?

— Il n'avait aucun lien avec ce bâtiment. Alors, certes, il habitait à trois rue, mais c'est à peu près tout. Le bâtiment n'est pas plus haut que le sien. Je ne sais même pas comment il en a eu les codes d'accès. Après, ce qui se passe dans la tête d'une personne désespérée défie parfois toute logique.

— Et du coup, pourquoi avez-vous classé le dossier?

— Eh bien, l'autopsie n'a rien révélé, le site non plus, et puis il y a avait son cancer. On en est arrivé à la conclusion qu'il avait préféré sortir par la grande porte plutôt que de se voir mourir à petit feu.

— Donc rien ne prouve que ce n'est pas un homicide?

Le lieutenant marqua une pause, sondant Magalie.

— Peut-être savez vous quelque chose que je ne sais pas, mais pour répondre à votre question, je dirais plutôt que rien ne prouve qu'il s'agit d'un homicide. Et c'est pourquoi nous l'avons classé en suicide, dit-il sèchement.

— N'allez surtout pas croire que je sois en train de juger votre travail, s'excusa-t-elle expressément, comprenant sa bévue. Je suis désolée si je vous ai fait croire une telle chose. Non, c'est juste que dans le cadre de mon enquête, ce suicide tombe très bien. Enfin, bizarrement trop bien! C'est plus une intuition qu'autre chose, voyez-vous.

— Je vois, se détendit-il.

— C'est pourquoi je voulais savoir s'il y avait la moindre petite chance que ce soit un meurtre.

— Dans ce cas, je dirais oui, il y en a une.

— Aviez-vous une piste quelconque?

— Non, sinon nous l'aurions exploitée. Et c'est pour cela que nous avons clos l'instruction par un suicide.

— O.K., super, dit-elle se levant. Vous m'avez été d'une grande aide, lieutenant Fané. Je ne vais pas abuser de votre temps plus longtemps.

— Puis-je vous demander sur quelle enquête vous travaillez?

— Ah, le secret de l'instruction, esquiva-t-elle, lui tendant la main.

— En tout cas, si vous avez de nouveaux éléments concernant l'affaire, tenez-moi au courant. Je me souviens que sa fille refusait fermement la thèse du suicide.

— Ah? Elle aussi? Et où puis-je la trouver?

— Je ne sais pas, elle n'habitait pas bien loin, mais ça doit faire plus de quatre ans.

— Pourriez-vous juste me donner son nom ? Si elle n'est pas loin, je peux peut-être en profiter pour passer la voir ?

— Je vérifie, dit-il en se réinstallant à son bureau. Alors, elle s'appelle Angelica Vinici et aux dernières nouvelles, elle habite et travaille toujours au même endroit. Je vous note tout ça.

Il attrapa le bloc-notes et se mit à écrire les coordonnées de la jeune femme.

— La crèche est à deux pas d'ici. Pour son domicile, c'est à une demi-heure de marche, l'informa-t-il lui en tendant le papier.

— Parfait ! Merci, encore lieutenant. Et promis, je vous tiendrai informé.

Yann, absorbé par son écran, continuait à décortiquer le long fichier téléphonique. Judith s'était mise à recouper le listing des thanatopracteurs avec celui des repris de justice. Marion continuait à chercher dans les proches ou les patients du docteur une quelconque piste, alors que Pierre venait de se lever pour se faire couler un café. Ses recoupements bancaires et ses recherches sur l'ex-femme de Depino ne donnaient rien et il avait grand besoin d'un remontant. Le téléphone fixe de Fabrice sonna, il se jeta dessus et, après une trentaine de secondes, raccrocha.

— J'ai un nom et une adresse, annonça-t-il triomphalement en se levant. Camille Lazareff, qui habite rue du Roi-de-Sicile. C'est à trois minutes d'ici !

— Super.

Judith se leva à son tour, attrapant sa veste.

— On y va ensemble ?

— Oui, tu me débrieferas dans la voiture. Marion, tu me sors le pedigree du bonhomme et tu nous appelles dès que tu en sais plus.

— La bonne femme ! intervint Fabrice.

— Quoi ?

— C'est pas un mec, c'est une nana !

— Oh ! Bon ben la femme, alors !

Les deux agents sortirent en coup de vent du bureau.

— Sympa, s'agaça Marion. Il ne m'a même pas filé l'orthographe du nom.

— Avec l'adresse, tu la retrouveras facilement, l'encouragea Pierre.

— Fait chier ! s'exclama Yann, basculant en arrière sur sa chaise.

— Ça va pas, mon grand ? s'approcha Pierre.

— J'arrive pas à diminuer cette fichue liste !

— Combien ?

— J'ai plus de 200 portables qui matchent avec les deux bornes. La galère !

— Tu peux la réduire avec l'horaire. Prends ceux qui sont passés entre 2 et 3 heures du mat.

— Hé ! tu me prends pour un *noob* ou quoi ? Si j'avais pas fait ça, c'était des milliers de numéros.

— Oups ! s'excusa-t-il. 200, c'est énorme pour l'heure. Paris ne dort jamais ou quoi ?

— Non, visiblement pas !

— À cette heure-là, de surcroît un dimanche soir, les bars sont fermés ! Et y a plus de métro. C'est quand même chelou !

— Pas tant que ça, c'est assez logique même, intervint Marion jusque-là silencieuse.

— Comment ? s'étonna Pierre.

— La rue Saint-Paul, sourit-elle.

— Oui et quoi ?

— Quand tu arrives par les quais ou même par les voies sur berge et que tu veux éviter Bastille, tu chopes la rue Saint-Paul qui t'amène…

— … rue Saint-Antoine à trois pas de la rue de Sévigné, bien sûr.

— C'est le passage obligatoire. Donc à pied, 200 portables c'est bizarre, mais si tu y ajoutes tous ceux qui se déplacent en voiture, moto, vélo… ça fait pas des masses en fait !

— Putain, se dépita Yann. Je peux quand même pas me cogner la vérif de toutes les bornes voisines, j'en ai pour des lustres.

— Non, tu ne peux pas, Yann, lui sourit Marion.

— Tout ça pour rien, souffla-t-il.

— Non, pas pour rien, intervint Pierre. On pourra toujours comparer ton listing avec nos éventuels suspects. Qui sait, ça matchera peut-être ?... Enfin je dis ça... je dis rien, ajouta-t-il, voyant Yann se prendre la tête dans les mains.

Pierre retourna discrètement à sa place et Marion reprit ses recherches sur Camille Lazareff, laissant Yann recouvrer son calme.

Il était près de 16 heures quand Magalie arriva devant la crèche *Les Garnements* qui longeait les rails en provenance de la gare Montparnasse. Vu l'heure qu'il était, Magalie s'était douté qu'elle ne trouverait pas Angelica Vinici à son domicile, c'est pourquoi elle avait opté pour une visite à son lieu de travail.

Une fois devant la porte, elle pressa le bouton accueil, ce qui lui valut une ouverture instantanée de la porte. *Pourquoi te coller un interphone, s'il ne sert à rien ? Super, la sécu pour les gamins*, s'agaça-t-elle.

Elle entra dans un préau aux couleurs criardes. Sur sa droite, un panneau d'affichage annonçait que les éducateurs seraient en grève le lundi à venir et demandait aux familles de bien vouloir organiser la garde de leur progéniture. Elle s'avança et aperçut un jeune homme qui venait à sa rencontre.

— Madame, bonjour. Que puis-je faire pour vous ?

— Bonjour, monsieur, je voudrais voir mademoiselle Vinici, si elle est disponible.

— Oh ! Elle est actuellement avec ses garnements, ça risque d'être compliqué. C'était urgent ?

— Disons que... plutôt, oui ! Mais je ne veux pas l'ennuyer.

— Je peux peut-être lui laisser un message ?

— Je suis le capitaine Binet de la brigade criminelle de Paris. Je voulais m'entretenir avec elle au sujet du décès de son père.

— Oh ! Eh bien, c'est effectivement plutôt urgent. Écoutez, je vais aller voir si je peux la remplacer un instant. Je reviens.

— Merci, si pas possible ne vous inquiétez pas, j'attendrai.

— Je reviens, répéta-t-il.

Le garçon se retourna, rejoignit la porte derrière lui. Il se cacha du regard de Magalie pour composer le code d'accès et disparut dans le couloir alors que la porte se refermait derrière lui. *Je suis mauvaise langue. Me voilà quand même rassurée. On ne rentre pas ici comme dans un moulin.*

Fabrice était au volant de la golf de Judith. Ils s'étaient rendus chez Camille Lazareff mais y avaient trouvé porte close. Marion leur avait communiqué l'adresse de son lieu de travail. Elle était responsable dans un bar restaurant de l'avenue de Wagram dans le 17e arrondissement.

La circulation s'était intensifiée. Ils mirent une bonne demi-heure à y arriver.

La devanture était sobre, sombre et totalement opacifiée. Deux hommes, à l'entrée, attendaient le badaud. De noir vêtus, ils étaient tirés à quatre épingles. C'est avec étonnement que Judith remarqua une fine oreillette bluetooth qui épousait parfaitement le lobe de l'oreille gauche du plus grand des deux.

— Monsieur, madame, bonjour ! Avez-vous réservé ? s'enquit-il.

Question qui intrigua nos deux agents.

— Non, répondit Judith. Nous voudrions nous entretenir avec Camille Lazareff.

— Qui dois-je annoncer ?

— La brigade criminelle, continua Judith toujours aussi troublée par tant de précaution.

— Très bien, madame. Un instant, s'il vous plaît.

L'homme déboutonna sa veste et attrapa un petit talkie-walkie accroché à sa ceinture.

— Wagram un ! Brigade criminelle pour Camille, lança-t-il dans l'appareil.

Après un court instant où l'homme semblait absorbé par une tache d'huile sur l'asphalte du trottoir, il débrancha le talkie et le repositionna à sa ceinture avant de prendre soin de reboutonner sa veste.

— Elle arrive, dit-il, toujours aussi placide.

Judith de plus en plus intriguée par tant de cérémonie, s'impatienta.

— Excusez-moi, mais j'aimerais comprendre, n'est-ce pas, comme il est écrit partout, un bar-restaurant ? Ce qui impliquerait que nous puissions entrer sans forcément devoir faire des courbettes aux portiers ? s'agaça-t-elle, sous le regard rieur de Fabrice.

— Je ne vous en demande pas tant, madame. Juste quelques secondes que ma responsable puisse venir vous accueillir.

— Et pourquoi ne puis-je pas aller à sa rencontre ? continua-t-elle, alors que la porte opacifiée derrière l'homme s'ouvrait, laissant apparaître une superbe femme brune de blanc vêtue, élancée, au regard saphir, dont l'apparition décrocha littéralement la mâchoire de Fabrice.

— Bonjour, Camille Lazareff, enchantée.

— Bonjour, répondit sèchement Judith.

— Je vous en prie, veuillez me suivre. Nous serons bien mieux à l'intérieur.

Elle ouvrit la porte et les convia à entrer d'un geste des plus gracieux.

L'entrée donnait sur un long couloir toujours aussi sombre. La lumière y était tamisée et les couleurs rouge et or, ajoutées aux moulures disproportionnées, offraient à l'espace un coté kitsch vénitien sur le retour.

Judith et Fabrice suivirent la jeune femme qui, d'un pas svelte et assuré, s'engagea dans le corridor au fond duquel un épais rideau laissait passer les basses d'une musique rythmée R'n'B.

Derrière l'épais voilage de velours noir, une immense pièce s'ouvrait à eux. De grandes tables rondes, nappées de blanc, étaient soigneusement disposées à bonne distance les unes des autres, offrant ainsi aux clients toute la discrétion nécessaire, car effectivement dans cette pénombre seules les serveuses habillées d'un fin voile blanc se détachaient du cadre.

— Une boîte de strip-tease ? balbutia Judith, alors que Fabrice, les yeux écarquillés, s'émerveillait devant tant de jolies femmes.

— Nous serons plus tranquilles côté salon, proposa Camille.

De grands canapés en cuir beige avaient été placés dans un renfoncement au fond de la pièce, à droite du bar, n'offrant ainsi qu'une vision partielle du restaurant.

— Je vous en prie, prenez place. Puis-je vous servir quelque chose à boire... ou à mang...

— ... Non merci, coupa Judith.

— J'ai pour habitude de recevoir les mœurs, sourit la jeune femme, prenant place face à Judith. Mais la crim', c'est une première ! sourit-elle.

Une jeune femme blonde vint à la table déposer un grand cahier vert de comptabilité et un lourd classeur.

— Que puis-je faire pour vous ?

— Répondre à quelques questions.

— Mais avec grand plaisir. Vous avez ici le registre des employés et là, toute les factures du mois en cours, continua-t-elle pointant le classeur. Les autres, vous pourrez les trouver chez le comptable dont voici la carte, qu'elle poussa vers Judith du bout de son index manucuré d'un rouge vif.

Judith resta sans voix.

— Vous faut-il autre chose ? s'inquiéta l'hôte.

— Non, répliqua Judith. Enfin, oui ! Vous devez effectivement souvent voir mes collègues, sourit-elle. Mais nous ne sommes pas ici concernant l'activité de votre... lieu, mais pour vous poser quelques questions concernant le docteur Olivier Depino.

— J'ai peur de ne pas comprendre, s'étonna la jeune femme.

— Olivier Depino, répéta Judith.

— Oui, et je suis censée connaître ce monsieur?

— Vous dites donc ne pas le connaître.

— Je ne vois pas, non. Désolée!

— Pourquoi l'avoir appelé, alors?

— Je l'ai appelé? Tiens donc?

— Samedi dernier, sur les coups de 18 heures!

— Eh bien, peut-être est-ce un client? Bien que je ne connaisse pas de Depino. Peut-être auriez-vous une photo?

Judith sonda la jeune femme un court instant, avant de se retourner vers Fabrice.

— Tu en as une dans ton portable, me semble-t-il?

Fabrice, complètement absorbé par la vie du bar et de ses blanches nymphes, n'entendit pas son commandant.

— Oh! Oh! claqua-t-elle des doigts devant le nez de son collègue. Fabrice, tu reviens avec nous?

— Oui! Oui, bien sûr. Je suis là! bafouilla-t-il bêtement, arrachant un rire à son hôte.

— Une photo de Depino, s'impatienta Judith.

— Oui, bien sûr, s'exécuta-t-il tout penaud, fouillant sa poche pour en extraire son portable.

Il le tendit à Judith qui le passa à Camille, encore tout sourire.

— C'est lui Depino? s'exclama-t-elle. Je ne le connais pas sous ce nom. Il m'a dit s'appeler Eugène. La petite fripouille, sourit-elle repassant le portable à Fabrice. Oui, pour le coup, lui, je le connais! C'est un très bon client. Il vient en moyenne deux ou trois fois par mois.

— Très bien! Et pourquoi l'avez-vous appelé, samedi?

— Pour être franche, je ne sais pas si c'était samedi. Quoiqu'il en soit, c'était pour confirmer une réservation. Il ne m'a pas rappelée d'ailleurs! Faut que je pense à le relancer, songea-t-elle.

— Ce ne sera pas nécessaire… Il est mort !

La jeune femme se troubla, écarquillant ses grands yeux bleus.

— Désolée de vous l'apprendre ainsi, s'excusa Judith.

— D'où la brigade criminelle, comprit-elle enfin.

— Exact. Pourriez-vous nous dire si Depino fréquentait une de vos filles… plus qu'une autre ?

— Non, non, il était plutôt ouvert. Il s'entendait bien avec tout le monde. C'est triste de mourir si jeune. Il avait quoi… 30 ?

— 33 ans ! Donc, pas de préférence pour les filles ?

— Non, vraiment. Les filles sont toutes très jolies. Elles semblaient toutes lui convenir.

— Venait-il avec d'autres personnes ?

— Oui. Il était toujours accompagné de deux ou trois amis. Hommes, bien sûr !

— Pourriez-vous nous donner leur identité ? demanda Judith en s'emparant de son calepin.

— C'est-à-dire que… hésita la jeune femme. Nous assurons l'anonymat de nos clients. Vous comprendrez aisément pourquoi. De plus, je ne connais que leurs prénoms. Et visiblement même ceux-là sont faux, s'excusa-t-elle.

— Vous ne semblez pas comprendre, mademoiselle. Il s'agit ici d'un assassinat. De plus, vous savez aussi bien que moi qu'il suffit de vérifier les transactions de carte bleue pour avoir l'identité de vos clients. Je vous demande juste de me faire gagner du temps.

— Les cartes bleues, rit-elle. 80 % de mes clients payent en liquide. Quand je vous dis qu'ils veulent garder l'anonymat, je ne plaisante pas ! Maintenant je comprends votre problème, et je ne veux pas d'ennuis avec vos services. La seule chose que je puisse faire c'est de vous prévenir s'ils repassent, mais je vous demanderai de rester discrète. Il en va de notre réputation. Si mes clients apprenaient que je travaille avec vos services, il me faudrait moins d'un mois pour mettre la clef sous la porte.

Angélica Vinici apparut dans l'encadrement de la porte à peine deux minutes plus tard. Elle était un peu rondelette et avait un visage poupon qui devait lui attirer la plus grande sympathie de la part des enfants.

— Bonjour, madame, s'avança-t-elle. Mon collègue m'a dit que vous désiriez me voir au sujet de mon père ?

— Bonjour. Oui, j'aurais aimé vous en toucher deux mots. Mais ce n'est peut-être pas le moment ?

— Ne vous inquiétez pas, tout est sous contrôle, sourit-elle. Que se passe-t-il ?

— Eh bien, je ne sais pas trop comment vous le dire...

— N'ayez crainte. Je ne portais pas mon père dans mon cœur. Vous pouvez y aller, tranquille.

— Ah ? s'étonna Magalie. Et pourquoi ?

— Pour rien. Dites-moi...

— Très bien, poursuivit-elle, intriguée. Disons que j'ai de sérieux doutes concernant le suicide de votre père.

— Eh bien moi je n'en ai aucun, car je suis sûre qu'il ne s'est pas suicidé.

— Décidément... vous êtes pleine de surprises. Et qu'est-ce qui vous fait croire ça ? s'enquit Magalie de plus en plus abasourdie.

— Mon père, puisque je dois l'appeler ainsi, n'était pas quelqu'un de très sympathique, et encore moins quelqu'un d'empathique. Pour la faire courte, et si je peux me permettre, c'était un gros con, un égoïste, un nombriliste malhonnête. Bref, certainement pas quelqu'un qui se suicide, car pour cela il faudrait avoir la capacité de se remettre en question. Il était plutôt du genre à écraser sa propre mère pour arriver à ses fins, voyez-vous.

— Euh... je vois. Mais il était malade... Peut-être voulait-il en finir rapidement ?

— Certainement pas. Il avait certes un cancer, mais il lui restait de bonnes chances de survie. Croyez-moi, cet homme n'avait ni l'envie ni la capacité de se suicider.

— Alors, pourquoi ne pas avoir cherché à ouvrir une enquête ? Car si je comprends bien, d'après vous, c'est un meurtre.

— Pour être franche, j'ai pris sa mort comme une délivrance. L'homme ou la femme qui l'a tué mérite toute mon estime.

— Waouh, c'est rare de détester son père à ce point?

— Disons qu'il m'a offert toutes les raisons du monde pour que je le haïsse. Et il y est parvenu!

— Puis-je vous poser une question indiscrète?

— Oui, il m'a violée, si c'est la question. Et plus d'une fois. Vous comprenez donc le pourquoi du comment. Et si vous voulez mon avis, la personne qui l'a jeté du toit avait sans doute, elle aussi, de très bonnes raisons de le haïr.

— J'ai peur de ne pas comprendre.

— Il ne s'est pas contenté de moi. Je ne veux pas me remémorer cette partie de ma vie, mais sachez qu'avant ma puberté j'avais déjà connu plus d'un homme. Si vous voyez où je veux en venir...

— Il vous prostituait? se scandalisa Magalie, révulsée.

— On peut dire ça, sauf que ce n'était pas moyennant de l'argent, sourit-elle. C'est pire, non? ironisa la jeune femme, stoïque.

— Mais...? Mais il faut porter plainte!

— Ha ha, rit-elle de bon cœur. Porter plainte? Je ne sais même plus à quoi ces gens ressemblent. De plus, il y a prescription. Notre système est bien fait, n'est-ce pas?... Écoutez, j'ai eu la chance de rencontrer mon mari qui, pour le coup, est un homme exceptionnel. Ce qui m'a réconciliée avec la gent masculine. Mais je ne veux pas qu'il connaisse tous les détails sordides de mon enfance. Il en sait déjà trop. De plus, j'ai tourné la page. Ou plutôt je l'ai arrachée et enterrée très profondément. J'aimerais qu'elle y reste.

Magalie, un peu sonnée par les révélations de la jeune femme, la contemplait, partagée entre admiration, colère et tristesse.

— Où cela se passait-il?

— De quoi?

— Les viols.

— Mes souvenirs sont flous. Le cerveau humain est bien fait. J'ai des images de grandes maisons, assez bourgeoises, où tout ce beau monde évoluait à son aise.

— Attendez, je ne comprends pas. Comment ça, tout ce beau monde ?

— Écoutez, je vous en ai déjà trop dit. Je veux laisser tout ça derrière moi. Ne vous attardez pas trop à trouver un coupable au meurtre de mon père, il n'en vaut pas la peine. Surtout qu'au final, c'est un service rendu à la société que de l'avoir tué.

— Je suis flic. Comprenez-moi ! Comment voulez-vous que je laisse ça de côté ?

— Je ne peux pas vous aider. Je ne connais ni l'identité des hommes, ni celle des victimes…

— Des victimes ? Il y en a d'autre ? Mais combien étaient-il ? Et combien étiez-vous ?

— Je ne m'en souviens pas. Je vous le répète, mes souvenirs sont vagues. « Refoulement », d'après mon thérapeute, et je ne vais certainement pas m'en plaindre.

— Pourquoi ne pas en avoir parlé ?

— J'en ai parlé… à ma mère.

— Et ?

— Et rien, sourit-elle le regard chargé de tristesse. Tout ça est derrière moi maintenant. Il faut que j'aille de l'avant… Je vais y retourner, les enfants doivent goûter.

— Une dernière question : Quand l'avez-vous vu pour la dernière fois ?

— Deux semaines avant son prétendu suicide. Il est venu me voir ici même. Je ne voulais pas lui parler mais il m'a suivie jusque chez moi. Nous avons donc discuté un temps et je peux vous dire qu'il n'était pas du tout suicidaire.

— Comment en être sûr ?

— C'est le pardon qu'il cherchait. Il m'a avoué avoir fait de grosses erreurs dans sa vie, et voulait mon pardon et mon soutien.

— Preuve qu'il s'en voulait.

— Non, ce qu'il voulait c'est que je l'aide à traverser sa chimio. J'ai deux petites filles, il ne m'a même pas demandé leurs prénoms. La vérité, c'est qu'il avait besoin de quelqu'un pour le soutenir. Et c'est à peu près tout. Maintenant, désolée, mais il faut vraiment que j'y retourne. Mais avant, sachez que je nierai tout, si vous me forcez à quoi que ce soit. Je vous ai dit ça, car je pense que vous perdez votre temps. Maintenant, bonne fin de journée.

La jeune femme disparut derrière l'épaisse porte, laissant Magalie pantoise. *Putain de merde, Jeff est innocent!*

11

Luc s'était absenté, prétextant un rendez-vous à Saint-Sulpice et laissant nos agents au 304.

De retour au bureau, Judith et Fabrice exposèrent leurs récentes découvertes au reste du groupe. Si doute sur l'homosexualité du médecin il y avait encore, celui-ci venait d'être balayé. Par ailleurs, il était maintenant clair pour tout le monde que l'argent que Depino retirait discrètement toutes les semaines lui servait à s'offrir les services de belles femmes de compagnie.

— En tout cas l'avocat avait raison, Depino n'était visiblement pas l'homme d'une seule femme, lui accorda Judith.

— Ce qui explique sans doute pourquoi son ex a pris la tangente, expliqua Marion.

— Du nouveau de votre côté ?

— Pas grand-chose, se dépita Yann.

— Les parents du doc arrivent dans une demi-heure, gare de Lyon, leur apprit Valérie.

— J'avais oublié ! Fabrice et Pierre, je vous laisse y aller pour les accueillir...

— ... Mais pourquoi moi ? rouspéta Pierre. Tu me files que des tafs à la con !

— Il en faut bien un, sourit Judith en lui adressant un clin d'œil. Vous les déposez à l'hôtel et vous voyez ce qu'ils peuvent nous apprendre sur leur fils. Pour l'identification, on verra ça demain avec Franck.

— Sérieux Judith, je suis vraiment obligé d'y aller ?

— Oui, Pierre.

— Je peux y aller si tu veux, ça ne me dérange pas, intervint Valérie.

— Tu peux la remercier, Pierrot.

La porte du bureau s'ouvrit subitement.

— Magalie ? Je ne t'attendais plus, lui confia Judith.

— Je suis repassée dans le coin, du coup…

— Repassée ? répéta Judith.

— Oui, ils ne t'ont rien dit.

— Ben non !

— Désolée, oublié avec tout ça, s'excusa Marion.

— Pas grave. Hé, Fab, Valérie vous attendez quoi pour aller chercher les parents ?

— On est partis, patron ! Fabrice se leva brusquement.

— Bye les gnous, sourit Magalie voyant ses collègues s'en aller.

— Je t'offre un café, lui proposa Judith.

— J'espère bien, oui.

Les deux femmes s'installèrent sur les canapés.

— Alors, ça se présente comment ton affaire, bien ou bien ? s'enquit Magalie, soufflant sur son expresso.

— Pas super pour être franche. Disons que les pistes se font discrètes.

— C'est parce qu'il te manque ton meilleur élément, la charria Magalie.

— Mage, écoute, je sais que…

— Nan, nan, ne t'inquiète pas, je ne vais pas te soûler pour que tu me reprennes. J'ai l'air con, mais je te connais et je sais très bien que tu ne le feras pas. Alors pourquoi perdrais-je mon temps ?

— Perdrais-je mon temps ? éclata de rire Judith, soulagée. Ce n'est pas un dico que tu t'es acheté, c'est un Bescherelle, en fait !

— Oh ça va, oui ! Je ne parle pas toujours comme une charretière quand même ?

— Si, sourit Judith. Bon et plus sérieusement, toi, ça va ?

— Pas trop mal. Mon état s'améliore à vue d'œil. Je retrouve mon souffle et mon bras se désolidarise petit à petit de mon buste et de la douleur. Du coup je me promène, je flâne et… je m'emmerde. Ma vie se résume à ça, en fait !

— Bon, il ne te reste plus beaucoup de temps. Essaye d'en profiter.

— J'en ai suffisamment profité. C'est d'ailleurs ce pourquoi je suis là !

— Comment ça ? s'inquiéta Judith.

— Je sais que tu ne veux pas que je suive ton affaire. Ça, je l'ai bien intégré. Mais je me demandais si de temps en temps je pouvais venir squatter pour travailler sur mes vieilles affaires non résolues.

— Mage ! Tu crois que je ne te vois pas venir, là ?

— Comment ça ? Non sérieux, promis, je ne vous ferai pas chier. Si tu veux, je m'installe dans une des salles d'auditions pour te prouver ma bonne foi…

— Tu sais bien que c'est impossible, Mage.

— Ah bon ? minauda Magalie, surjouant sa déception.

— T'as pas le droit de me faire cette tête. On dirait le piti chat dans *Shrek*.

— Pardon, se reprit-elle. C'est juste que je vois pas où est le mal ? Ces affaires, je les ai toujours traitées, sur mon temps libre. Je ne vois pas ce que ça change que j'aie le poumon en gruyère.

— Ce n'est pas que tu bosses sur tes affaires classées qui me dérange…

— … C'est quoi alors ?

— C'est que tu le fasses ici, Mage !

— O.K., j'ai compris, lança-t-elle dans un souffle avant de se lever. Merci pour le café, on dîne ensemble un de ces quatre ? Je verrais bien Sarah.

— Mage ?

— Quoi ? demanda-t-elle toute penaude.

— Prends les dossiers et emmène-les chez toi, si tu veux.

— Ça ne sert à rien. Si je n'ai pas accès à la base de données, à quoi bon ?

— Tu me prends pour un manche, Mage ?

— Quoi encore ?… Ah, j'ai compris ! Tu penses que je vais enquêter sur Thierry, c'est ça ?

— Je ne pense pas, j'en suis sûre !

— Eh bien tu te plantes. J'ai tout sauf envie de ça, pour le moment. Je ne dis pas que dans quelques mois l'idée ne renaîtra pas mais pour le moment, je veux juste m'abrutir la tête.

Judith sondait Magalie de son regard inquisiteur.

— Pff, laisse tomber. Tu ne me crois pas ! Bon, je ne vais pas te retenir plus longtemps. Je m'en retourne à ma triste vie.

— Tu me jures que tu ne feras pas de recherches sur Thierry ?

— Promis, juré, craché, se réveilla-t-elle. Et si t'as un doute, tu pourras toujours demander à Yann de vérifier.

— J'y comptais bien, sourit-elle.

— Je peux venir, alors ?

— Non, tu travailleras de chez toi. Je demanderai à Yann de t'ouvrir un accès à distance.

— Trop cool !

— Je t'arrange ça, dans la soirée.

— Merci, Jude. Youhou, fini l'ennui, se réjouit Magalie. Et puis quoi de mieux pour remettre le pied à l'étrier que des vieux dossiers.

* * *

Mercredi 7 mai
17 heures

Aujourd'hui la journée a été bonne. Réveil matinal agréable, petit déj copieux finissant par un café serré en terrasse accompagné de la presse quotidienne. Je dois bien l'avouer, j'ai été surpris de ne rien voir d'écrit au sujet de mon client. Je

suis pourtant sûr que la police a découvert le corps de ce connard, car vu la tête que faisaient les flics en sortant de son cabinet, c'est là une certitude. Peut-être ont-ils jugé opportun de ne pas effrayer les lecteurs ? Je crains pourtant qu'ils ne parviennent pas à le garder secret très longtemps. N'allez pas croire que je cherche à me faire mousser. Loin de moi cette idée ! Non ! Mais j'imagine que plus les corps s'entasseront et plus l'odeur fétide attirera notre presse carnassière.
Je vois déjà les gros titres me traitant d'effroyable monstre sanguinaire, les longues tirades louant la vie bien tranquille de toutes mes victimes, s'indignant pathétiquement de mon esprit détraqué et étriqué.
Peut-être le suis-je ? Je n'en doute pas, d'ailleurs. Mais à qui la faute ?
Vous qui êtes en train de me lire. Vous, enquêteurs, que j'ai croisés du regard, hier rue de Sévigné, le visage défait par tant de cruauté, croyez bien que je suis désolé. J'espère de tout mon cœur que la violence de mes actes ne hantera pas indéfiniment vos nuits.
Enfin ! Demain est un autre jour. Et pour un certain avocat, il s'agira, là, de son dernier. Maintenant que j'ai lancé « la machine infernale », il me faut être rapide, car je ne sais pas combien de temps il me reste avant que vous me mettiez le grappin dessus.
Advienne que pourra !

***

Magalie n'avait pas fait long feu suite à son entretien avec Judith. Cherchant à lui prouver sa bonne foi, elle était aussitôt partie. Lorsqu'elle sortit du 36 quai des Orfèvres, le ciel s'était obscurci. L'air se faisait rare et l'atmosphère pesante laissait présager un orage imminent. Accoudée au parapet en pierre massive du quai, elle se surprit à marquer une pause le long de la Seine. Le soleil, troublé par les épaisses masses nuageuses gris taupe, propageait une lumière diffuse jaunâtre tirant sur le vert qui rendait le décor bichrome, telle une carte postale d'antan. Elle resta là, immobile, perdue dans ses pensées, contemplant l'étrange spectacle. Elle était à présent quasi sûre que Jeff était sincère. Ces singulières coïncidences ne laissaient guère de place au doute. *Comment une telle erreur a-t-elle pu être commise ? Dix-huit ans ! Plus de la moitié de ma vie*, se désola-t-elle. *Comment a-t-il pu supporter ça ?*

Une bruine chaude vint lui moucheter le visage, l'arrachant à ses turpitudes. S'en suivit un vif flash, talonné de près par un vrombissement sourd. Réalisant que le ciel n'allait plus tarder à lui tomber sur la tête, elle s'empressa de rejoindre Châtelet où elle attraperait le 76 qui la déposerait à deux pas du Piston.

Une fois à Alexandre Dumas, c'est sous une pluie de grêlons battante qu'elle dut parcourir la cinquantaine de mètres qui la séparaient du bar. Le store rouge basque estampillé « Piston Pélican » en lettres d'or était baissé, offrant un refuge aux quelques badauds qui s'étaient laissés surprendre par le déluge. Elle entra par la ruelle et se désola de ne pas voir Jeff installé au comptoir, le regard noyé dans sa pinte.

— Salut, Magalie ! l'interpella Aurélie.

— Salut.

— Incroyable ce temps !

— Comme tu dis. Je viens de me prendre une saucée en l'espace de vingt mètres.

— Quelle idée de sortir ?

— J'étais dans le bus. T'es toute seule ? s'enquit Magalie.

— Comme tu vois. Je te sers à boire ?

— Volontiers, un café, steup'. Tu as vu quelqu'un ?

— Non, personne pour le moment. Mais avec ce qu'il tombe…

— Certes, abonda-t-elle.

— Pourquoi ? Tu attends quelqu'un ?

— J'aurais aimé voir Jeff.

— Hmm. Il t'a un peu bousculé hier soir, a priori ?

— Rien de bien grave, c'est réglé !

— Contente de te l'entendre dire, se rassura Aurélie en lui déposant le café sur le bar.

C'est alors que Jeff entra.

— Salut les filles !

— Jeff, je voulais te voir justement, lança Magalie soulagée.

— Salut Jeff. Une pinte, comme d'hab ?

— S'il te plaît, oui, répondit-il, prenant place aux côtés de Magalie. Que se passe-t-il ?

— J'ai du nouveau, lui murmura-t-elle.

— Si ça ne te gêne pas, je ne pense pas que ce soit le meilleur endroit pour parler de tout ça.

— Ah ?... T'inquiète, Aurélie est une tombe. On peut se mettre là-bas si tu préfères ?

Après avoir discuté deux trois minutes avec la bairmaid et alors qu'elle servait de nouveaux arrivants, ils partirent s'installer en tête-à-tête sur les canapés jouxtant le bar. Aurélie, bien qu'intriguée, laissa faire sans trop se poser de questions, ravie de voir que tout semblait être rentré dans l'ordre.

Magalie prit alors soin de raconter dans les moindres détails ses découvertes à Jeff qui, le visage fermé, fixait la jeune capitaine sans piper mot. Elle s'était imaginé qu'il accueillerait la nouvelle avec joie, mais plus le récit avançait et plus son regard s'assombrissait.

— Ça va ? s'inquiéta-t-elle soudain.

— Oui, pourquoi veux-tu que cela n'aille pas ? dit-il d'une voix monocorde.

— Je sais pas. Tu fais une drôle de gueule...

— T'inquiète pas.

— C'est plutôt encourageant, non ?

— Encourageant ? Je dirais déprimant, oui. Sans même parler de ma condamnation, ce gars a violé sa propre fille pendant des années. Je ne dirais pas que cela soit « encourageant », conclut-il, mimant les guillemets.

— Certes, mais en ce qui concerne notre affaire, c'est une belle avancée.

— « Notre affaire » ? s'indigna-t-il.

Une chape de plomb invisible s'abattit sur eux, les plongeant dans un profond silence. Jeff, toujours aussi sombre, finit sa pinte d'un trait et se leva d'un bond.

— Je suis désolé, s'excusa-t-il. Ce n'est pas de ta faute et c'est toi qui prends. Pour être franc, je ne suis pas sûr qu'il faille remuer tout ça, au final. Il serait peut-être plus judicieux de faire comme ton Angelica : laisser tout ça derrière moi et aller de l'avant. Je me rends compte que je ne suis pas certain d'avoir la force d'aller jusqu'au bout. Et puis si on y réfléchit bien, ça ne changera rien aux dix-huit dernières années de ma vie. Alors à quoi bon ?

— À quoi bon ? Jeff, tu m'as bassinée toute la matinée avec ta prétendue innocence et maintenant que j'en ai la conviction tu me dis ça ? Ça ne changera certainement pas tes dix-huit dernières années comme tu dis, mais ça changera certainement celles à venir.

— Vinici est mort ! J'entends déjà le juge me dire qu'il est facile de charger un mort. Je ne veux pas être humilié une fois de plus, Magalie. J'ai ma conscience pour moi. Et maintenant que je sais qu'il y a au moins une personne dans ce bas monde qui croit en mon innocence, tout va beaucoup mieux. Je sais aujourd'hui que je ne suis pas un fou dangereux. J'ai purgé la peine d'un autre, qui est mort. Il ne fera plus de mal à personne. Je pense pouvoir me contenter de cela.

— Pas moi ! Tu oublies que d'après Angelica, il n'était pas seul !

— Ce n'est plus mon problème. Personne ne me croira et je n'ai pas la force de me battre contre des moulins à vent.

— Jeff, j'ai besoin de toi sur ce coup. Tu me parlais de sentiment de culpabilité ce midi, alors mets-toi à ma place un instant. Comment pourrais-je vivre sans rien faire, en sachant ce que j'ai appris aujourd'hui ?

— Désolé, tu es seule sur ce coup ! Je pense avoir déjà suffisamment donné. Je n'ai plus de temps à perdre maintenant. Bonne soirée, Magalie. Et merci pour tout! conclut-il en revêtant sa veste encore trempée par la pluie.

Magalie, ahurie et incrédule, fixait Jeff de son regard rond hébété. Et alors qu'il lui tournait le dos, elle ne put s'empêcher de l'invectiver.

— Sombre lâche! se récria-t-elle.

Jeff stoppa net. Le regard droit et soudainement furibond, il se figea. Le frisson glacial le long de sa colonne vertébrale le paralysa. Et alors qu'il cherchait à retrouver son calme, Magalie reprit:

— Si c'est comme ça que tu t'es défendu devant tes juges, pas étonnant que tu en sois là, aujourd'hui!

Un tour, un seul tour! Ça ne fit qu'un petit tour dans la tête de Jeff. Il fit volte-face, armé d'un regard assassin et, sans crier gare, se jeta sur Magalie et lui attrapa le col. Son visage sec était glacial et contorsionné par la colère. Son index, dressé entre eux, venait talocher le bout du nez de la jeune femme.

— Comment oses-tu? vociféra-t-il. Mais comment oses-tu me juger... encore? Toi qui, avec tes certitudes et tes imperfections, étais prête à me jeter en pâture il y a moins de 24 heures de cela! Toi et les tiens avez ruiné ma vie et tu oses encore ouvrir ta grande gueule? As-tu au moins la plus petite idée de ce à quoi j'ai dû faire face à cause de connards dans ton genre?

Aurélie, qui n'avait rien manqué de la scène, se précipita et s'interposa. Les quelques mots qu'elle adressa à Jeff eurent le mérite de le ramener à un état de conscience acceptable. Toujours accroché au col de Magalie, il réalisa alors qu'elle était devenu blême, presque livide. En lui attrapant le col, Jeff avait malencontreusement saisi, par là même, l'écharpe qui maintenait soigneusement le bras de Magalie contre son buste. La douleur avait dû être foudroyante pour que la jeune femme se retrouve à deux doigt de s'évanouir. Il lâcha alors prise en prenant soin de la maintenir debout. Avec l'aide d'Aurélie, il l'installèrent confortablement sur l'un des canapés.

— T'es complètement con ou quoi ? Mais qu'est-ce qui t'as pris, bordel ? s'énerva Aurélie. Reste pas planté là, va me chercher un verre d'eau avec du sucre.

L'homme s'exécuta, laissant les deux femmes en tête-à-tête.

— Ne sois pas trop dure avec lui, gémit Magalie. C'est amplement mérité. Je voulais le provoquer un peu… Voir ce qu'il avait dans le slip, finit-elle par ricaner.

— J'espère que tu es satisfaite ? grogna la barmaid.

— Plutôt, oui ! Disons que rien n'est perdu.

— Je te jure que la prochaine fois, c'est moi qui t'en colle une, l'avertit-elle agacée, alors que Jeff lui apportait le remontant.

Fabrice et Valérie étaient revenus au 304, la mine déconfite par leur rencontre avec les parents d'Olivier Depino. Comment trouver les mots face aux parents et grands-parents de victimes d'assassinats aussi cruels ? Sous le choc, ces derniers n'avaient guère éclairé nos enquêteurs, se contentant de louer la vie simple et sans accrocs de leur progéniture.

La journée n'avait donc pas été des plus fructueuses pour nos agents de la crim'. Hormis l'explication probable sur les retraits réguliers et en espèces du docteur, aucun élément n'était venu conforter ou tout simplement ouvrir une piste. Les techniciens informatiques n'étaient, par ailleurs, pas parvenus à reconstituer l'historique de Depino. On savait qu'il traînait ses guêtres dans le *deep web* mais, sans savoir ce qu'il y cherchait, cette certitude s'avérait inutile. Il fallait donc reprendre tout le dossier en croisant les doigts pour être passé à côté d'un détail capital.

Il était proche des 19 heures, et nos agents consignaient studieusement leur maigre butin sur ce que les initiés appelaient des P.-V. Et alors que Judith venait de leur donner quartier libre, Luc entra dans le bureau.

— Bonsoir tout le monde, les salua-t-il.

Certains ne prirent pas la peine de lui répondre et d'autres lui rendirent la politesse sans trop de zèle alors que Judith venait à sa rencontre.

— Bonsoir. Comment s'est passée ta journée ?

— Bien ! Navré de ne pas m'être libéré plus tôt, mais ma collègue a tendance à s'épancher longuement.

— Pas de souci. J'espère juste qu'il n'y a rien de grave ?

— Non, ne t'inquiète pas. Et vous ? Quoi de neuf ?

— Tu avais raison. Vraisemblablement, Depino claquait son salaire pour des filles de luxe. Hormis ça... Chou blanc ! On n'est pas bien avancés, se désola-t-elle.

— J'ai commencé à constituer un profil. Il faut néanmoins le prendre avec des pincettes. Les éléments sont minces pour le moment et je ne veux pas prendre le risque de vous induire en erreur. En revanche, je me suis dit que je pouvais traiter de la victimologie. Te faire un rapide profil de Depino.

— On commence à avoir une bonne vision de Depino. Mais qui sait, tu verras peut-être des choses qu'on n'a pas vues ? Là, je leur ai dit de rentrer. Tu nous briefes demain ? Enfin, si tu pensais passer ?

— Bien évidemment. Si je comprends bien vous rentrez, là ?

— Oui.

— Peut-être pourrions-nous dîner ensemble, alors ? La faim commence à me tirailler.

— C'est-à-dire que...

Pierre et Fabrice les coupèrent pour les saluer.

— Demain 8 heures, boss ? s'informa Pierre.

— Oui !

— À demain, alors !

— Ciao les gars, lancèrent-ils à l'unisson.

— J'ai compris, sourit Luc. Ne te confonds pas en excuses. Une prochaine fois peut-être ?

— Oui, une prochaine fois !

Magalie s'était rapidement requinquée. Elle réalisa qu'elle n'avait pas déjeuné, ce qui expliquait sa chute de tension. Aurélie avait pris soin de lui préparer une planche de fromage bien garnie qu'elle s'était empressée d'engloutir.

— Ça va bien mieux !

— Comment fais-tu pour oublier de manger ? s'étonna Richard qui venait de les rejoindre.

— Oh bah, à un moment j'ai faim, si je ne peux pas manger sur le pouce, je passe à autre chose, du coup j'oublie et après…

— … Tu tombes, s'agaça Aurélie.

Jeff, se sentant responsable, était resté, à bonne distance, certes, mais il gardait un œil bienveillant sur Magalie.

— Il ne pleut plus ! remarqua-t-elle. Je vais profiter de l'accalmie pour rentrer. J'ai un gros coup de barre, lança cette dernière, revêtant sa veste.

— O.K., mais ça va aller jusqu'à chez toi ? s'inquiéta Richard.

— Oui, sans problème. J'avais juste besoin d'un peu de carburant, le rassura-t-elle.

— Si ça ne t'embête pas je préfère te raccompagner, s'immisça Jeff timidement.

— Ne t'en fais pas, Jeff. Je ne t'en veux pas. Tout ça est oublié et puis je l'ai quand même un peu mérité. Reste avec Richard et buvez un verre à ma santé, je trouverai ma route sans mal.

— J'insiste, au risque de paraître désagréable, s'obstina-t-il.

— Soit, si t'insistes…

Après avoir salué leurs compères et réglé leurs consommations, ils sortirent du Piston et remontèrent la rue de Bagnolet dans un profond silence. Magalie trouvait l'attention de Jeff à son égard touchante bien que la situation la mette mal à l'aise. Elle ne savait pas trop quoi dire ni quoi faire pour détendre l'atmosphère. Ils tournèrent rue Ligner et arrivèrent à hauteur d'une devanture en bois vernis écaillé, sur laquelle on devinait «menuiserie» en vieilles lettres que l'usure et le temps avaient patinées.

— Nous y sommes, murmura-t-elle en s'arrêtant.

— Très bien, répondit-il toujours gêné. C'est effectivement tout près!

— Je te l'avais dit. Je pouvais aisément rentrer seule… Sans trop de risque, je veux dire.

— Oui, mais je préférais m'en assurer. C'est chose faite, je vais te laisser te reposer alors.

— Tu veux entrer?

— Non, je ne veux pas te déranger. Ça ne se fait pas trop de s'incruster!

— Oh! Dois-je comprendre que tu as trouvé déplacé que je vienne tambouriner à ta porte ce matin?

— Non, non! Enfin quoique, rit-il.

— Allez, viens donc voir mon antre, lança-t-elle en poussant la porte de l'immeuble.

Jeff suivit la jeune femme sans piper mot. Une fois sous le porche, Magalie visita ses poches et en extirpa ses clefs. Elle ouvrit la porte à droite et disparut dans l'obscurité, laissant Jeff sur le seuil. La lumière s'alluma dans l'appartement. Jeff, indécis, resta planté devant la porte sans trop oser entrer.

— Ben t'attends quoi?

— Euh… rien, se décida-t-il enfin.

Jeff fut surpris. Il s'attendait sans doute à un appartement aux murs blanc passé, mal ou peu décoré. Image qui collait plus au style vestimentaire de la jeune femme. Non, là tout était parfaitement à sa place et avec beaucoup de style. Deux fauteuils club juste assez usés faisaient face à un très beau canapé qui, très étrangement, se mariait parfaitement à la table basse de style plus… contemporain dira-t-on. Un épais tapis marron clair protégeait ponctuellement le parquet habilement abîmé apportant à l'espace une note «industriel chic». Au-dessus du bar, qui délimitait l'espace cuisine, était suspendue une grande plaque en bois érodé sur laquelle était gravé en vieilles lettres d'or « Menuiserie ».

— Tu habites dans une menuiserie ? s'étonna-t-il.

— Anciennement, oui. J'ai acheté ça il y a quelques années et ai tout retapé de mes petites mains. C'est pas super éclairé en hiver mais sinon, c'est top. Voilà mon petit nid douillet.

— Tu as fait du beau travail, dit-il en laissant traîner son regard un peu partout.

— Mets-toi à l'aise, l'invita-t-elle. Je ne vais pas te manger. Tu veux boire un truc ?

— Comme toi, répondit-il en prenant timidement place sur le canapé.

— Ça va pas être fou. Abricot, ça te va ?

— Tout me va.

Elle apporta deux verres remplis du nectar et prit place face au jeune homme. Elle attrapa son ordinateur portable, jusque-là posé sur la table basse, et le démarra.

— Je ne veux vraiment pas te déranger, s'excusa Jeff, la voyant faire. Si tu as des trucs en cours ou si tu préfères rester seule, je m'en vais.

— Reste tranquille, je ne suis pas le genre de gonzesse à laisser entrer quelqu'un chez moi si je n'en ai pas envie. Alors détends-toi ! Je dois juste vérifier un truc, si tu me le permets.

— Oui bien sûr, mais n'hésite pas à me mettre dehors.

— Je n'hésiterai pas !

Elle ouvrit sa boîte mail et fut ravie de constater que Judith ne l'avait pas oubliée. Elle pouvait désormais surfer à sa guise dans l'intranet de la brigade criminelle.

— Super. Je vais pouvoir travailler tranquillement d'ici, grâce à ce lien, informa-t-elle Jeff.

— De quoi parles-tu ?

— Ma collègue m'a donné un accès à la base de données de la police. Je vais donc pouvoir faire mes recherches d'ici ou de n'importe où ailleurs, dès lors qu'il y aura un wi-fi sécurisé.

— Tu me parles chinois, là, tu sais.

— Hmm, va falloir que tu t'y mettes sérieusement, mon garçon. Aujourd'hui, Internet et son utilisation, c'est incontournable, lui expliqua-t-elle en prenant place à ses côtés. D'ailleurs il y a autre chose qui est incontournable de nos jours, c'est le téléphone. Demain, tu devrais aller t'en acheter un. Comme ça je pourrai te joindre si besoin.

— Pourquoi chercherais-tu à me joindre ?

— Parce que je suis têtue ! Écoute, j'ai bien entendu ce que tu m'as dit tout à l'heu…

— … Je suis d'accord ! coupa-t-il.

— Comment ça ?

— Je suis d'accord pour t'aider. Tu as raison, s'il y a d'autres personnes, il faut les arrêter, que ma condamnation n'ait pas juste servi à ruiner ma vie.

— Nul, se désola Magalie.

Remarque qui laissa Jeff perplexe et dans l'expectative.

— Je pensais devoir faire preuve d'un peu plus de créativité pour te faire rejoindre ma cause. Ou alors c'est que je suis de plus en plus balèze dans l'art de la manipulation, rit-elle enfin.

— Si tu le dis !

— Cool ! Personne ne t'attend ? Une superbe fille ou un pote de beuverie ?

Cette question arracha un rire à Jeff, qui manqua s'étouffer avec son nectar d'abricot.

— Qu'est ce que j'ai dit ? s'étonna-t-elle.

— Non, rien, se reprit-il.

— Ben si, j'ai bien dû dire un truc drôle ?

— Rien, c'est juste le « superbe fille » qui m'a fait rire.

— Quoi, tu préfères les thons ?

— Quoi ? Non, bien sûr !

— Qu'est ce qu'il y a de drôle, alors ?

— Rien, juste que je ne pense pas être en mesure…

— … Hé, faut pas se laisser aller, là. Faut rattraper le temps perdu, le taquina-t-elle. Tu as plutôt une bonne gueule, y a pas de raison !

— C'est-à-dire que… se décomposa-t-il, tentant de formuler une phrase.

— … Me dis pas que tu ne t'es toujours pas sorti de nana depuis que tu as quitté Ensisheim ?

Jeff se remit à rire, mais cette fois-ci une teinte de tristesse vint lui assombrir le visage.

— Écoute, reprit Magalie, y a plein de choses qui ont changé en dix-huit ans, mais celle-là n'en fait partie, je peux te l'assurer. C'est comme quand t'étais jeune, tu peux y aller tranquilou-bilou. T'as tout ce qu'il faut pour !

Jeff détourna le regard, passa sa main dans ses cheveux, les ébouriffa et fit discrètement retomber sa mèche brune sur son visage, cherchant à se cacher du regard inquisiteur de Magalie.

— J'aurais beaucoup de mal à faire comme quand j'étais jeune, je n'en étais pas encore là, à l'époque, sourit-il, gêné.

— Quoi, comment ça ? souffla Magalie les yeux écarquillés. Tu n'as jamais… Enfin je veux dire… Tu es… Puceau ?

— On ne peut pas dire ça, non, bafouilla Jeff.

— Ah putain, tu me rassures ! se soulagea Magalie. J'ai cru avoir fait une énorme gaffe.

— Tu ne m'as pas compris, reprit-il en s'éclaircissant la voix. Disons que j'ai, au début de mon incarcération, eu maille à partir avec quelques-uns de mes codétenus.

Il se racla la gorge deux, trois fois avant de reprendre.

— Pour conclure, disons qu'en ce qui concerne la gent féminine, on peut dire que je suis puceau, effectivement, avoua-t-il.

La mâchoire de Magalie se décrocha, elle resta figée, regardant Jeff qui, profondément embarrassé, baissait le regard, espérant trouver au sol une quelconque échappatoire. Il fallut quelques secondes à Magalie abasourdie pour réaliser que son comportement avait été des plus déplacés.

— Je suis désolée. Je me mêle de choses qui ne me regardent pas. Je ne sais même plus ce qui m'a amené à parler de ça, sourit-elle bêtement.

— Tu voulais savoir si j'étais dispo pour la soirée.

— Ah oui, c'est ça. Et tu l'es?

— Pas ce soir! Même si pas de «superbe fille» et pas de «pote de beuverie», je préfère rentrer, si ça ne te dérange pas?

— O.K., pas de problème. Je comprends.

— Écoute, ne t'inquiète pas, je ne t'en tiens pas rigueur. Un mec de mon âge puceau, ça a de quoi surprendre, tenta-t-il de sourire. Je suis pas au top. Je ne pense donc pas t'être d'une grande utilité. Et puis le dossier d'instruction est dans ma chambre, peut-être vaudrait-il mieux l'avoir avec nous pour commencer les «recherches», comme tu dis?

— Ça peut nous être utile effectivement, abonda-t-elle.

— Après avoir digéré tout ça et après une bonne nuit de sommeil, je pense être plus efficace. On se voit demain, si tu veux?

— Bien sûr, je n'ai absolument rien de prévu. C'est quand tu veux!

— On fait comme ça alors. Merci pour le jus d'abricot.

— De rien...

Jeff se leva, enfila sa veste.

— Jeff, lança-t-elle avant que celui-ci ne franchisse le pas de la porte. Je suis pas la fille la plus délicate au monde. Mes potes me considèrent même comme un peu bourrin sur les bords. Un éléphant dans un magasin de porcelaine, tu vois.

— Ne t'inquiè...

— ... Non, ce que je voulais te dire, le coupa-t-elle, c'est que même si la finesse n'est pas une de mes plus grandes qualités, je suis en revanche quelqu'un de fiable, en qui on peut avoir confiance. Tu peux donc être sûr qu'avec moi tes secrets sont bien gardés.

— Je n'en doute pas, Magalie. Dis-toi bien que rien ne m'obligeait à t'en parler. J'ai peut-être tort, connaissant ton métier et au vu de certains de nos précédents échanges, mais j'ai confiance en toi. Depuis que je suis sorti, je traîne dans Paris comme un zombie. J'ai, certes, rencontré des gens sympas, notamment au Piston, mais j'ai la désagréable sensation de ne pas être honnête avec eux. J'évite de mentir mais parfois j'y suis obligé. Pour être franc, juste après t'avoir raconté mon histoire, je me suis dit que je venais de faire une énorme connerie. Mais très bizarrement, je me suis, par là même, senti... plus léger. Bref, ce que j'essaye de te dire, c'est que même si ce que je te raconte n'est pas très glorieux, ça me fait un bien fou de pouvoir être moi-même face à au moins une personne dans ce bas monde. Tu comprends ?

— Je crois, oui.

— Donc s'il te plaît, ne te formalise pas.

— Tu prends des risques, là, le charria-t-elle.

— Je m'en suis rendu compte en le disant, sourit-il en ouvrant la porte. Bonne soirée !

— À toi aussi. On se voit demain à midi ?

— D'accord, passe me chercher.

Jeff disparut dans l'obscurité, laissant Magalie fermer la porte derrière lui. Seule, elle se gratifia d'un simulacre de gifle.

T'en manques pas une, bordel, s'énerva-t-elle intérieurement. *Mais quelle angoisse ! Ce mec est à deux doigts de la quarantaine et n'a jamais connu de meuf ? Pire, il a passé dix-huit ans de sa vie en taule pour viol alors même qu'il n'a jamais touché une fille. Et comme si ce n'était pas assez, il s'est lui-même fait violer. L'horreur ! Mais quelle putain de vie de merde ce pauvre garçon se tape !*

* * *

Mercredi 7 mai
22 h 30

C'est étrange ! Ou inquiétant peut-être ? Je suis comme tout excité. Une vraie puce, je ne tiens pas en place.
Y prendrais-je goût ou dois-je juste mettre ça sur le compte du stress et des nerfs ? À l'heure où je vous écris mon homme

est pourtant calme et entièrement disponible, là à mes pieds, bien sagement ficelé et bâillonné.
La nuit va être longue pour lui, mais tant mieux sachant que c'est là sa dernière.
La chose que j'ai devant moi est un avocat pénaliste réputé. Un homme qui a parfois du mal à choisir, défendant aussi bien les victimes que les accusés. En matière de sexe il est tout aussi indécis visiblement, son cœur balançant entre petits garçons et petites filles en fonction des opportunités.
La bonne nouvelle, c'est que contrairement à l'autre pervers de médecin, cet enfoiré n'a pas d'enfants. Je ne vois pas en ça un acte de générosité de sa part, non, je ne l'en crois pas capable. Non, c'est juste que pour le coup cela me dispense d'avoir à ôter la vie à un petit être sans défense. Toujours ça de pris!
Bien, il semblerait que mon hôte soit en train de retrouver ses esprits, il est temps pour moi de me mettre au travail.

P.S. : C'est marrant comme ces crevures perdent soudain toute leur superbe quand ils se retrouvent attachés à poil devant un inconnu.

* * *

12

Judith et ses collaborateurs s'étaient, comme convenu, retrouvés à 8 heures du matin au 36 quai des Orfèvres. Ils avaient à peine eu le temps de se mettre au travail qu'un officier de police du 16e arrondissement de Paris les priait de se rendre au 3 place Victor Hugo.

Épinglée au point d'intersection des bissectrices du prestigieux triangle porte Dauphine, Trocadéro, Arc de Triomphe, la place Victor Hugo est l'une des plus belles vitrines du Paris huppé. La statue à l'effigie du dramaturge, ayant dû participer à l'effort de guerre lors de l'occupation allemande, fut remplacée en 1964 par une timide fontaine dont la pudeur laissait toute la place à l'architecture environnante.

Le groupe de Judith s'était séparé en deux voitures et avait peiné à rejoindre l'ouest parisien, tant il y avait de circulation en cette heure.

Une fois arrivés, c'est sans trop de scrupules qu'ils abandonnèrent nonchalamment leurs véhicules au beau milieu du carrefour.

Le soleil déjà bien haut arrosait de sa chaude lumière les arbres en feuilles, frémissant à la caresse du vent qui venait les chatouiller, alors qu'en face, ce bel et grand immeuble cossu dévisageait dédaigneusement nos enquêteurs. Sa lourde porte s'ouvrait sur un large porche pavé, fraîchement rénové. Un policier en faction les invita à rejoindre le premier étage du bâtiment. Le large escalier arrondi en marbre, habillé d'une épaisse moquette rouge, ne dérogeait pas au standing qu'affichait fièrement la façade de l'immeuble.

Le groupe monta les marches à petites foulées. La double porte en chêne massif était ouverte de ses deux battants, l'agent qui y faisait le planton salua Judith d'un bref garde-à-vous. Tous lui rendirent la révérence et s'empressèrent d'enfiler les patins et les gants de protection sans que le silence de circonstance soit rompu.

Les TIC étaient déjà en plein labeur, s'attelant à prélever et photographier les divers indices. L'un d'entre eux indiqua à Judith la première porte sur la droite. Arrivant à sa hauteur, elle fut surprise d'y voir scotché un mot imprimé sur papier A4.

IMPORTANT :
De façon à ne pas être choquée, je conseille fortement à la personne qui trouvera ce mot de garder cette porte close et d'appeler la police sur-le-champ.
Ceci n'est pas un avertissement, juste un conseil bienveillant, car derrière cette porte se trouve le corps de Valentin Rugier.
Âmes sensibles s'abstenir.

Effarée, Judith se retourna vers Fabrice incrédule.

— C'est quoi ce délire ?

— Encore un qui se croit malin, répliqua-t-il fixant la feuille.

La pièce était vaste. Une énorme bibliothèque en ébène massif courait sur le mur de droite, répondant avec goût à la grande cheminée de marbre sculpté qui lui faisait face. Le parquet impeccablement lustré reflétait l'aveuglante lumière du soleil tel un miroir zébré. Au beau milieu de la pièce trônait un superbe secrétaire en merisier, tapissé d'un épais cuir vert bouteille, derrière lequel, accroché au pan de mur séparant les deux portes fenêtres, pendillait, tel un christ, le cadavre de maître Rugier, avocat pénaliste au barreau de Paris. Ses poignets étaient fermement ligotés aux vieux pitons à rideaux encastrés dans le mur. Le funeste tableau laissait une impression de déjà-vu à nos agents. La mise en scène était identique à celle de Depino, seul le cadre avait changé !

— Bonjour, Franck, lança Judith d'une voix monocorde.

— Bonjour, lui répondit-il tout aussi platoniquement.

— Ça ne laisse guère de place au doute !

— Effectivement, je ne suis pas profiler mais le mode opératoire est semblable. Des entailles, un bain de sang et des organes détachés… Sauf que cette fois-ci, notre homme lui a épargné le citron.

— Quelle touchante attention. Une idée de l'heure de la mort ?

— Je viens à peine d'arriver. Mais à vue d'œil, je dirais dans la nuit.

— Autre chose ?

— Non, pour le moment, je ne te suis d'aucune utilité. Il faudra attendre mon rapport. J'espère que l'assistante pourra t'aider.

— L'assistante ?

— Oui, c'est elle qui a découvert le corps. Elle discutait avec un bleu quand je suis arrivé.

— Je vais aller voir ça. Je te laisse Marion ?

— Avec plaisir.

Judith se retourna vers Yann et Valérie et alors qu'elle leur demandait de s'occuper de l'enquête de voisinage, un officier en uniforme vint à sa rencontre.

— Lieutenant Nasser, se présenta-t-il.

— Commandant Lagrange, enchantée. Le légiste vient de me parler d'une assistante ?

— Effectivement, c'est elle qui nous a appelés ce matin. Elle n'a malheureusement pas suivi les conseils du mot sur la porte et vient de faire un petit malaise. Elle est en bas avec les pompiers.

— A-t-elle pu vous apprendre quelque chose ?

— Elle est arrivée ce matin à 7 h 30, et s'est mise en place comme à son habitude. Ce n'est qu'à 8 h 30 qu'elle s'est inquiétée de l'absence de son patron : il avait un important rendez-vous ce matin. Bref, elle a tenté de le joindre sur son portable et a été surprise de l'entendre sonner. Elle est donc venue jusqu'au bureau… Elle a bien vu le mot, mais vous savez comment c'est…

— … Elle a ouvert !

— Oui. Pour autant, voyant le corps, elle n'a pas insisté et a directement refermé la porte derrière elle. Il n'y a donc pas eu contamination de la scène de crime. Elle nous a tout de suite appelés, je suis arrivé à peine cinq minutes plus tard. J'ai constaté le décès et fait mon rapport auprès des collègues. Et vous voilà !

— Est-elle en état de parler ?

— Les pompiers l'ont allongée dans le camion pour le moment.

— Très bien, merci lieutenant. Je vous appelle si besoin.

— N'hésitez pas.

Le jeune homme tourna les talons et disparut dans le couloir. Judith demanda à Pierre de seconder les techniciens en répertoriant les scellés et proposa à Fabrice de faire un rapide examen du bureau.

— Et toi ? s'enquit-il.

— Je vais voir le bureau de l'assistante.

Un technicien était en train de prélever les empreintes sur le mot scotché à la porte.

— Alors ? tenta-t-elle.

— Je ne vois rien, se désola l'expert.

— Ben voyons, lâcha-t-elle agacée avant de rejoindre le bureau de la secrétaire.

Par chance, le poste informatique de la jeune femme était allumé. Il ne lui fallut que quelques secondes pour y trouver l'emploi du temps de l'avocat. Elle vérifia que le copieur était bien sous tension et lança l'impression. Elle n'avait pas jugé bon de trop s'encombrer, c'est pourquoi elle se contenta de la semaine en cours. Alors que le télécopieur se mettait doucement en marche, elle ouvrit le carnet d'adresses électronique. Elle se rendit directement au « H » et remarqua sans trop d'étonnement que les coordonnées de maître Hanin y figuraient. *Il va falloir que je retourne rendre visite à ce très cher monsieur*, pensa-t-elle. Elle tenta à nouveau au «D» espérant y trouver le nom de Depino, mais, cette fois, fit chou blanc.

Valérie et Yann s'étaient réparti les tâches. Yann s'occuperait des magasins au rez-de-chaussée tandis que Valérie irait visiter les étages supérieurs.

Au-dessus du cabinet de l'avocat, c'était une étude comptable qui officiait. Valérie fit un tour rapide des employés mais personne ne semblait pouvoir lui venir en aide. La veille, l'étude s'était vidée de toutes ses âmes très tôt.

— On est tous parents, expliqua l'assistante. Le mercredi, on a tendance à partir plus tôt. Les enfants, vous savez ce que c'est?

— Oui, bien sûr. Si quelque chose vous revient appelez-moi, lui sourit Valérie sans grande conviction en lui tendant sa carte.

Plus elle montait dans les étages, plus ses espérances se faisaient minces. Rien vu, rien entendu!

De son côté, Yann visita en premier lieu la boulangerie. Le jeune homme derrière le comptoir semblait agacé d'avoir à répondre à des questions qui, en plus de lui paraître absurdes, lui faisaient prendre du retard pour sa mise en place du midi. Il expédia le lieutenant rapidement et sûrement. C'est donc sans traîner que Yann s'invita dans la boutique de Smartphones qui faisait l'autre coin de l'immeuble. Cette fois-ci, le garçon était plutôt aimable mais n'apporta pas beaucoup plus d'eau à leur moulin. Et pour cause, le magasin fermait ses portes à 19 heures et il était plus que probable que l'assassin ait commis ses méfaits plus tard dans la soirée. C'est donc sans grande conviction que Yann prit soin de noter les maigres éléments que lui apportait le vendeur avant de s'en retourner.

Magalie avait veillé tard et avait donc préféré ne pas s'imposer de réveil. Elle ouvrit les yeux à 11 heures après une longue et bonne nuit de sommeil. Elle prit le temps de s'étirer de long en large avant de mettre un pied hors du lit. Une fois dans le salon, elle fut ravie de voir que la pluie avait cédé sa place à un grand et chaleureux soleil. Elle alluma la radio et se lança dans ses exercices de kiné. Les progrès étaient remarquables de jour en jour. Elle recouvrait à vitesse grand V la mobilité de son bras. Une fois la séance de torture finie, elle s'installa sur son canapé pour prendre le petit déjeuner et alors qu'elle beurrait délicatement une tranche pain grillé, un flash info annonça l'assassinat d'un avocat dans les beaux quartiers de Paris. Lorsqu'elle entendit le nom dudit avocat, sa tartine lui échappa des mains, finissant sa course dans son bol de café. Elle épongea rapidement les éclaboussures brunâtres encore fumantes, avant de se saisir de son ordinateur portable.

Rares étaient les sites relatant l'info. Elle trouva tout de même la confirmation écrite du nom du juriste assassiné sur la page d'accueil de l'AFP. Elle se leva subitement et courut dans sa chambre enfiler un pantalon.

Il ne lui fallut que deux minutes pour se retrouver à dévaler la rue de Bagnolet, telle une dératée, le visage encore tout engourdi par sa nuit. Arrivée rue Planchat, elle salua brièvement le concierge de l'hôtel et emprunta l'escalier sans demander son reste. Elle monta les marches quatre à quatre et c'est à bout de souffle, le cœur battant la chamade, qu'elle se mit à tambouriner à la porte de Jeff. Pliée en deux, se tenant au mur, une brusque envie de vomir lui prit la gorge. De violents spasmes lui contractaient le ventre, l'empêchant de retrouver son souffle. Agacée et à deux doigts du malaise, elle reprit de plus belle, lançant frénétiquement, avec le peu de force qui lui restait, le poing sur la fine porte branlante. C'est alors que Jeff, un casque audio autour du cou, lui ouvrit. Surpris de voir Magalie se tenant au mur tordue et livide, il l'attrapa délicatement sans chercher d'explication et l'aida à se transporter jusqu'au lit.

— Qu'est-ce qui t'arrive ? s'inquiéta-t-il en allant lui chercher de l'eau.

— Chute de tension, je crois, balbutia-t-elle.

Il revint vers elle avec un grand verre d'eau sucrée. D'une main défaillante, elle le saisit maladroitement et faillit en renverser le contenu avant de parvenir à le porter jusqu'à ses lèvres. Elle en lapa quelques gouttes avant de l'avaler d'une traite. Le liquide frais courant le long de son œsophage lui fit un bien fou, calmant aussitôt ses convulsions abdominales. Elle lui remit le verre et s'accorda une minute pour reprendre ses esprits.

— Tu vas me dire ce qui s'est passé ? tenta à nouveau le jeune homme.

— Rien, j'ai couru et je n'aurais sans doute pas dû. Ne t'inquiète pas, ça va passer.

— Tu m'étonnes que tu n'aurais pas dû. Tu oublies que t'as un trou dans les poumons ou quoi ?

— Ça va, je te dis, s'agaça-t-elle.

— O.K. Et je peux savoir ce qui t'as fait courir ?

— Valentin Rugier, haleta-t-elle.

— Oui ?

— Ça ne te dit rien ?

— Bien sûr ! C'est mon avocat commis d'office. Et ?

— Il est mort !

— Oh !

— Assassiné, ce matin, enfin cette nuit sans doute.

Jeff, perplexe, fixait Magalie sans ajouter de commentaire à sa révélation.

— Quoi ? Tu ne vas pas me dire que ça ne t'étonne pas ?

— Si, il ne devait pas être bien vieux ?

— Les coïncidences sont rares dans mon métier...

— ... Oui, j'en ai fait les frais, je te signale.

— Tu ne trouves pas ça bizarre, toi ?

— Pas tant que ça, en fait. C'est un avocat, s'amusa-t-il.

— D'accord, mais quand même, ça commence à faire beaucoup de morts. Entre le témoin défenestré et l'avocat de la partie civile qu'on retrouve refroidi dans son cabinet…

— Je ne vois pas le rapport, entre Vinici et mon avocat. Bien au contraire d'ailleurs, car sans le témoin, mon avocat aurait sans doute obtenu un non-lieu.

— Certes ! Je sais pas… j'ai un pressentiment… Mais bon, tu as peut-être raison, se réfréna-t-elle. Mais quand même !

— Tu veux un café ? lui proposa-t-il, rejoignant le coin cuisine. Ou autre chose, d'ailleurs ?

— Un café, c'est parfait ! Avec tout ça, j'ai pas eu le temps de le prendre, lui répondit-elle en se levant pour attraper le dossier d'instruction qui était encore posé sur la table. Tu n'y as pas touché à ce que je vois ?

— À quoi ? Ah, sourit-il, je pense le connaître par cœur à force.

— C'est sûr. Tu ne vois dons pas d'inconvénient à ce que je te l'emprunte ?

— Fais-toi plaisir !

— Top ! Vu que l'affaire a été jugée, il n'y a plus grand-chose te concernant à la crim'. Ce pavé va nous être bien utile, surtout maintenant que ton avocat est mort. Je n'en reviens pas quand même. Vraiment, c'est trop de coïncidences pour la flic que je suis ! Et toi, vraiment, tu ne trouves pas ça chelou ?

— Hum, fit-il en hochant la tête. Tu sais, j'ai passé presque vingt ans de ma vie en prison à cause de « coïncidences », alors ce que je pense…

— Pas faux ! admit-elle. Bien, pourvu que je trouve mon bonheur là-dedans.

— Je l'ai lu une centaine de fois et n'y ai rien trouvé qui puisse me disculper, alors bon courage !

— Je ne veux pas te disculper, sourit-elle.

— Comment ça ?

— Ce que je veux… c'est accuser ! C'est comme ça qu'il faut agir. Aujourd'hui, on sait que le seul et unique témoin à charge est un pédophile avéré qui est probablement l'assassin de la gamine. Le problème c'est qu'il est mort, aucun moyen de le confondre, donc. En revanche, et par chance, en tout cas pour toi, il n'était pas le seul à pratiquer ces saloperies d'après sa fille. Il nous faut donc retrouver ses comparses !

— Ça a l'air simple, à t'entendre.

— Qui ne tente rien n'a rien ! Et puis j'ai un atout de taille par rapport aux enquêteurs de l'époque.

— Ah bon ? s'étonna-t-il en revenant, un café à la main.

— Je suis convaincue de ton innocence, moi !

— Et pourvu que ça dure, lui sourit-il en posant l'amer breuvage sur la table.

Les divers prélèvements étaient encore en cours au cabinet de l'avocat quand Judith embarqua Fabrice avec elle pour rendre une nouvelle visite à Maître Hanin. L'avenue Georges V n'était qu'à quelques rues de la place, ils y arrivèrent en moins de cinq minutes.

— Encore ? s'agaça l'épouse du juriste sans même prendre la peine de les saluer. Quel mauvais vent vous amène ?

— L'odeur de putréfaction ! Puis-je m'entretenir avec votre patron ? lui asséna Judith, faisant volontairement l'impasse sur leur union.

La jeune femme se leva de son siège nonchalamment, dévisagea Judith d'un regard hautain plein de dégoût et, sans piper mot, se retira dans le couloir.

— Ambiance ! susurra Fabrice.

— Sombre co… parvint-elle in extremis à se retenir.

Fabrice écarquilla les yeux. Judith avait généralement un vocabulaire des plus courtois et rares étaient les fois où elle s'aventurait à insulter gratuitement ses interlocuteurs. De toute évidence, elle ne portait pas cette femme dans son cœur et elle ne s'en cachait pas.

— Magalie, sors de ce corps, s'amusa-t-il alors que maître Hanin leur apparaissait dans le couloir.

— Bonjour, commandant, lança-t-il de sa voix rocailleuse. Avez-vous du nouveau ?

— Bonjour, maître. Connaissez-vous Valentin Rugier ? se renseigna-t-elle sans prendre la peine de répondre à sa question.

— Oui, répondit-il intrigué.

— En êtes-vous proche ?

— Excusez-moi, mais je ne vois pas le lien entre Rugier et Depino ?

— Vous !

— Je connais effectivement les deux, mais que vient faire Valentin dans l'affaire qui nous préoccupe ? s'entêta-t-il.

— Ce matin, nous avons retrouvé le corps sans vie de maître Rugier à son cabinet.

Les masséters du quinquagénaire se contractèrent violemment. C'était un homme imposant et doté d'un charisme colossal qui devait lui être d'une grande utilité lors de ses plaidoiries, mais de toute évidence la nouvelle venait d'ébranler son aplomb naturel.

— Vous comprendrez donc ma visite, continua Judith.

— Oui, tout s'éclaire, souffla l'homme.

— Y a-t-il un lien entre nos deux victimes ? demanda Fabrice, jusque-là très silencieux.

— À part moi, s'il existe je ne le connais pas.

— Se connaissaient-ils, au moins ? insista Judith.

— Je ne pense pas, non. Après, je ne suis pas derrière eux.

— Vous semblez être la clef de voûte de cette affaire. Une idée ?

— Comment cela ? Vous ne pensez tout de même pas que je suis l'auteur de ces assassinats, j'espère ? gronda-t-il.

— Nous n'en sommes pas encore là ! Mais vous avouerez qu'il y a de quoi s'interroger.

— Vous insultez mon intelligence, commandant. Si, pour je ne sais quelle raison, j'avais eu en tête de tuer mes deux amis, j'aurais, j'imagine, fait en sorte que l'on ne puisse pas remonter aussi facilement jusqu'à moi.

— Pour être franche, je ne pense pas que vous auriez usé d'un tel mode opératoire, mais il est clair que tout ça nous ramène vers vous. Donc pourriez-vous éclairer notre lanterne ?

— Et comment ? s'agaça-t-il. Je vous répète qu'Olivier et Valentin ne se fréquentaient pas à ma connaissance !

— Je ne sais pas, mais peut-être omettez-vous de nous livrer un élément qui nous mettrait sur une piste ?

— Quel genre d'élément, commandant ? riposta-t-il.

— Je ne sais pas, une affaire qui vous lie, peut-être même un client en commun ? intervint Fabrice.

— Je vous rappelle, jeune homme, que je suis avocat d'affaires, Valentin pénaliste et Olivier médecin généraliste ; les affaires, comme vous dites, ne sont par définition pas les mêmes.

Judith scannait le comportement de l'avocat. Il semblait affecté par la mort de ses proches mais elle sentait dans son agacement fébrile une peur croissante. L'homme était anxieux, c'était une évidence.

— Très bien, lança-t-elle soudain en se retournant vers Fabrice. On y va ?

— Yep.

— Comment ça ? s'étonna le quinquagénaire.

— Vous nous dites ne pas avoir d'information à nous fournir. Nous allons donc vous laisser tranquillement reprendre votre travail.

— Tranquillement reprendre mon travail ? pouffa-t-il.

— Oui, et nous reprendre le nôtre ! Bien évidement, si le moindre élément vous revenait à l'esprit, faites-le-nous savoir. Sur ce, conclut-elle, bonne journée, maître !

Seul Pierre était resté au cabinet de l'avocat pour finir de répertorier les scellés. Le reste du groupe s'était retrouvé au 304 après avoir pris le temps de se sustenter rapidement dans un boui-boui pakistanais croisé sur la route.

Judith exposa alors à Yann, Valérie et Marion ses impressions à l'égard de l'avocat d'affaires. Hanin semblait leur cacher quelque chose. Il était de toute évidence effrayé. Il fallait maintenant savoir pourquoi.

— On va se séparer en deux groupes. Fabrice et Marion, je vous laisse fouiner dans la vie de Hanin, et nous autres on s'occupe de Rugier. Ça vous va?

— On s'y met sur-le-champ, annonça Marion. J'appelle le juge pour une commission rogatoire.

— Parfait! En parlant du juge, on a le feu vert pour la perquis' de son appartement. Valérie et Yann, je vous laisse vous en occuper?

— O.K., répondit le jeune lieutenant, j'appelle les gars de l'identité pour nous seconder?

— Oui, je te laisse gérer. Vous m'appelez si besoin!

— Yep! C'est tipar!

Yann et Valérie s'empressèrent de noter l'adresse et sortirent du bureau. Ils croisèrent Luc à la porte, le saluèrent et disparurent dans le couloir.

— Bonjour, lança gaiement le criminologue.

— Luc? sourit Judith.

— Je suis venu ce matin, mais vous n'étiez pas là. Je suis donc reparti. Les gars du 201 avaient besoin d'un coup de main.

— Pas de souci, le rassura-t-elle.

— Des bruits de couloir me sont parvenus aux oreilles. Vous avez découvert un autre corps?

— Oui, dans le 16e.

— Et alors?

— Pareil, sauf que pas d'enfant cette fois-ci. S'il y a une bonne nouvelle, la voilà, tenta-t-elle d'ironiser.

— Et pas des moindres! Mais peut-être y a-t-il un corps quelque part? Le corps de la petite Élodie n'était pas avec celui de Depino.

— Non, je ne pense pas. Rugier n'était pas marié et n'avait pas d'enfant…

— … Rugier, la victime?

— C'est ça, maître Rugier, pénaliste, bientôt la cinquantaine. Son assistante nous a donné les dossiers sensibles.

On va se pencher la-dessus. On a aussi découvert qu'il connaissait Hanin.

— Oh ? Intéressant !

— On est passés le voir avec Fabrice, il semblait troublé mais affirme que Depino et Rugier ne se connaissaient pas.

— J'imagine donc que si les meurtres sont liés, c'est dû au *modus operandi*.

— Oui, identique, jusqu'au démembrement.

— Je ne pense pas qu'il s'agisse d'une affaire juridique, Judith. La façon de procéder de notre homme n'a rien d'un meurtre crapuleux. Il y a dans tout cela une dimension personnelle et sexuelle.

— Je suis d'accord. Mais on se doit de refermer les portes ouvertes.

— Je comprends. Je vais récupérer les infos sur ton Rugier et peaufiner l'esquisse du profil que j'ai commencé hier.

— Super. Je te sors ce qu'on a pour le moment.

— O.K. ! Puis-je m'installer sur le bureau de Magalie ?

Judith marqua un court temps d'hésitation qui n'échappa pas à Luc.

— Excuse-moi, c'est malvenu, je vais...

— ... Non, non, se reprit-elle. C'est moi qui déraille. Bien sûr que tu peux. Je t'allume son PC...

Apprenant que Jeff devait s'absenter pour des affaires personnelles, Magalie ne s'était pas éternisée chez lui. C'est donc le dossier d'instruction sous le bras qu'elle avait, dès midi, rejoint son appartement.

Il était à présent 15 heures passées, elle lisait consciencieusement le dossier d'instruction, engloutie par son canapé, les enceintes de sa chaîne crachant « Beggin' » en boucle. Elle appartenait à cette surprenante tranche de la population qui trouvait dans la répétition musicale frénétique une concentration des plus absolue. Le volume était si fort que seuls les pépiements du chanteur de Madcon accompagnés de ses choristes et musiciens lui parvenaient aux oreilles. Jeff dut s'y reprendre à plusieurs fois, martelant la porte tel un forgeron, pour qu'enfin Magalie daigne venir lui ouvrir.

— Oups ! Ça fait longtemps que t'es là ? mixnauda-t-elle.

— Pas de souci, rit-il.

— T'as pu faire tout ce que tu voulais ?

— Oui, répondit-il en la suivant jusqu'au salon.

— Je te sers un truc ?

— Ça va, merci !

— T'as une tête toute endormie ? s'étonna-t-elle.

— Je suis rentré tôt, j'en ai profité pour faire une micro sieste. J'ai pas très bien dormi cette nuit, se désola-t-il en s'installant sur le vieux fauteuil en cuir usé, face au canapé.

— Tu te rattraperas ce soir, glissa-t-elle, se voulant rassurante.

— Sans aucun doute. Ah, au fait ! J'ai suivi tes conseils, dit-il en fourrant la main dans sa poche. J'ai acheté un téléphone.

— Waouh, quelle évolution, rit-elle. Et t'as pensé à prendre une sim avec ? le charria-t-elle.

Jeff regarda son iPhone flambant neuf, un point d'interrogation gravé sur le front. Visiblement, il n'avait pas compris la blague.

— Ben je sais pas, y avait un casque et le chargeur. Le gars m'a dit que c'était un super téléphone…

— Ok, s'inquiéta-t-elle. Fais voir !

Elle lui prit le téléphone et vérifia l'opérateur.

— Ça va, souffla-t-elle, soulagée. T'as pris un abonnement avec ! Tout va bien.

Elle profita d'avoir le téléphone en main pour s'appeler.

— Voilà, comme ça j'ai ton numéro. Tiens et bienvenue dans l'ère du numérique, dit-elle en lui rendant le smartphone.

— Merci.

— Bon j'ai bien avancé dans ma lecture de ton dossier. J'ai aussi appelé deux des flics qui se sont chargés de ton enquête. Il y en a un qui m'a clairement envoyée balader, mais l'autre veut bien me rencontrer.

— Lequel ?
— Jean-Loup Merle.
— Ah oui, c'était le petit jeune, se rappela-t-il.
— Il n'est plus si jeune. Enfin, j'ai rencard à 17 heures au Piston.
— Au Piston ?
— Oui, il bosse dans le 12e, il m'a dit que ça ne le dérangeait pas de me rejoindre dans le 20e. Du coup... ça t'emmerde ?
— Non, je m'en moque. À toi de voir !
— Parfait. Maintenant j'ai besoin que tu me racontes dans le détail ta version des faits. Je veux ton emploi du temps, les gens avec qui tu étais...
— ... Le truc c'est que j'étais constamment défoncé, vingt-quatre heures sur vingt-quatre, et quand je ne l'étais pas c'est que j'étais en manque. Je ne garde pas grand souvenir de cette période de ma vie. Ou alors des trucs pas vraiment... logiques. Tu penses bien que si j'avais pu justifier ma présence ailleurs, je l'aurais fait.
— C'est pas grave, l'encouragea-t-elle. Et le nom des gens avec qui tu traînais ?
— Pff, se dépita-t-il. Tu ne sembles pas comprendre. Je serais incapable de te dire leur nom. Des surnoms ? Oui, à la pelle, des prénoms même parfois, mais tu penses sérieusement qu'on se présentait par nos noms de famille ? Mes dealers, je me contentais de leur filer du pognon... Faut que tu oublies ça. Je suis incapable de me constituer un alibi digne de ce nom.
— Bon, ça va pas aider mais c'est pas grave. Il nous reste le suicidaire, l'encouragea-t-elle.
— Si tu le dis !
— Tu me disais avoir une explication sur les preuves matérielles retrouvées sur le cadavre.
— Je t'ai dit, quand je me retrouvais seul, je squattais dans ce hangar.
— Le marteau ?
— Tu rencontres des gens pas toujours très fréquentables quand tu vis dans la rue. J'avais en permanence un

couteau sur moi et un marteau dans le hangar, au cas où je recevrais une visite mal intentionnée.

— Je vois.

— On perd notre temps, Magalie ! J'ai passé plus de quinze ans à réfléchir au pourquoi du comment, pour ne rien trouver, au final !

— Jeff, tant qu'il y a de la vie, y a de l'espoir ! Moi, y a trois trucs pour lesquels je suis douée : le bricolage, la moto, et mon métier ! S'il y a un truc à trouver, je le trouverai, tu peux en être sûr. Et pour preuve, j'ai trouvé un truc bizarre.

— Ah oui, quoi ?

— Je viens de lire le rapport d'autopsie de Julie Van den Brake. Il est clair qu'elle n'est pas morte des coups portés à l'aide du marteau.

— Quoi ?

— Il est écrit dans le rapport d'autopsie que l'os hyoïde était cassé. Julie a visiblement été étranglée avant d'être matraquée. Normalement, surtout à l'époque, où l'ADN n'était utilisé que comme élément de comparaison, on faisait des expertises systématiques en cas de strangulation mécanique : la taille des mains ou encore la préférence manuelle...

— ... Préférence manuelle ?

— Droitier ou gaucher. Mais là, rien ! Le légiste n'a pas jugé nécessaire de procéder à ces recherches. Il s'est contenté de regarder et de le notifier. Pour être franche, à la lecture du rapport, je ne peux même pas affirmer que l'étranglement ait été manuel. Ce truc est bâclé ! dit-elle en tapotant le dossier de l'index.

— Du coup, ça ne nous sert pas à grand chose, se chagrina-t-il.

— Tu plaisantes ou quoi ? Cet élément à lui seul aurait dû mettre la puce à l'oreille des enquêteurs. Ça prouve presque ton innocence !

— Hein ? Je ne comprends pas !

— Si Julie est morte étranglée, pourquoi lui marteler la tête ? On sait qu'elle a été violée de son vivant. Une fois qu'elle était morte, pourquoi s'acharner sur le corps sachant que tu as déjà eu tout loisir d'en profiter ?

— Je ne vois pas où tu veux en venir.

— D'après moi, si l'assassin s'est acharné sur elle c'est premièrement pour retarder l'identification. Je te rappelle que le gars lui a pété presque toutes les dents. On est fin des années 90, l'odontologie est la science indispensable à l'identification d'un corps non répertorié au fichier des empreintes. Deuxièmement : il a utilisé ton marteau pour le faire.

— Oui, ce qui me vaut d'en être là, aujourd'hui !

— Exactement ! C'est là une preuve indiscutable de ta culpabilité. Je me mets à la place de mes collègues... Tu sais, on reste humain ! Tu me files l'arme du crime avec tes empreintes dessus, je ne te lâche plus. C'est ce qu'ils ont fait ! Tu deviens le parfait coupable. Sauf que dans notre histoire, le marteau n'est pas l'arme du crime !

— Waouh, j'avoue que tu m'impressionnes. Mais au risque de paraître défaitiste, à part me dire ce que je sais déjà, à savoir que je suis innocent, je ne vois pas à quoi ça va nous servir, tout ça ?

— Tu vois, c'est là où on se rend compte que tu n'es pas enquêteur, sourit-elle. Pourquoi se faire chier à rendre l'identification d'un corps impossible ?

— L'assassin avait un lien avec la victime ! sursauta-t-il soudain.

— Tu vois, quand tu veux !

— Bon sang, comment n'y ai-je pas pensé avant ? se reprocha-t-il en faisant les cent pas dans le salon.

— Parce que tout portait à croire que c'était un crime d'opportunité. Voilà pourquoi personne n'a cherché à approfondir le sujet.

— Oui, mais ça ne colle pas, s'interrompit-il.

— Ah oui, pourquoi ?

— On suppose que Vinici est le tueur, mais il ne connaissait pas la victime.

— Je te l'accorde, j'imagine que mes collègues ont quand même dû vérifier. Mais ça ne change pas grand-chose au final.

— Explique-moi, s'intéressa-t-il, reprenant place dans le fauteuil face à Magalie.

— Voilà ma théorie ! Elle est, certes, un peu tirée par les cheveux, mais pourquoi pas. La fille de Vinici m'a avoué avoir été violée par son père, mais pas seulement, elle a aussi parlé de gang-bang pédophile...

— ... ça pourrait être l'un de ses complices ?

— C'est ça ! Et si c'est le cas, j'ai un client parfait pour le vrai-faux suicide de ton témoin.

— Mais bien sûr ! Le tueur apprend que Vinici veut venir me rendre visite à Ensisheim, il prend peur...

— ... Et le bute !

Seuls les sautillements des doigts sur les claviers d'ordinateur venaient rythmer le profond silence qui s'était installé au 304. Fabrice et Marion n'avaient eu aucun mal à obtenir une commission rogatoire leur permettant de passer au crible la vie de maître Hanin. Luc, installé à la place de Magalie, regardait les photos des victimes, y cherchant des éléments pouvant l'aider à tracer son profil, alors que Judith s'occupait de la victimologie. Elle avait récupéré, auprès de l'opérateur de Rugier, les factures téléphoniques de ce dernier et attendait la transcription de ses SMS qui devait prendre plus de temps. Elle décida donc de vérifier ses comptes bancaires et s'étonna d'y voir des retraits réguliers d'espèces. Elle commençait à noter les dates sur son calepin lorsque son poste fixe se mit à sonner.

— Commandant Lagrange ! décrocha-t-elle... Yann, tout se passe comme tu veux ?... Quoi ? s'écria-t-elle soudain, faisant sursauter ses collègues. J'arrive tout de suite, conclut-elle en se levant.

Elle posa précipitamment le combiné sur son socle, ne réalisant pas que celui-ci n'était pas correctement positionné.

— Qu'est-ce qui se passe ? s'inquiéta Marion piquée par la curiosité.

— Luc, tu peux venir avec moi chez Rugier ? lança-t-elle sans prendre la peine de répondre à sa collaboratrice.

— Bien sûr ! lui répondit-il étonné.

— Hé, Judith ! Tu vas nous dire ce qui se passe, là ?

— Yann vient de trouver des photos compromettantes chez Rugier. Je vous tiens informés dès que j'en sais plus. Continuez avec Hanin et quand Pierre revient du cabinet, dites-lui de reprendre la victimologie. Qu'il s'attarde tout particulièrement sur les mouvements bancaires de l'avocat. Luc ?

— Je suis prêt !

— Des photos de quoi ? tenta à nouveau Marion.

Mais Judith ne donna pas suite à la demande et disparut dans le couloir suivie de près par le criminologue, abandonnant Marion et Fabrice à leur curiosité grandissante qui ne tarda guère à se teinter d'agacement.

13

Magalie avait préféré ne pas imposer à Jeff l'entrevue avec le lieutenant qui s'était chargé de son affaire. Elle l'avait quitté à l'intersection des rues de Bagnolet et Planchat, lui promettant de l'appeler dès que le tête-à-tête prendrait fin.

Le Piston Pélican n'était pas encore ouvert ; Magalie jeta un œil furtif à l'intérieur et se rassura d'y voir de la lumière. Elle patientait sagement sur le trottoir, quand un homme d'une quarantaine d'années s'approcha de la porte et tenta de l'ouvrir.

— Capitaine Merle ?

— Oui, répondit-il, surpris.

— Bonjour, Magalie Binet, lui sourit-elle en lui tendant la main.

La porte du bar s'ouvrit.

— Salut Magalie, lança chaleureusement Aurélie.

— Salut ! On est en avance ?

— Non, c'est moi qui suis en retard, je passais une commande. Installez-vous, j'arrive tout de suite.

Une fois installée au fond du café, Magalie ne tarda pas à entrer dans le vif du sujet.

— Bon, comme je te le disais… Je peux te tutoyer ?

— Bien sûr, appelle-moi Jean-Loup.

— Très joli prénom ! Donc comme je te le disais, je voulais discuter du dossier Van den Brake. Tu faisais partie du groupe chargé de l'affaire, non ?

— Oui. C'est ma première affaire d'homicide, si tu veux tout savoir. J'aurais aimé commencer par un cas moins… moche. Mais bon, ça forme.

— Oui, j'ai vu les photos, c'était pas joli-joli !

— Excuse-moi, mais… Pourquoi t'intéresses-tu à cette affaire ? Elle a près de vingt ans. Et puis surtout, elle est résolue.

— Disons qu'il y a quelques points qui me turlupinent dans ce dossier.

— Pardon ?

— Imagine que l'accusé ne soit pas le…

— … Il avait raison ! s'agaça-t-il.

— Comment ça ? Qui avait raison ?

— Mon boss de l'époque m'a dit que tu l'avais appelé.

— Ah bon ? Vous êtes toujours en contact ?

— Pas vraiment, non. Mais il a voulu me prévenir que quelqu'un mettait son nez dans cette affaire.

— Et ?

— Et m'a fortement conseillé de t'envoyer bouler !

— Tu vas le faire ?

— Disons que je suis de nature curieuse. Et le moins qu'on puisse dire, c'est que tu m'intrigues. J'ai donc fait quelques petites recherches sur toi.

— Des recherches ? s'étonna-t-elle.

— Oui. L'un des plus jeunes capitaines de la brigade…

— La plus jeune de la brigade, souligna-t-elle en affichant un grand sourire. Mais bon, j'ai un collègue qui risque de me piquer la place s'il continue à exceller, dut-elle admettre.

— Bref ! J'ai surtout appris qu'actuellement tu es suspendue.

— Suspendue ? La bonne blague ! Je suis en convalescence…

— Oui, c'est pareil !

— Pas vraiment, non ! Tu es venu jusqu'ici pour me parler de mon C.V. ou bien ?

— La curiosité, comme je te disais ! Je voulais comprendre ce qui pousse une brillante capitaine à perdre son temps sur une affaire classée et jugée… L'ennui ?

— Je ne vais pas te cacher que je me fais chier comme un rat mort. Et c'est sans doute pour cette raison que je me replonge dans les vieux dossiers.

— Nos archives sont pleines d'homicides non résolus, est-ce plus simple de s'attarder sur des affaires où le travail a déjà été fait ? charria-t-il.

— C'est que, de toute évidence, le travail a mal été fait !

Le front de Jean-Loup se plissa alors que son regard s'obscurcissait. L'homme était des plus agréables à regarder. Le mariage de ses grands yeux bleu-gris et de ses tempes grisonnantes lui offrait un visage lumineux auquel quelques rides éparses ajoutaient cette subtile touche de maturité à laquelle il devait sans aucun doute son succès auprès de la gent féminine. Après une longue minute, que Magalie passa à regretter sa répartie, il reprit, moqueur :

— La rumeur dit vrai !

— Comment ça ?

— Brillante, grande gueule et frondeuse, la défia-t-il.

— Directe, aussi ! ajouta-t-elle. J'ai pas de temps à perdre ! Comptes-tu m'aider ou es-tu juste venu jusqu'ici pour soulager ta « curiosité » ?

Aurélie arriva à leur table pour prendre la commande.

— Tu t'es peut-être déplacée pour rien, Aurélie. Je ne suis pas sûre que monsieur reste suffisamment de temps pour boire un verre.

— Un pastis, s'il vous plaît, mademoiselle, intervint alors Jean-Loup.

— Et pour toi ? rit Aurélie.

— Euh… Un café ! répondit-elle surprise.

Aurélie tourna les talons.

— Qu'attends-tu de moi ? s'informa le quadragénaire.

— J'aimerais que tu me parles de l'instruction.

— Je ne vois pas trop ce qu'il y a à dire. Mais pose-moi des questions, je te répondrai… si je peux.

— J'ai lu le rapport d'autopsie. La gamine a été étranglée. Pourquoi ne pas avoir exploité cet élément ?

— Je ne comprends pas.

— Eh bien, pourquoi ne pas avoir retenu la strangulation ?

— On a les empreintes de Bonnet sur l'arme du crime. Qu'est-ce qu'il te faut de plus ? la questionna-t-il.

— Sauf que ce n'est pas l'arme du crime !

Cette remarque le piqua au vif dans ses certitudes. Et Magalie de reprendre :

— Écoute, quoi que raconte ma réputation, je ne suis pas là pour juger ton travail. Je cherche juste la vérité qui, pour moi, n'est pas compatible avec la condamnation de Bonnet. J'ai eu tout loisir de lire le dossier d'instruction. À première vue tout est limpide, mais dès que l'on commence à gratter, la peinture s'effrite. Ce pauvre gars a fait office de parfait coupable, conclut-elle alors qu'Aurélie posait les consommations sur la table.

— Merci mademoiselle, s'arrêta-t-il un instant avant de reprendre une fois Aurélie repartie. Qu'est-ce que tu insinues ?

— Que tout ça a été monté de toutes pièces !

— Monté ? Comme une sorte de complot ? s'amusa-t-il.

— Pas forcément, mais un maquillage en tout cas, visant à attirer les soupçons sur quelqu'un d'autre. Je ne pense pas que Bonnet ait été directement visé. Il se trouvait juste au mauvais endroit, au mauvais moment.

— Je peux te demander ce qui t'a amené à cette affaire ?

— J'ai peur de perdre ma crédibilité en te le disant, lui avoua-t-elle.

— Au point où nous en sommes, sourit-il.

— J'ai, par hasard, eu affaire à Bonnet.

— Quoi ?

— J'ai eu la même réaction que toi. Seulement ce garçon a purgé sa peine, pourquoi s'obstiner à…

— … Laisse tomber…

— … Non, écoute-moi avant. Je connais les bruits de couloir me concernant. J'ai effectivement couché avec un psychopathe sans même m'en apercevoir et ça a bien failli me coûter la vie au passage. Je suis, ces derniers temps, la première à remettre ma capacité de jugement en doute, je peux te l'assurer. Mais il ne s'agit plus d'intuition dans cette affaire. Je sais que Bonnet n'a pas tué cette fille. Et plus je fouille, plus je trouve d'éléments le disculpant. Je ne veux pas faire tomber des têtes, je veux juste offrir à ce garçon sa réhabilitation, à défaut de pouvoir lui rendre ses dix-huit dernières années.

Jean-Loup fixait Magalie sans parvenir à se faire d'opinion. L'assurance de la capitaine avait fait valser ses certitudes. Il prit une gorgée de son pastis, espérant y trouver la sagesse qui lui permettrait d'oublier les trois dernières minutes, et reposa le verre.

— C'était mon premier homicide, comme je te l'ai déjà dit. J'étais un minot ! Le cadavre de cette pauvre fille continue de hanter mes nuits. Et là, tu débarques et me dis : Bonnet est innocent !

— Il l'est !

Jean-Loup se massa le front, cherchant à cacher la grimace que lui imposait sa réflexion. Il se redressa sur sa chaise et se mit à jouer du bout des doigts avec sa barbe naissante.

— Très bien, reprit-il. Je vais apporter de l'eau à ton moulin, alors.

— Comment ça ?

— J'étais jeune et sans expérience. J'ai participé à cette enquête sans avoir mon mot à dire. Mon boss m'a clairement dit : ouvre les yeux, fais ce qu'on te dit de faire et ferme bien ta gueule.

— Ambiance ! se moqua-t-elle.

— Disons que c'est le genre de mec avec les dents tellement acérées que c'est des tranchées qu'elles creusent dans le parquet. Celui qui s'aventure à le contredire, ou pire à lui dire non, prend le risque de finir à la circulation. J'ai bien failli en faire les frais !

— Y en a toujours un… Et du coup, concernant Van den Brake ?

— Disons que si j'avais eu un truc à dire, je n'aurais pas su à qui en faire part, se navra-t-il.

— Tu le savais innocent ? s'indigna-t-elle.

— Non ! Bien sûr que non, voyons ! On n'avait pas l'identité de la gamine, et encore moins de piste à exploiter. L'affaire s'annonçait mal. Pas de biscuit, rien à se mettre sous la dent ! On cherchait dans tous les sens, on s'essoufflait à courir derrière des lapins tous plus insensés les uns que les autres. Et puis Vinici est arrivé. Une aubaine ! Après cinq semaines à galérer, un témoin avait vu un gars défoncé sortir du hangar, maculé de sang. Je me souviens de m'être dit que la justice triomphait toujours car même après tout ce temps, l'impensable pouvait arriver. Bref, Vinici était sûr de lui, il a fait un portrait-robot des plus justes quand on connaissait Bonnet. Et puis tout s'est accéléré d'un coup. Les empreintes, etc, etc.

— Je sais tout ça.

— Lors de la garde à vue de Bonnet, ils m'ont laissé assister à l'interrogatoire derrière le miroir sans tain. Bonnet ne semblait pas comprendre ce qu'il foutait là. Il était en redescente totale. Je me souviens même avoir dit à mon chef que dans cet état, il pourrait avouer l'existence des extraterrestres si on lui demandait. Mon boss m'a envoyé dans les cordes en me conseillant de regarder, d'apprendre et de fermer…

— … Ta gueule !

— Ce que j'ai fait ! Bonnet passait des pleurs aux cris, la seule constante était sa détermination à ne pas avouer le meurtre. Je ne sais pas depuis combien de temps il se faisait cuisiner, je sais juste que mes collègues n'en pouvaient plus et avaient besoin d'une pause. Il m'ont demandé de l'emmener en cellule. Je l'y ai donc accompagné, ou plutôt porté. Ce mec avait… quoi ? À peine cinq ans de moins que moi… J'ai eu de la peine, il semblait tellement mal. Je suis parti lui chercher un café. Ça lui a fait du bien. On a un peu discuté. Il pleurait, il n'arrêtait pas de pleurer. Il me disait être un sale toxico mais certainement pas un meurtrier. Je lui ai demandé de se concentrer et de me dire où il était le jour du meurtre, car si ce n'était pas lui, il ne pouvait pas non plus être dans le hangar. Mais il ne se souvenait de rien. Pas étonnant, ça remontait à plus d'un mois, je ne suis même pas sûr qu'il aurait pu me dire où il était la veille. Bref, je lui ai conseillé de s'allonger sur la paillasse et de se reposer un peu. Il grelottait de tout son corps. Je lui ai apporté une couverture et me souviens de m'être promis de ne jamais toucher à la dope.

Jean-Loup finit son pastis d'un trait avant de reprendre.

— Et puis l'expert a appelé. Les empreintes sur le marteau étaient celles de Bonnet. Je me suis senti tellement... con. Je m'étais fait avoir comme un bleu. Ce mec m'avait sciemment mené en bateau. Ils l'ont remonté en salle d'interrogatoire et ont repris de plus belle.

Pensif, Jean-Loup se mit à faire tournoyer son gobelet vide tel un pion.

— Et ? le relança Magalie.

— Et, je suis rentré chez moi, dormir un peu. Je suis revenu six heures plus tard. Mes collègues s'étaient relayés mais Bonnet, lui, était toujours en audition. Un mec en manque qui trouve la force de mentir effrontément pendant près de vingt heures sous les assauts répétés de gars comme mon boss... Je n'en ai toujours pas vu depuis. J'avoue qu'il m'a impressionné. Et puis à un moment... il a craqué.

— Qui ne l'aurait pas fait dans de telles circonstances, se désola Magalie. Qu'est-ce qui s'est passé ensuite ?

— On a fêté ça autour d'une bonne bouteille de champ'.

— Pour Jeff... Enfin pour Bonnet ?

— Le juge l'a envoyé en maison d'arrêt. Mon boss a eu les félicitations du jury et s'est retrouvé promu commandant... Pff, je le vois encore se pavaner devant la presse. Pitoyable !

— C'est le grand amour, dis ?

— Je ne peux pas l'encadrer. C'est d'ailleurs pour ça que je me suis barré de Versailles. Mes objectifs étaient le 36 ou Versailles. J'ai bossé comme un bourrin et quand j'y suis arrivé, il a fallu que je tombe sur un putain de carriériste qui ne supportait pas la moindre contradiction. Enfin bref, tout ça, c'est loin maintenant. Ça fait des années que je n'ai pas eu affaire à ce mec et je ne vais pas m'en plaindre. Enfin des années... Jusqu'à cet après-midi où il m'a gentiment mais sûrement conseillé de ne pas venir te voir. C'est d'ailleurs une des raisons pour laquelle je suis ici. Juste pour l'emmerder, ce tocard.

— C'est vrai qu'il a pas l'air commode. Il m'a envoyée paître, façon ! lui avoua Magalie.

— Oui, j'imagine bien ! Enfin, souffla-t-il.

— Pourquoi t'as laissé tomber l'idée du 36 ?

— Non, j'ai bien essayé, mais ce très cher monsieur a fait barrage. Mais bon, je suis bien où je suis. Le taf est moins grisant mais les collègues sont cool. Et toi, comment as-tu rencontré Bonnet ?

C'est en fin de journée que Judith revint de l'appartement de Rugier, accompagnée de Luc et Valérie. Lorsqu'elle arriva au 304, elle trouva Marion et Fabrice studieusement attablés à leur bureau, farfouillant dans les comptes et relevés téléphoniques de maître Hanin. Pierre, lui, semblait hypnotisé par l'écran de son ordinateur.

— Yann n'est pas avec vous ? s'enquit Fabrice.

— Non, il est parti au labo avec les gars de l'informatique, répondit Judith.

— Ils vont essayer de craquer l'ordinateur domestique de Rugier, précisa Valérie en refermant la porte du bureau derrière elle.

— Tu ne nous as pas rappelés, la pêche a été bonne ? sonda Marion à son tour.

— Je te laisse en juger par toi-même, lui répondit le commandant avant de lui passer son Smartphone.

Fabrice se leva et rejoignit Marion, curieux des découvertes réalisées par ses collègues.

— Bordel de merde ! ne put retenir la jeune femme, réveillant Pierre qui, intrigué, vint lui aussi jeter un œil.

— Comme tu dis ! se désola Luc qui s'installa au bureau de Magalie.

— Tu noteras que ce salopard n'a pas de préférence, s'agaça Judith. Petite fille, petit garçon, pourquoi se priver ? finit-elle par ironiser.

— Mais il y a plus d'une centaine de photos ? s'indigna Fabrice.

— Non, ce que tu vois là n'est qu'un aperçu, intervint Valérie, dépitée. Ce gars avait une pièce entière fermée à clef, tapissée de ces chefs-d'œuvre. J'en ai la nausée !

— C'est marrant, j'allais justement vous soumettre l'idée que ce gars ait eu un penchant pour les enfants, intervint Pierre, laissant le groupe perplexe. Tu m'as demandé de reprendre tes recherches sur Rugier, Judith. Ce que j'ai fait ! J'ai vu les retraits en cash…

— … Oui, je les avais remarqué aussi, abonda Judith.

— C'est ce que je me suis dit, mais j'ai aussi remarqué sur ses comptes qu'il avait pour habitude de partir en Asie. Alors certes, les destinations ne sont pas toujours les mêmes, mais elles se concentrent en Asie. C'est ce qui m'a mis la puce à l'oreille. J'étais donc en train de faire quelques petites recherches, expliqua-t-il en attrapant le carnet sur son bureau. *So funny* ! ironisa-t-il. On a l'habitude d'entendre parler de la Thaïlande ou encore du Vietnam, mais le fait est que ce n'est là que le sommet de l'iceberg… Philippines, lança-t-il en s'appuyant sur ses notes, entre 80 000 et 100 000 enfants victimes de prostitution, pour la grande majorité des filles. Sri Lanka : 30 000, mais cette fois-ci plutôt des garçons. Les goûts et les couleurs ! L'Inde, où on atteint des summums, on parle de 400 000 à 500 000 gamins…

— … 500 000 ? se scandalisa Valérie.

— T'as bien entendu. Tu veux des chiffres ? On va rigoler... En 1998, on estimait que la prostitution enfantine représentait 4 % du PIB de la Thaïlande. Sachant que c'est un commerce en pleine expansion, je te laisse imaginer... Bref, je ne vais pas vous faire la liste, elle est bien trop longue. Je pense que si notre client est passé au travers de nos radars, c'est qu'il a eu l'intelligence de ne jamais partir deux fois d'affilée au même endroit. Mais à y regarder de plus près, hormis le fait que ces pays méritent sans doute le coup d'œil, la constante est la prostitution enfantine. Il aurait été difficile de le prouver avec comme seul élément ses déplacements, mais maintenant qu'on a les photos...

— Tu as pu remonter sur combien d'années ? l'interrogea Judith.

— J'ai pris les manifestes de vols des trois dernières années. Je peux pousser, si tu veux ?

— Non. En revanche je veux bien que tu vérifies les déplacements de Depino.

— J'étais dessus et je ne trouve rien de probant. Il part essentiellement le week-end et bien souvent en France. Il est aussi allé au Vietnam, il y a un peu plus d'un an, mais rien ne laisse croire que ses motivations étaient d'ordre sexuel...

— Pourquoi traverser la planète quand on a ce qu'il faut à la maison, lança Marion un brin de dégoût dans la voix.

— C'est ce qu'on s'est dit lors de la perquisition. On était partis du postulat que c'était l'assassin qui avait violé Élodie, sans imaginer qu'elle était peut-être tout simplement victime d'inceste, abonda Valérie.

— Je pense qu'on a le mobile ! conclut Fabrice.

— Très certainement, intervint Luc. Ce qui explique l'émasculation.

— Bien sûr ! réalisa-t-il. Le gars a lui-même été violé quand il était jeune et aujourd'hui, devenu grand... Il se venge.

— Ça le rend presque sympathique, murmura Marion.

— Il y a un souci avec cette hypothèse, reprit Luc. J'ai moi-même tout d'abord pensé que notre assassin avait été la victime de Depino et Rugier. Mais d'après ce qu'on sait, les deux hommes ne se fréquentaient pas. La probabilité pour qu'il ait été violé par les deux est donc très faible...

— ... Mais bon sang ! sursauta Judith. L'assistant de Depino, Farid, je sais plus quoi ?

— Ben Salem ! Oui, et ? l'aida Valérie.

— Si j'ai rendu visite à Hanin c'est que Ben Salem les suspectait d'être gays. Il avait attrapé une conversation au vol qui, d'après lui, avait fortement indisposé Depino...

— ... Mais ils ne sont pas gays ! réalisa Marion.

— Ça matche ! enchérit Pierre. Hanin, lui, connaît nos deux victimes. Imaginons maintenant que lui aussi soit pédophile, il aurait pu les présenter à l'enfant ?

— Au risque de paraître rabat-joie, ça ne fonctionne toujours pas, intervint Luc.

— Pourquoi ? s'agaça Marion.

— L'âge !

— L'âge ? On s'en fout de leur âge ?

— Et pourtant ! Selon votre hypothèse, notre assassin aurait été la victime de nos loustics pendant son enfance.

— C'est ça ! abonda Marion. De plus, les gamins sur les photos de Rugier ont sensiblement le même âge qu'Élodie. Tu vois bien que nos deux hommes ont les mêmes goûts. Il serait donc assez naturel... non, naturel n'est pas le terme adéquat, se reprit-elle un peu choquée par ses propres mots.

— On est d'accord là-dessus, reprit Luc. Mais je ne te parle pas de l'âge des enfants. Je m'explique : Depino a 33 ans. Rugier, lui, en a 43, et ils aiment, comme tu viens de le souligner, les enfants entre 4 et 8 ans, je prends large volontairement...

— ... Ça y est, je vois où tu veux en venir, intervint Judith. Si notre assassin a été violé à l'âge de cinq ans, Depino n'en avait alors que 18... tout au plus.

— Exactement !

— Va faire un tour aux mœurs et tu verras que des gars de 20 ans attirés par des gamins, c'est pas ce qui manque, lui lança Marion.

— Merci, Marion, et rassure-toi, je ne vis pas chez les bisounours, sourit-il. Oui, les pédophiles de 18 ans ça existe, ils s'attaquent généralement à des proies faciles dans leur entourage direct. Ce qui, dans notre cas, aurait été une aubaine, mais tu oublies un détail…

— … Qui n'en est pas un, d'ailleurs, le coupa Judith. La petite Élodie a subi une thanatopraxie !

— Nous y voilà ! Les années d'études ne sont pas aussi longues qu'en médecine, mais il faut tout de même avoir eu son bac, ironisa-t-il. Donc, même si notre assassin sort tout juste de l'école, c'est qu'il a au moins 24 ans. Alors, oui, tu vas me dire que Depino aurait pu le violer alors qu'il n'en avait que 15, mais avoue que ce serait la personne la moins chanceuse au monde, car il aurait fallu que ce garçon croise aussi la route de Rugier qui, lui, devait être en train de passer le barreau.

— Compliqué, abonda Pierre. Quand on sait que Rugier est parisien, et Depino lyonnais…

— Il y a une toute petite probabilité, mais sincèrement je ne parierais pas là-dessus, conclut le criminologue.

— Super, on pensait tenir une piste et plouf, se dépita Marion.

— À défaut d'avoir une piste, mon profil vient de s'affiner.

— Vas-y, l'encouragea Judith.

— Je dirais que notre homme a entre 25 et 40 ans. J'ajouterais à cela qu'il est de race blanche et fort probablement de confession catholique.

— Tu m'expliques, là ? s'étonna Pierre.

— Au risque de me répéter, tout cela est à prendre avec des pincettes.

— Oui, t'inquiète !

— Catholique, c'est assez simple, c'est le mode opératoire qui m'y fait penser. La pseudo-crucifixion dans les deux meurtres nous force à le croire en tout cas. Élodie a quant à elle été traitée avec pudeur, et comme il se doit…

— … Oui, enfin on l'a quand même retrouvée nue dans un parc ? le charria Fabrice.

— Pas nue, rectifia-t-il, en culotte et ses bras recouvraient sa jeune poitrine. De plus, il semblerait que sa mort ait été des plus douces. Il a fait preuve du plus grand respect concernant la tenue du corps. Pour le parc, c'est un square avec des jeux d'enfants. Square que la petite a sans nul doute fréquenté.

— Et pourquoi blanc ?

— Je ne crois pas que notre homme ait été la victime d'un pédophile, en tout cas pas directement. Il s'est d'après moi lancé dans une mission punitive. Il se voit comme un justicier. Je pense qu'il est le père, le grand frère, le mari peut-être même, d'une des victimes. Rugier se paie des voyages en Asie, mais les photos qu'il encadre nous montrent des enfants de race blanche. On ne connaît pas la victimologie de Depino, si toutefois il est réellement pédophile, mais sa fille est elle aussi blanche, souligna-t-il.

— Et vu que les victimes sont blanches et que selon toi l'assassin est un familier, il est donc blanc.

— Ce n'est pas une certitude mais c'est fort probable !

— Tu pars donc du principe que nos deux morts ont violé la même personne ? demanda Marion.

— Probablement.

— Tu l'as dit toi-même, ils ne se connaissaient pas !

— Pas besoin de se connaître, la reprit Judith. Yann m'a dit que Rugier aussi explorait le *dark web*. C'est d'ailleurs pourquoi il est avec les gars du labo.

— Un réseau ?

— C'est effectivement la conclusion la plus plausible, acquiesça Luc.

— Oui, et si on est dans le vrai, il faut s'attendre à d'autres victimes, car notre client a vraisemblablement infiltré le réseau, ajouta Judith.

— On devrait le laisser continuer à se faire plaisir, lâcha Marion.

Judith la fusilla d'un regard profondément noir.

— Oui, je sais, on n'est pas des juges, mais des flics ! abonda Marion. Mais t'avoueras quand même que le mec derrière qui on court a le mérite de rendre service à la population.

— Il rend service ?... Et s'il se plantait, Marion ? s'énerva Judith. Oh je vois bien ce que tu penses. C'est l'hôpital qui se fout de la charité ! Comment puis-je te reprendre alors que j'ai cherché moi-même à me venger de l'assassinat de mon mari ?

— Je n'ai pas dit ça, s'indigna Marion.

— Tu ne l'as peut-être pas dit, mais regarde où ça m'a menée... J'ai failli perdre, non pardon, j'ai failli tuer Magalie, se reprit-elle. Mais passons ! Donc toi, Marion, clairement opposée à la peine de mort car il arrive parfois à la justice de se tromper, tu lui laisserais carte blanche, à ce mec ?

Marion ne répondit pas, elle ne parvint même pas à soutenir le regard fébrile de son commandant. Elle fixait les dossiers multicolores posés sur son bureau, tentant maladroitement de les aligner à la table.

— Aurais-tu oublié dans quel état on a retrouvé les corps ? reprit Judith de plus belle. Torturés, émasculés !

— Bien sûr que non ! Je me dis juste que je préfèrerais employer mon temps à trouver ces enfoirés que de traquer un mec qui les empêche de nuire, admit-elle.

— On n'est pas aux mœurs, Marion ! Tu t'es plantée de service.

— Oui, je sais, je raconte n'importe quoi. Désolée, abdiqua-t-elle.

— Y a pas de souci, tant que ce genre de remarque ne sort pas de ce bureau. L'un d'entre vous a quelque chose à ajouter ?

— Nan, c'est bien, là ! ironisa Fabrice, tentant d'apaiser l'atmosphère. Pierre a filmé, moi j'ai compté les points, on est bon ! On peut s'y remettre, tranquilou.

Une fois son entrevue terminée, Magalie s'était empressée de prévenir Jeff, qui mit à peine trois minutes à la rejoindre au Piston. Elle le briefa rapidement sans trop entrer dans les détails, ne voulant pas éveiller les soupçons auprès de leurs compagnons de beuverie qui s'étaient déjà réunis au comptoir. Elle fut donc contrainte d'être expéditive afin de pouvoir aller au plus vite les retrouver autour d'une bonne bière fraîche.

— C'est quand même étrange que tu sois là en train de me raconter des phases de ma vie dont je n'ai aucun souvenir. Je pense que je pourrais croiser ce mec dans la rue sans le reconnaître, se désola-t-il. Et tu me dis qu'il m'a apporté un café en cellule ? C'est flippant ! lui chuchota-t-il avant de rejoindre Richard et ses acolytes au bar.

Les précaution de Magalie avaient été vaines. Il ne fallut pas deux minutes à Richard pour rentrer dans le vif.

— C'est fou, vous êtes passés du « va te faire voir, sale condé » aux petits mots doux en moins de 48 heures. Jeff, va falloir que tu m'expliques comment tu fais pour te lever une fille aussi vite, le charria-t-il.

Jeff devint blême.

— Une fille ? intervint Elsa tout sourire. LA… Fille ! On est quand même en train de parler de Magalie. Y a pas plus sauvage !

Richard s'approcha de l'oreille de Jeff.

— Alors, alors ? Elle a sorti les menottes ? s'esclaffa-t-il.

Jeff n'eut d'autre choix que de sourire bêtement, essayant de cacher sa gêne.

— Vous n'avez rien d'autre à foutre ? s'agaça Magalie, voyant Jeff se décomposer.

— On plaisante, Magalie, s'excusa Richard encore hilare.

— Offre-moi une bière pour te faire pardonner, le détourna-t-elle.

Ils burent quelques verres, se racontèrent quelques blagues, avant que Magalie leur fausse compagnie, prétextant un dîner avec une amie.

Elle héla un taxi sur le boulevard et lui demanda de la déposer à l'autre bout de la ville. Ils mirent trois quarts d'heure à rejoindre la porte Maillot. Agacée par l'attitude et la désinvolture du chauffeur, Magalie sortit de la voiture sans même le saluer. Elle poussa les lourdes portes du Concorde La Fayette, emprunta l'ascenseur et monta jusqu'au trente-troisième étage de la tour qui hébergeait un bar panoramique, offrant l'une des plus belles vues de Paris.

Elle laissa traîner son regard çà et là et subitement, d'un pas décidé, s'avança vers une table où était installée, telle une diva, une jeune femme blonde légèrement habillée, dégustant du bout des lèvres un cosmopolitan.

— Bonsoir, lança Magalie d'une voix grave et rocailleuse.

— Bonsoir, lui répondit langoureusement la jeune femme en se retournant.

Son sourire aguicheur tomba brusquement, laissant apparaître un masque de mécontentement.

— On avait dit pas sur mon lieu de travail, s'agaça soudain la jeune femme.

— Cathy, moi aussi je suis ravie de te voir, lui rétorqua Magalie tout sourire avant de prendre place à table.

Cathy avait une beauté atypique. Un nez fin sur une bouche pulpeuse assorti de tout petits yeux d'un noir absolu.

— Je croyais qu'on était censées ne plus jamais se voir ? grogna-t-elle sans effacer de son visage son sourire commercial.

— Ah bon ? J'en ai pas le souvenir. On va faire vite, alors.

— Je ne pense pas, non. Je ne suis plus ton indic, est-ce clair ?

— Rhoo, ce que tu peux être vindicative…

— Vindicative ? J'ai perdu mes plus gros clients à cause de toi et mes revenus se sont vus divisés par quatre. Alors fais-moi le plaisir de repartir d'où tu viens.

— C'est quand même pas très juste ! Moi, quand je suis énervée, je me transforme en gremlin, toi ça te rend encore plus belle. Y a pas de justice dans ce bas monde !

— Magalie s'il te plaît, j'ai besoin de bosser et c'est pas avec toi à mes côtés que je vais y arriver.

— Ça tombe bien, j'ai du taf pour toi, sourit-elle.

— Non merci. Je décline l'offre.

— Tu sais même pas de quoi il s'agit ?

— Ça ne m'intéresse pas, conclut-elle sèchement.

— C'est quoi tes tarifs ?

— Je ne te dirai rien sur personne, Magalie. N'insiste pas !

— Je ne te demande pas de me parler de quelqu'un, je te demande tes tarifs !

— T'es pas mon genre, lui sourit-elle.

— Oui, je sais ! C'est plutôt les gros bedonnants chauves aux bourses bien remplies, ton style !

— Pff, ce que tu peux être vulgaire, s'agaça la jeune femme.

— Écoute, je suis prête à payer la course. Donne-moi juste un prix ?

— C'est quoi l'embrouille ? Encore un pauvre type que tu veux piéger pour pouvoir lui arracher des informations ? lui murmura-t-elle, offrant son plus beau sourire à un quinquagénaire qui passait par là.

— Mais pour qui me prends-tu ? fit-elle mine de s'offusquer.

— Pour un sale flic !

— T'es pas très sympa, là ! Tu sais qu'il me suffit d'un coup de fil pour que tu passes la nuit au poste…

— … Des menaces, toujours des menaces ! Vous êtes vraiment tous des raclures !

— Peut-être ? Très certainement d'ailleurs ! Allez, je suis même prête à te payer. File-moi tes tarifs qu'on fasse ça cool !

14

* * *

Vendredi 9 mai
7 h 15

J'ai passé une nuit atroce. Je n'ai pas cessé de faire des cauchemars !
Je peux vous entendre rire ! Des cauchemars, moi ? Que peut-il y avoir de plus effrayant que mes actes, me direz-vous ? Je dois bien admettre que vous avez sans doute raison. Mais dans mes cauchemars, il n'y a pas de sang, et quand bien même y en aurait-il, cela ne m'effraierait pas. Vu le travail que pratiquait mon père, j'ai été confronté à l'anatomie humaine dès ma plus tendre enfance. La vue du sang n'a aucun impact sur moi. C'est bien la seule fois où mon père m'aura été d'une quelconque utilité ! Sinon comment aurais-je pu torturer ces monstres jusqu'à plus soif ?
Non, mes cauchemars, ce sont des gémissements, des cris, des plaintes, des pleurs presque inaudibles. C'est lancinant, suffocant même. Je me réveille en sueur, le cœur affolé et le souffle coupé. Et puis… Je me rendors et rebelote, me voilà de retour au même point. Exactement au même point ! Les mêmes hurlements, les mêmes lamentations. Que je sois seul ou accompagné, ils martèlent ma boite crânienne, assourdissant ce qu'il me reste d'envie.
Mais d'où vient ce vacarme silencieux que nul autre que moi ne perçoit ? Comment puis-je aider sans voir ?
J'aimerais devenir sourd. Je voudrais devenir sourd, puisque mon aveuglement ne me protège plus de ma conscience.

Mon impuissance et ma passivité me consument, jusqu'à souhaiter ne plus rien ressentir, voir ni entendre. Un légume ! Je voudrais être un légume !

Je pensais très naïvement que tout cela cesserait. Je pensais qu'en agissant, ces cauchemars disparaîtraient.
Mais à force de fermer les yeux, j'imagine que mes quatre autres sens, poussés par ma conscience, se sont exaltés et liés contre moi. Ce goût mortifère dans la bouche, laissant l'haleine fétide de la mort venir me caresser le museau, fait naître en moi cette ultrasensibilité débordante qui, mariée aux bourdonnements inlassables des complaintes invisibles… m'assassine !

Freud parle de pulsion de vie qu'il nomme joliment Eros et de pulsion de mort appelée Thanatos. C'est la constante opposition des deux qui, d'après ce cher Sigmund, pousse l'homme à créer, procréer, avancer, ou je ne sais quel autre verbe du premier groupe !
Je crois bien qu'il n'y a plus d'opposition en moi.
Eros a déployé ses ailes et s'est envolé avec mes candides espoirs, me laissant dans un tête-à-tête éternel avec Thanatos !

⋆⋆⋆

Judith, profondément absorbée par la lecture du rapport d'autopsie de Rugier, sursauta en entendant le bruit significatif du frottement de l'archet sur les cordes. Elle leva la tête et fut surprise de voir Jean-Sébastien Bach s'inviter au 304. Il était là, dans l'encadrement de la porte, son violon fermement maintenu sous le menton, les doigts dansant vigoureusement sur le manche, bousculé par les soubresauts de l'archet. La *Partita pour violon n° 2* bondissait de mur en mur, les sculptant de ses notes aiguisées qui petit à petit métamorphosaient le bureau en auditorium. L'homme, couronné de sa plus belle perruque, semblait endiablé, maîtrisant son instrument à la perfection. Judith ferma les yeux et se laissa submerger par cette vague musicale tonitruante... Et soudain... La fausse note ! Suivie de près par un retentissant « Fais chier ! ». Ce ne fut pas le fait qu'un maître tel que Bach puisse se tromper qui interloqua Judith, mais sa voix. Elle ouvrit les yeux, cherchant à s'expliquer comment un homme de cette corpulence pouvait avoir la voix frêle d'une adolescente de 16 ans, et se mit à rire !

— Un rêve ! Bien évidemment ! Qu'est-ce que Bach viendrait faire de si bon matin au 36 ?

Elle attrapa son portable sur la table de nuit et fit un bond en voyant l'heure.

— Dix heures moins le quart... je suis super à la bourre.

Et alors qu'elle sortait de sa chambre, la *Partita* reprit. D'un pas de velours, Judith rejoignit le salon où elle trouva Sarah debout face à son pupitre, s'obstinant à tenter de réaliser ce mouvement qui lui opposait tant de résistance.

La séance de kinésithérapie de Magalie avait réveillé ses douleurs pectorales. Ses progrès étaient incroyables d'après le médecin, mais que dire de la douleur. Elle dut se traîner pour arriver jusqu'à chez elle. La veille au soir, elle avait fixé rendez-vous à Jeff aux alentours de 11 heures à son appartement. Elle avait donc trois petits quarts d'heure pour retrouver la forme ; elle décida de se faire couler un bain, espérant que la détente aquatique la soulagerait. Elle ressentit très rapidement les bienfaits de l'eau chaude car il ne lui fallut pas cinq minutes pour se retrouver à voguer aux côtés de Morphée.

Elle se réveilla une bonne demi-heure plus tard. L'eau s'était considérablement refroidie et c'est transie par le froid qu'elle sortit du bain. Elle s'habilla rapidement et à peine eut-elle fini d'enfiler ses chaussettes que trois coups se firent entendre à la porte.

— Bonjou... Oh pardon, stoppa Jeff. Il est trop tôt ? s'excusa-t-il.

— Non, entre !

— Je peux revenir plus...

— … Entre, je te dis, lui lança-t-elle, déjà dans le salon.
— Tu te réveilles ?
— Non, j'avais kiné ce matin, je sors du bain.
— T'as l'air épuisée ?
— C'est un peu éprouvant et surtout très douloureux. Mais sinon, ça va. Je dors bien, lui sourit-elle en servant deux grands cafés.
— Tu as de la chance ! Moi, je suis abonné aux insomnies.
— J'ai connu ça aussi !
— Oh, pendant que j'y pense, faut que je passe voir mon officier probatoire dans l'après-midi.
— Pas de souci, j'en profiterai pour faire une sieste, le nargua-t-elle tout sourire. On se retrouvera plus tard au Piston, y a un super concert ce soir.
— O.K. !
— Allez, c'est pas tout ça mais faut s'y mettre. Voilà ton carburant, lui dit-elle en déposant sur la table basse un mug de café. Aujourd'hui, on va s'attaquer à feu Baptiste Vinici.
— Comment ça ?
— Eh bien, on va décortiquer sa vie et en profiter pour commencer à t'apprendre les joies du surf !
— Du surf ? répéta-t-il perplexe.
— C'est ça, du surf !

Seules Valérie et Marion étaient au 304 quand Judith arriva.
— Bonjour les filles ! Vous êtes enfin parvenues à avoir raison des garçons, les railla-t-elle.
— Non, on a pourtant tout donné, lui répondit Marion.
— Salut, Judith ! dit Valérie.
— Salut ! Plus sérieusement, où sont-ils ?
— Ben vu que tu venais pas, ils sont repartis se coucher, la charria Marion.
— Désolée. Panne de réveil. Heureusement qu'il arrive à Sarah de faire des fausses notes, sinon je serais sans doute encore au fond de mon lit.

Ses deux collègues se regardèrent, intriguées.

— Oubliez, c'est trop long à expliquer. Et sinon, les garçons ? insista-t-elle.

— Yann est toujours au labo informatique. Quant à Fabrice et Pierre, ils courent derrière Hanin, l'informa Marion.

— Comment ça ? dit-elle en s'installant à son bureau.

— Avant que tu t'installes, intervint Valérie : Berta veut te voir.

— Oh ? s'étonna-t-elle. Il t'a dit pourquoi ?

— Non.

— C'était pressé ?

— Je sais pas. En tout cas, il nous a dit de te prévenir dès ton arrivée.

— Je verrai ça plus tard. Tu me disais quoi, Marion ?

— Le juge nous autorise les écoutes sur le téléphone privé de Hanin.

— Rapide !

— Oui, on ne va pas se plaindre. Il a un rencard non professionnel avec un gars dans le 11ᵉ.

— Ils le filochent ?

— Ouais.

— Bon, et vous ?

— On a reçu le rapport d'autopsie de Rugier, l'informa Valérie. Rien de bien nouveau. C'est à peu près le même que pour Depino, sauf que cette fois-ci, il a utilisé de l'éther pour l'endormir, vraisemblablement.

— On est bien avancés, se dépita Judith. L'heure du décès ?

— 4 heures du matin !

— Parfait ! Et toi, Marion ?

— J'ai enfin réussi à joindre le dernier rendez-vous professionnel de Rugier. Il m'a dit qu'il n'avait rien remarqué d'anormal. Rugier semblait comme à son habitude, serein. Il lui a dit qu'il lui restait encore un peu de travail avant de pouvoir rentrer… C'est à peu près tout ce qu'il a pu m'apprendre !

— Voilà, voilà ! s'amusa Judith.

— En revanche, reprit Marion, éveillant soudainement la curiosité de son commandant. J'ai consulté les vidéos des caméras de circulation…

— … Une image ?

— Des images, sourit Marion. On y aperçoit un homme, je dirais la trentaine, entrer dans le bâtiment aux alentours des 22 heures et en ressortir à 5 heures et des bananes, conclut-elle triomphante.

— Tu es géniale !

— Je sais ! Bon, j'ai essayé d'être ultra-géniale, mais je n'y suis pas arrivée. L'agrandissement ne donne rien, les images sont bien trop mauvaises et j'ai aussi comparé les numéros de téléphone ayant matché sur la borne de Victor Hugo à ceux de la rue de Sévigné. Ça n'a malheureusement rien donné non plus. Du coup, je reprends Fabrice sur les comptes et la téléphonie de Hanin.

Et alors qu'elle ponctuait à peine sa phrase, Yann fit irruption dans le bureau.

— Salut, tout le monde ! Ben… Où sont les mecs ?

— Je rêve ou tu es habillé comme hier ? lui lança Marion.

— Hein ? Euh, ouais !

— T'as dormi, Yann ? s'inquiéta Judith.

— Non, je sors tout juste du labo.

— T'es pas rentré ?

— Non, on a passé la nuit sur les deux ordis, leurs expliqua-t-il en se faisant couler un café.

— Bois pas de café, tu vas direct rentrer te coucher, le materna Judith. Enfin direct… Une fois que tu nous auras dit ce que vous avez trouvé ?

— En fait, je suis pas sûr d'avoir trouvé un truc, lâcha-t-il en se laissant tomber sur le canapé.

— Tu nous expliques ? le pria Marion de peur qu'il ne s'endorme.

— On a réussi à craquer les ordis ou plutôt on a cru réussir, se dépita-t-il. On a bien retrouvé les sites où Rugier faisait ses achats photographiques. Mais c'est tout !

— Comment ça, c'est tout ? s'enquit Judith.

— Pas d'enfants à vendre, juste des photos. P'têt' que le fait de caresser du papier suffisait à Rugier. J'en sais rien, se désola-t-il.

— Et pour Depino ?

— Lui, c'est pire ! Je ne sais même pas pourquoi ce mec s'est fait chier à protéger son ordi de la sorte. Enfin si, il achetait des téléphones dernier cri et des broutilles de ce type à des prix défiant toute concurrence. Waouh ! Un mec vraiment dangereux, ironisa-t-il.

— Pas trace de pédophilie ?

— Non, mais comme me disait je sais plus qui hier soir, il avait sa fille. Alors…

— Et j'imagine qu'aucun site commun n'a été consulté par nos deux hommes, tenta Judith sans se faire trop d'idées.

— Si ! Si, y en a un. Un site de location de baraques. Mais ne t'emballe pas. Leur site est tout ce qu'il y a de plus normal. Je pense juste que les patrons de la boîte ont eu la riche idée d'en faire un en surface et d'en faire une réplique dans le *dark web*.

— Pourquoi faire un truc aussi absurde ? s'interloqua Judith.

— Si on réfléchit bien, c'est plutôt malin. Les gars qui se baladent dans les profondeurs du web vont rarement sur la toile supérieure. Alors pourquoi se fermer le marché ? Et en plus tu peux te faire payer en bitcoins, voire faire disparaître une partie de ta compta juste en claquant des doigts.

— Bitcoin ? grimaça Judith.

— La monnaie locale !

— Quoi ? Y a une monnaie ?

— Bien évidemment, comment veux-tu pouvoir payer ce que tu achètes sinon ? la charria-t-il.

— Et c'est légal ?

— Oui, pour le moment en tout cas. Et quand bien même, je vois mal comment on pourrait empêcher son utilisation. Le bitcoin est une monnaie qui n'est pas régie par les banques.

— Par qui alors ?

— Une vaste, très vaste communauté d'internautes et un algorithme informatique très complexe en guise de planche à billets. Le problème, c'est qu'elle est virtuelle, ce qui rend sa traçabilité quasi impossible. Une fois que le paiement est effectué, remonter à la source est une vraie galère.

— Tu peux donc t'offrir ce que tu veux sans qu'on sache que c'est toi ?

— À peu de chose près, oui.

— C'est flippant quand on y réfléchit, réalisa Marion.

— Disons que ça facilite les business illicites, lui accorda Yann.

— Bon, va quand même falloir vérifier cette histoire de location d'appart. C'est quoi le nom de la boîte ?

— Leisure House.

— Très bien, conclut Judith. Yann, va faire une sieste et rejoins-nous plus tard. Marion, trouve-moi ce que tu peux sur Leisure House, je m'occupe des comptes de Hanin. Valérie ?

— Je vais recouper la liste des thanatopracteurs avec le profil que Luc nous a dressé. J'espère la raccourcir !

Jeff avait quitté Magalie à l'heure du déjeuner, la laissant, seule, approfondir ses recherches. La pêche avait été plutôt bonne. Grâce à son accès à la base de données judiciaire, elle avait pu remettre la main sur le dossier complet concernant l'enquête qui avait conclu au suicide de Vinici, mais elle y avait également retrouvé l'adresse de son ex-femme et de son employeur. Elle tenta à plusieurs reprises de la joindre mais n'y parvint pas. Les numéros de téléphone qu'elle avait en sa possession semblaient obsolètes.

La piste matrimoniale ne donnant rien, elle entreprit donc de sortir rendre visite à l'employeur de Vinici qui avait ses locaux boulevard Saint-Michel.

Une fois dehors, elle hésita un instant entre le métro, le bus et la marche à pied, optant finalement pour la balade, bien décidée à profiter de cet agréable après-midi ensoleillé. De plus, son itinéraire l'emmènerait jusque devant le 36 où elle en profiterait pour passer faire une bise à ses collègues.

C'est une heure plus tard qu'elle franchit le porche de la « maison pointue ». Elle croisa quelques connaissances soucieuses de prendre de ses nouvelles et dut mettre une bonne vingtaine de minutes à se frayer un chemin jusqu'au troisième étage.

— Salut les gnous ! lança-t-elle en faisant irruption au 304.

— Hé Magalie, se réjouit Marion.

— Ben, ils sont où, tous ?

— Judith est montée voir Berta, Yann dort et les gars filochent, l'informa-t-elle.

— Et Valérie ?

— Je suis là, souffla la jeune femme installée dans le canapé derrière elle.

— Oh ! Tu m'as fait flipper ! Bon app' ! ajouta-t-elle, voyant Valérie croquer avec envie dans son sandwich.

— Merci, bafouilla-t-elle la bouche pleine.

— Fais chier, je voulais faire un bécot à Jude mais j'imagine qu'elle en a pour deux plombes avec Berta ?

— Sympa pour nous, fit mine de s'offusquer Marion.

— Rhoo, choupette ! Tu sais qu'après Jude, c'est toi que je préfère, minauda-t-elle.

— J'espère bien, oui ! Et pour répondre à ta question, elle ne devrait plus…

Judith poussa la porte du bureau.

— … Qu'est-ce que je disais… conclut Marion.

— Magalie ! gronda Judith dans son dos.

Les yeux de la jeune femme s'écarquillèrent. Elle connaissait parfaitement ce ton et il était toujours de mauvais augure.

— Jude, susurra-t-elle entre ses dents. Ça va bien ?

— Non Magalie ! Ça ne va pas bien ! Suis-moi ! lui ordonna-t-elle se dirigeant vers l'une des salles d'audition.

Magalie déglutit profondément sous le regard intrigué de Marion.

— Qu'est-ce que t'as encore foutu ? s'inquiéta cette dernière.

— Si seulement je le savais, lança Magalie avant de rejoindre Judith.

— Ferme la porte !

— Bien chef! tenta-t-elle.

— Je ne suis pas d'humeur à plaisanter, Mage !

— T'as dit Mage ! C'est que c'est pas si grave. Je suis sauvée, sourit-elle.

— T'as une idée du pourquoi ? continua Judith d'un ton inquisiteur.

— Là, je t'avouerai que... Non ! Pas la moindre !

— Van den Brake ?

La mâchoire de Magalie se décrocha, ainsi que son regard. *Comment est-elle au courant ?* s'inquiéta-t-elle. *C'est quoi ce bordel ?*

— Magalie, je te pose une question !

— Ah, c'était une question ?

— Oui !

— Eh bien... balbutia-t-elle. Mais comment es-tu au courant ?

— Comment je suis au courant ? Visiblement, tout Paris est au courant, Magalie ! gronda-t-elle.

— Comment ça, tout Paris est au courant ? s'indigna-t-elle.

— Mais bon sang, qu'est-ce qui t'a pris, Magalie ? Ouvrir un dossier classé depuis plus de vingt ans ?

— Mais quoi ? Rien ! Je fais juste des recherches, c'est tout !

— Des recherches ? Des recherches en appelant le commissaire divisionnaire de Versailles ? Je viens de me faire tirer les oreilles par Jean-Pierre !

— Quoi ? Mais qu'est-ce que Berta vient foutre là-dedans ? grogna-t-elle de plus en plus agacée.

— Non, ce n'est pas Berta qui n'a rien à foutre là-dedans, comme tu dis... C'est toi, Magalie !

— Écoute Jude, je ne sais pas ce qu'il t'a dit, mais je t'assure que...

— ... Tu ne m'assures rien du tout, Mage ! Le sujet est clos ! Et quand je parle du sujet, je parle de l'affaire Van den Brake. Est-ce clair ?

— Non, ce n'est pas du tout clair, Jude !

— Comment ça ? Ce n'est pas un conseil, Mage, c'est un ordre ! Jean-Pierre a été plus que clair.

— Mais je m'en contrebalance de Jean-Pierre, bordel ! Je te signale que je suis en convalescence. J'occupe mon temps libre comme je veux. Ni Berta, ni toi n'avez d'ordre à me donner, s'énerva-t-elle.

— Magalie, on va reprendre calmement...

— ... Reprendre calmement ? Je te signale que tu n'as même pas pris la peine de me dire bonjour et maintenant tu veux reprendre calmement ?

— Magalie...

— ... Il n'y a pas de Magalie qui tienne ! Je suis, certes, sur un dossier classé mais je ne vois pas en quoi ça vous dérange ?

— Visiblement, ça dérange le commissaire divisionnaire de Versailles qui lui-même a dérangé ton commissaire divisionnaire, Magalie. Et c'est sur moi que ça retombe. Alors oui, moi aussi, ça me dérange !

— Et tu t'es au moins demandée pourquoi ça dérangeait le CD de Versailles ?

— J'imagine qu'il n'a pas envie que quelqu'un fouine dans les vieux dossiers du département. Ce que je peux aisément comprendre, Mage.

— Oui bien sûr, surtout quand il s'agit d'un des dossiers que tu as traités, ironisa-t-elle.

— Quoi ?

— Il était en charge du dossier Van den Brake, Jude.

— Oui et quand bien même?

— Ce dossier a été monté à charge, Judith! Y a un gars qui vient de passer dix-huit ans en tôle pour rien!

— Mais tu divagues, là! se moqua-t-elle.

— Non, Jude, je ne divague absolument pas. J'en ai la certitude car le seul petit doute qui me restait vient d'être balayé par l'intervention du CD en question! Ce mec est un sombre con d'arriviste et cherche à étouffer l'énorme boulette qu'il a faite en condamnant un innocent. Condamnation qui, au passage, lui a valu une belle promotion.

— T'as craqué, Mage!

— Très bien, j'ai craqué! Si tu veux... Laisse-moi me casser les dents alors.

Judith fixait Magalie. Elle connaissait l'obstination dont son amie faisait preuve lorsqu'elle se savait dans son bon droit. Elle savait aussi que Magalie était un limier redoutable et que rares étaient les fois où son instinct lui avait fait défaut. Mais elle ne pouvait s'empêcher de repenser au traumatisme qu'elle venait de subir, mettant en question la confiance qu'elle lui accordait.

— Bien... Explique-moi juste comment tu en es arrivée là, alors?

— Dans le dossier d'instruction, il y a des failles plus grandes que celle de San Andreas. L'autop...

— ... Non, je voulais dire comment en es-tu arrivée à t'intéresser à cette affaire?

Magalie ne répondit pas. Elle savait parfaitement ce qui viendrait à l'esprit de Judith si elle lui disait avoir rencontré Jeff.

— Quoi? Tu n'es pas tombée dessus par hasard, quand même? Alors dis-moi... Magalie? reprit-elle après quelques secondes. Il est où le problème?

— Y a pas de problème, Jude. Je suis sûre de mon coup, voilà tout.

— Et tu refuses de me donner tes sources? creusa le commandant.

— Très bien, comme tu veux… J'ai rencontré l'homme qui a été accusé du meurtre, lui avoua-t-elle.

— Attends… quoi ? Tu plaisantes, j'espère ! Tout ton laïus, là, vient de la bouche de l'assassin ?

— Non, il vient de la mienne. J'ai rencontré ce garçon dans un bar. Il ne savait pas que j'étais flic et il s'est confié à moi, arrondit-elle.

Judith ne put retenir son éclat de rire et Magalie, vexée, reprit :

— Oui, c'est ça, rigole. En attendant, je suis sûre de moi !

Le rire fut aussitôt étouffé par l'inquiétude.

— Écoute Magalie, euh…

— … Non, Jude, pas ça. S'il te plaît, pas avec moi ! Tu me connais, bordel ?

— Oui je te connais, Mage. Je sais aussi ce que tu viens de vivre…

— Non, tu ne sais pas ! Mais on s'en fout de ça ! Dis-toi juste que Thierry n'a rien à faire là-dedans. C'est ta capitaine qui te parle ! Fais-lui confiance, Judith.

— Je ne peux pas, se désola Judith après deux interminables secondes. Je suis désolée, Mage, je ne te suis pas sur ce coup. Va falloir faire sans moi.

— Ça veut dire quoi au juste ?

— Je ne peux pas te forcer à abandonner. Mais je ne vais certainement pas t'aider.

— Donc ?

— Je vais devoir te retirer l'accès à la base de données. Pour le reste, j'espère juste que tu n'y perdras pas trop de plumes. Tu es en train de jouer ta plaque sur les dires d'un gars qui a tué et défiguré une gamine d'à peine 16 ans, Magalie. Réfléchis bien à ce dans quoi tu t'engages car si, comme tu le dis, le CD de Versailles est un tocard, tu risques de perdre gros. Et ni moi ni Jean-Pierre n'y pourrons rien !…

Magalie contractait ses masséters nerveusement.

— … Alors fais-moi plaisir, oublie tout ça et profite de ton temps libre pour te remettre sur pied avant de tout perdre sur des on-dits.

— De toute façon, j'ai déjà tout perdu, conclut Magalie sèchement avant d'ouvrir la porte.

— Magalie ! l'interpella Judith.

Mais Magalie, déjà dans le bureau face à Valérie et Marion, ne répondit pas.

— Mage, s'il te plaît ! réitéra Judith.

— Quoi encore ? lança-t-elle furieusement sous les regards perplexes de ses deux collègues. Qu'est-ce qu'il y a, Judith ? grogna-t-elle.

— Ne le prends pas comme ça, s'il te plaît.

— Je le prends comme je veux ! Et puis je vais te dire un truc, c'est pas plus mal si le CD de Versailles me renvoie à la circulation ! Ça m'évitera d'avoir à demander ma mutation, ironisa-t-elle.

— Pourquoi aurais-tu à demander ta mutation ? lui répondit Judith le plus calmement possible, essayant d'apaiser la discussion.

— Mais parce qu'il est maintenant très clair pour moi que je n'ai plus ma place dans ce bureau, Judith.

— Quoi ? intervint Marion, fusillant son commandant du regard.

— Mais bon sang, Magalie, d'où sors-tu ça ? Je n'ai jamais rien dit de tel ! s'offusqua-t-elle.

— T'inquiète, t'as pas à le dire. Tu le penses si fort que ça transpire de toi. Maintenant je vais aller foutre ma carrière en l'air, ça va me faire un bien fou !

— Non, non ! Judith la retint par le bras, lui arrachant une grimace.

— Lâche-moi, Judith ! vociféra-t-elle.

— Tu vas redescendre tout de suite, Mage. Je ne t'ai jamais dit ne plus vouloir travailler avec toi, O.K. ?

— Non, c'est moi qui te le dis ! Car il est hors de question que je bosse avec des collègues qui n'auront de cesse d'insulter mon intelligence en me rappelant constamment que je suis quand même une sacrée débile de ne pas avoir compris que le mec avec qui je couchais était un putain de tueur en série cinéphile en manque de reconnaissance.

— Mais personne ne pense ça, Magalie, s'immisça à nouveau Marion, se voulant rassurante.

— Ah oui ? Demande donc à ton chef de groupe, alors ?

— Magalie…

— … T'as une clope, Marion ?

— Oui, répondit la jeune femme en mettant la main à sa poche.

— Je croyais que tu avais arrêté de fumer, Mage ? s'inquiéta Judith.

— J'avais un trou dans le poumon, j'allais pas gâcher ! railla-t-elle, attrapant la cigarette.

— Tu ne devrais pas…

— … Occupe-toi de tes affaires, commandant Lagrange, et laisse-moi foutre ma vie en l'air si ça me chante ! Sur ces bons mots, Marion, Valérie… à très bientôt ! Qui sait… sur un malentendu ?

Judith l'interpella une fois de plus mais en vain. Magalie sortit du bureau sans se retourner, la laissant les bras ballants et les yeux rougis par ses larmes contenues.

— Tu nous expliques ce foutoir, Judith, ou faut que je lui coure après ? s'exaspéra Marion.

— Il n'y a malheureusement pas grand-chose à expliquer, se désola-t-elle, se laissant tomber sur sa chaise.

— Pas grand-chose me suffira, insista-t-elle.

— Magalie s'est mis en tête de rouvrir un dossier déjà jugé de plus de vingt ans. C'est revenu aux oreilles du CD de Versailles qui très naturellement a appelé Jean-Pierre, qui tout aussi naturellement vient de me passer un savon.

— Pourquoi toi ? s'étonna Valérie.

— Je lui ai donné accès libre à la base de données. Et puis il sait aussi que je suis la seule à pouvoir raisonner Magalie. Enfin, j'étais la seule ! Ce n'est plus le cas, visiblement, se dépita-t-elle.

— Oui, enfin ça n'explique pas sa tirade sur Thierry, intervint Marion, soupçonneuse.

— Je n'ai jamais parlé de Thierry. J'ai juste… Je sais pas, j'en sais rien !

— Bordel, Judith, tu crois vraiment que c'est le moment de l'enfoncer ?

— Hé Marion, ça va, oui ! C'est pour elle que je fais ça ! Tu crois quoi ? Que ça m'amuse ? Je sais pas comment elle se démerde pour se mettre dans de pareilles situations à chaque fois. C'est un coup à se retrouver au placard ! Elle va se faire lyncher si elle s'obstine.

— C'est quoi ce dossier ? s'enquit Marion. Ce serait pas le suicide d'un certain Vinici ?

— Non, c'est l'affaire Van den Brake, une gamine retrouvée morte défigurée dans un hangar d'Issy-les…

— … T'as dit l'affaire quoi ? les interrompit soudainement Valérie, se précipitant à son bureau.

— Van den Brake, pourquoi ? s'étonna Judith, ne lâchant pas sa collègue du regard.

— Van den Brake, c'est quand même pas très commun comme nom de famille ?

— En France, c'est sûr ! ajouta Marion. Je dirais que c'est néerland…

— … Parce que j'ai déjà vu ce nom quelque part, poursuivit Valérie farfouillant dans ses notes.

— Tu as quoi ?

Judith se leva pour la rejoindre.

— Je le savais ! lança-t-elle victorieuse. Van den Brake est sur ma liste de thanatopracteurs.

— Incroyable, s'exclama Marion, se levant à son tour.

— Si c'est un hasard, vous conviendrez avec moi qu'il est des plus incongrus, souligna Valérie.

— Mais dans quoi s'est-elle encore fourrée ? se désespéra Judith.

— Pourquoi l'as-tu écarté de la liste principale ? l'interrogea Marion, voyant que le nom se trouvait dans la colonne à éliminer.

— Je ne sais plus, répondit-elle s'installant devant son poste.

Elle pianota quelques secondes sur son clavier, ses deux collègues vissées à ses épaules.

— Mort !

— O.K., ceci explique cela, abonda Marion.

— Depuis quatre mois, précisa-t-elle.

— De quoi ? demanda Judith.

— Hmm attends, je vérifie... Un arrêt cardiaque, tout ce qu'il y a de plus banal ! Tu pensais à quoi ?

— À rien ! C'est juste que je ne crois pas au hasard... A-t-il un lien de parenté avec l'affaire dont s'occupe Magalie ?

— Je vérifie... Oui ! C'est le père de la victime, confirma-t-elle après une rapide recherche.

— Il aurait parfaitement collé au profil de Luc, s'il avait été en vie. Quoique trop vieux !

— Et pour la mère de la victime ? continua Judith.

— J'étais dessus... répondit Valérie. Nous y voilà ! On oublie tout de suite, elle est morte y a vingt-cinq ans. Suicide !

— Quelqu'un d'autre ?

— Un petit frère... Domicilié à... Marseille, et... non c'est tout !

— Il n'y a peut-être rien à trouver, Judith, dit Marion.

— Peut-être ! Mais tu avoueras que c'est quand même étrange, non ?

— Parfois, il faut savoir se contenter de l'évidence, se résigna-t-elle.

— Et toi, au fait ? C'est quoi, cette histoire de Vinici ?

— Il y deux jours, elle m'a demandé de faire quelques recherches sur ce gars.

— Et ?

— Et rien, le mec c'est suicidé, si mes souvenirs sont bons.

— Et elle ne t'a rien demandé d'autre ?

— Juste le dossier de l'enquête et le nom des enquêteurs.

— Valérie, recoupe-moi Van den Brake et Vinici dans la base de données.

— C'est fou ! Vinici était le témoin à charge lors du procès de Jean-François Bonnet qui, lui, a pris vingt ans de sûreté pour le meurtre de Julie Van den Brake.

— Quoi de plus logique qu'il y ait un lien, lança Marion. Tu nous as dit que Magalie enquêtait sur Van den Brake...

— Et si elle avait raison ? coupa Judith en se levant.

— À quel sujet ? s'enquirent les jeunes femmes à l'unisson.

— Si elle avait vu juste au sujet de... Bonnet, c'est ça ?

— Le coupable ?

— Oui ! Elle l'a rencontré. Ils ont fait copain-copain et, je ne sais pas trop comment, ce type a réussi à la convaincre de son innocence. C'est pourquoi elle s'obstine à retourner ciel et terre depuis.

Les trois femmes se regardèrent, partagées entre scepticisme, angoisse et excitation.

— Valérie...

— ... Je vérifie tout de suite, s'activa la jeune lieutenant.

Judith, s'impatientant, faisait les cent pas.

— Et merde, lâcha Marion toujours accrochée à l'épaule de sa collègue qui, elle, se contenta d'une grimace.

— Ça se présente mal à ce point ?

— Il est sorti il y a moins de quatre semaines...

— ... étudiant en médecine, et fils d'un des pontes de la chirurgie cardiaque, enchérit Marion.

— Euh, mon père est médecin, ce n'est pas pour autant que j'y connais quoi que ce soit en médecine, précisa Valérie, se voulant rassurante.

— Sors-moi son dossier d'incarcération ! lui ordonna Judith.

— Regarde, c'était plus haut, lui lança Marion. Juste là !

— O.K. ! Là, ça ne sent vraiment pas bon !

— Comme tu dis, abonda Marion.

— Hé, je suis là ! s'impatienta Judith.

— Il a brièvement repris ses études de médecine en prison, il ne les a pas suivies longtemps mais a tout de même travaillé à l'infirmerie pendant deux-trois ans, avant de finalement se former en ébénisterie. Poste qu'il a gardé jusqu'à la fin de sa détention, l'en informa Valérie.

— Si Magalie a vu juste, notre gars a passé vingt ans de sa vie derrière les barreaux pour rien et a des notions de médecine.

— Aucun moyen de savoir s'il est catho, mais en tout cas pour le moment, il colle au profil lui aussi !

— Il a surtout un vrai mobile ! conclut Judith.

Magalie avait fait l'erreur d'allumer sa cigarette. À peine eut-elle tiré dessus que sa tête se mit à valdinguer de gauche à droite et de haut en bas, provoquant instantanément une nausée qui lui serra la gorge. Elle se concentra pour garder son équilibre précaire jusqu'à la terrasse du café de l'angle où, par chance, elle trouva une place disponible.

Elle commanda un indien, sachant que le sucre la requinquerait rapidement et profita de cette pause imposée pour retrouver son calme. Judith l'avait vexée, blessée même. Mais ce qui l'attristait réellement, c'était de s'être laissée emporter. Elle faillit lui envoyer un message mais se résigna. Elle y penserait ce soir…

Elle régla son Orangina et emprunta le pont Saint-Michel. Il ne lui fallut qu'une dizaine de minutes pour arriver devant le 10 du boulevard du même nom. Elle fut surprise de voir une pharmacie et une entreprise de domiciliation professionnelle. Elle vérifia au préalable les noms sur l'interphone et dut rapidement se rendre à l'évidence : le cabinet qui employait Vinici n'avait pas de locaux à cette adresse. Elle poussa la porte de l'entreprise de domiciliation et alla à la rencontre de la jeune femme derrière le comptoir.

— Bonjour, la salua-t-elle.

— Bonjour, madame. Désolée, je suis un peu surprise, je pensais tomber sur une agence de location et… non !

— Rassurez-vous, ça arrive tous les jours, lui sourit la jeune femme.

— Oui eh bien, je suis bien embêtée, là. Et puis vous avouerez que c'est étrange pour une agence de loc' de ne pas avoir ses bureaux à l'adresse indiquée.

— Au prix du bail commercial à Paris, vous seriez surprise de voir combien d'entreprises ont leurs bureaux en banlieue ou même en province et louent une adresse dans Paris intra-muros. Ça fait toujours mieux d'avoir son siège dans la capitale.

— Oui, surtout boulevard Saint-Michel.

— Comme vous le dites !

— L'ère du numérique... se désola Magalie. Bientôt vous pourrez faire vos gosses sur Internet !

— On n'y est pas encore, rit la jeune femme.

— Méfiez-vous, répliqua-t-elle tout sourire. Enfin, au prix où ils louent leurs baraques, j'aimerais bien savoir à qui j'ai à faire, quand même. Leur site est certes très joli mais bon...

— Il reste le téléphone. Moi, je suis juste là pour récupérer le courrier.

— Et j'imagine que vous ne pouvez pas communiquer au tout-venant l'adresse de leur bureau ?

— Tout dépend des consignes. C'est quoi le nom de la boîte que vous cherchez à joindre ?

— Leisure House !

— Alors qu'avons-nous comme consignes ? En fait, je n'ai quasi rien sur Leisure House... Juste l'adresse d'un cabinet d'expert-comptable à qui l'on doit envoyer le courrier.

— Expert-comptable ?

— Oui. Je ne pense pas que cela vous soit utile ! Essayez de trouver un numéro de téléphone. Ou alors des boîtes qui louent des maisons pour les vacances, y en a à la pelle. Je crois même que vous en trouverez une plus haut sur le même trottoir.

— Ah oui ? fit mine de s'intéresser Magalie, comprenant que la jeune femme ne lui confierait pas l'adresse. C'est super, j'y vais de ce pas, alors. Merci et bon courage.

Pierre et Fabrice arrivèrent au 304 aux alentours de 16 heures et y trouvèrent le reste du groupe, à l'exception de Yann.

— Du nouveau ? s'intéressa Judith alors qu'ils entraient.

— Yes, lança Pierre. Dans ma prochaine vie, je serai avocat d'affaires ! Tu passes ta journée à te faire payer des coups par tes clients dans les plus beaux bars de Paris.

— J'avoue que si toutes ses journées sont comme celles-ci, c'est quand même la belle vie, commenta Fabrice.

— Rien, alors ?

— Pas grand-chose, non, admit-il.

— *Girl power* ! Heureusement qu'on est là, railla Marion.

— Bien évidemment, c'est pour ça qu'on vous accepte, la charria Fabrice à son tour.

— Un point pour toi, sourit Marion, fair-play.

— Alors ? Les news ? s'impatienta Pierre.

Et alors que Marion leur exposait dans les moindres détails leurs avancées…

— Bon sang, Magalie ! T'en as pas marre, bordel ? s'exclama Judith, les yeux rivés sur son moniteur, laissant le petit groupe dans une expectative silencieuse.

— Judith ? osa Marion après quelques secondes. Ça va ?

— Rugier était l'avocat de Bonnet dans l'affaire Van den Brake !

— Quoi ? réagit Fabrice.

— S'il restait un doute, il vient d'être balayé, admit Marion.

— Je ne comprends quand même pas le lien, s'entêta Fabrice.

— Qui t'a dit qu'on le comprenait, lui avoua Valérie. C'est justement ce qu'il faut trouver.

— Il est en tout cas très clair que le nouveau meilleur ami de Magalie est trempé dans cette affaire jusqu'au cou, reprit Judith. Va juste falloir le prouver, maintenant !

— On va le cueillir ? s'impatienta Pierre.

— Non ! Ce serait une erreur… je crois !

— Je demande une commission rogatoire? proposa Valérie à son tour.

— Oui, ça c'est sûr qu'il en faut une. Le problème c'est qu'en enquêtant sur Bonnet, on risque d'éclabousser Magalie par la même occasion.

— Dans un premier temps on peut le faire discrètement, sous le manteau, tenta Marion soucieuse de préserver la réputation de son amie et collègue.

— Si ça vient à se savoir là-haut, on est bons pour le gril! Même si Jean-Pierre le voulait, il ne pourrait sans doute pas nous couvrir.

— Eh bien on n'a qu'à se fixer une *deadline*, intervint Pierre.

— À savoir?

— On te laisse le temps de convaincre Magalie d'arrêter ses conneries et on informe le juge juste après.

— Tu oublies qui est Magalie, Pierre!

— Quoi, elle est lancée?

— C'est un euphémisme! Non, la seule façon de lui faire entendre raison c'est de lui apporter sur un plateau des éléments incontestablement à charge.

— Moi, je suis pour prendre le risque! On se laisse quelques jours avant d'officialiser, proposa Fabrice.

— Je suis pour, abonda Marion.

— En fait je pense que la question ne se pose pas, enchérit timidement Valérie.

Tous se retournèrent vers Pierre qui restait silencieux.

— Quoi?

— Et toi?

— Bien évidemment, tu me prends pour qui? s'offusqua-t-il, ne comprenant pas ce qui justifiait un quelconque doute.

— Très bien, on se laisse 24 heures avant d'appeler le juge, trancha Judith.

— Un peu plus ne serait pas du luxe, tenta Marion.

— On est vendredi, Marion. Je ne lui laisse pas le week-end pour s'adonner à son sport macabre. Je te rappelle qu'en moins d'une semaine il a déjà fait trois victimes. Qui sait ce qu'il nous réserve encore?

— Va pour 24 heures! On s'organise comment?

— Fabrice, appelle Yann et dis-lui de rappliquer direct. Bon, va falloir être extrêmement discrets, les gars...

15

Magalie et Jeff s'étaient fixé rendez-vous chez elle à 18 heures, de façon à pouvoir débriefer avant d'aller retrouver le petit groupe d'amis au Piston pour un apéro dînatoire en musique.

— Alors ça n'a rien donné ? se désola Jeff.

— Ça m'a quand même mis la puce à l'oreille. J'ai donc pris rencard pour la location d'une maison. J'ai prétexté l'organisation de mon mariage pour leur demander de me faire la visite de quelques-unes de leurs baraques... Si ça te dit de venir ?

— Pourquoi pas ! Tout dépendra de l'heure.

— Début d'aprem, 13 heures.

— D'accord !

— Super ! Et ensuite j'ai fait quelques recherches sur Leisure House. La boîte est assez vielle. Elle a presque vingt-cinq ans. Elle a un chiffre d'affaires des plus corrects sans pour autant être démesuré. Elle a subi une petite chute de tension sept-huit ans après sa création mais a réussi à rapidement remonter la pente. Aujourd'hui tout semble être rentré dans l'ordre.

— Vous avez accès à ce genre d'info dans votre base de données ?

— Non, ça tu le trouves sur le Net. T'as des sites qui te vendent les bilans financiers de toutes les boîtes déclarées au tribunal de commerce.

— C'est fou !

— Je t'avoue avoir parfois beaucoup de mal à prendre toute la mesure de l'anachronisme dans lequel tu vis. Ça doit vraiment être chelou ! Enfin bref ! Le truc le plus ouf, c'est les dirigeants. Bon y en a un, j'ai jamais entendu parler de lui mais c'est un neurologue plutôt réputé, semblerait-il. Quant à l'autre, accroche-toi… Ce n'est plus ni moins que le boss de Reugoën France, s'il te plaît.

— Reugoën ? Comme les voitures ?

— C'est ça, comme les voitures ! Incroyable, non ?

— Oui, enfin j'imagine qu'il y a vingt-cinq ans il ne l'était pas encore.

— Non c'est sûr, mais quand même, l'association entre un neurologue et un homme d'affaires est quand même assez bizarre. Tu me diras, c'est peut-être pour lui éviter les migraines, s'amusa-t-elle.

— Sans aucun doute, sourit Jeff.

— Je me suis demandée pourquoi un type comme ça continuait à se faire chier avec une petite SGI. J'ai très vite compris, en fait !

— Ah ?

— Ils ont un parc immobilier de taré. J'ai d'abord cru qu'ils se cantonnaient à la gestion, mais ils ont eu tout loisir d'investir copieusement en vingt-cinq ans. Le chiffre d'affaires n'est donc pas fou, mais la boîte vaut des millions. Y a ton téléphone qui bipe, l'informa Magalie.

— Mon quoi ? Oh, j'avais oublié que j'avais ce truc, se mit-il à rire en enfonçant sa main dans sa poche. Ah, on est attendus au Piston. Ils s'impatientent.

— Quoi ? Tu as donné ton numéro à quelqu'un d'autre que moi ? lança-t-elle, feignant l'agacement et laissant Jeff pantois. Oh ça va, oui ! C'était pour rire. Faut que tu te détendes, mon garçon. Ça va pas du tout, ça ! dit-elle, enfilant sa veste.

— On est partis ? proposa-t-il.

— Moi… oui !

— Il était temps ! Merci d'être passée et bonne soirée ? s'essaya-t-il.

— Quoi ? Magalie se retourna, surprise.

— Hé faut te détendre, Maguy, rit-il avant de sortir.
— Ouais, ouais ! sourit-elle. D'accord pour la blague, mais ne t'avise plus jamais de m'appeler Maguy sinon je t'en colle une.

— Marion ! lança Fabrice, lui adressant un léger coup de coude.
— Quoi ? interrogea la jeune femme, remontant la vitre de sa portière.
— C'est elle !
— C'est qui le gars ? Bon sang, il a pris un sacré coup de vieux, le lascar, dit-elle en lui montrant la photo de Jeff au moment de son incarcération.
— Ils sont à pied. Ça va être coton de les suivre, se tourmenta-t-il alors qu'il regardait Magalie et Jeff s'éloigner rue de Bagnolet dans son rétroviseur.
— T'inquiète, sous ta fausse barbe de hipster, même ta mère ne te reconnaîtrait pas, le rassura-t-elle entassant soigneusement ses cheveux sous sa casquette.
— Oui, enfin j'ai quand même l'air d'un sacré débilos !
— Pas faux, mais ça aurait été dommage de raser ta belle tignasse brune, et puis le Borsalino te va à ravir, lui sourit-elle. Allez, go !
— Elle va nous griller, je te dis !
— On avisera le moment venu, dit-elle, sortant du véhicule.
Ils restèrent sur le trottoir d'en face, à bonne distance du couple, espérant ne pas éveiller les soupçons de leur collègue.

L'entrée en matière fut des plus directes.
— Ça va, les amoureux ? ricana Richard.
— Mon Ricci d'amour, lui susurra Magalie tout sourire. Dis-toi bien que la prochaine fois que tu fais cette blague, se mit-elle soudain à grogner en lui attrapant la main pour lui faire une clef de bras, , je te déchire la carotide avec les

dents, conclut-elle enfin lui déposant un délicat baiser sur la pomme d'Adam.

Les poils du jeune homme se dressèrent alors qu'un éclat de rire général s'emparait de la tribune.

— Bon sang, mais qu'est-ce qu'elle fout ? stoppa net Fabrice, voyant Magalie agresser un grand gaillard en terrasse du café. Elle va lui péter la... elle... Elle l'a embrassé, là ? begaya-t-il sous sa grosse barbe, avant de se retourner vers Marion.

— A priori ils se connaissent... Enfin j'espère. Tu me diras, c'est une façon comme une autre d'arriver à tes fins, sourit-elle... Et là, elle rentre dans le bar ! fit-elle en pointant du nez.

— Ça te fait marrer, toi ? Imagine, ils restent là toute la soirée. On va poireauter en plein milieu de la rue comme des tocards à attendre qu'ils ressortent. La discrétion à l'état pur ! ironisa-t-il. Je le sens pas du tout, Marion.

Ils se regardèrent et se virent au beau milieu de la rue devant ce supermarché, gênant les passants pressés de profiter de leur week-end.

— Sérieux, Marion ! se dépita Fabrice. Et comme si ça ne suffisait pas, cette foutue barbe synthétique commence à me gratter sévère.

— Pauvre choupi, minauda-t-elle.

— Ouais, c'est ça ! Excuse-moi d'être mal à l'aise avec l'idée de suivre une amie. Y a que les nanas pour trouver ça drôle !

— Un point pour toi. C'est sûr que chacune de nous rêve secrètement de se transformer en petite souris pour pouvoir espionner les copines. Mais tu as sans doute raison, admit-elle.

Elle fouilla dans sa poche intérieure et en extirpa son téléphone.

— Qu'est-ce que tu fous ? s'inquiéta le lieutenant.

Magalie s'écarta de la bande avant de décrocher.

— Cathy, tu en es où ?... Je viens d'arriver au bar... Tu remontes la rue sur 50 mètres, c'est un bar rouge avec de grands tableaux noirs sur le trottoir de gauche qui fait l'angle avec une ruelle. Tu ne pourras pas le louper... O.K. !

À peine eut-elle raccroché que son Smartphone se remit à vibrer.

— Oui, lança-t-elle un peu agacée.

— Salut, c'est Marion.

— Oh ? Désolée mon gros, j'étais avec une pote au téléphone, je croyais... Bref ! Que se passe-t-il ?

— Rien, je bois un coup avec Fab et on se demandait ce que tu faisais ?

— Là, je suis dans un bar avec des potes.

— Et tu vas y rester la soirée ?

— Sans doute. J'ai des copains qui y jouent ce soir. Pourquoi ? C'est Judith qui t'envoie aux nouvelles ?

— Non, pas du tout. J'étais d'ailleurs en train de raconter votre prise de bec à Fabrice.

— Ah O.K. !

— T'es avec des potes ou avec un pote ? testa Marion.

— Comment ça ? se méfia aussitôt Magalie.

— C'est un rencard ou c'est ouvert ? la rassura-t-elle.

— Ah, euh c'est ouvert. Tu voulais passer ?

— Pourquoi pas, on a quartier libre et ça fait longtemps qu'on n'a pas bu un godet ensemble. Après, si t'as pas envie de nous voir, laisse tomber, je comprendrai.

Magalie hésita un instant. Elle les aurait vus volontiers, mais elle était accompagnée de Jeff et craignait l'affrontement des deux mondes.

— Bon, laisse tomber. On essaye de se croiser ce...

— ... Non, bien sûr que tu peux venir, se reprit Magalie, sentant une pointe de vexation dans la voix de sa collègue. En plus tu vas voir, le groupe de ce soir c'est une vraie tuerie. Juste un truc, tu me confirmes que Judith n'est pas avec toi ?

— Oui t'inquiète, je suis pas idiote. En revanche, il y a Fabrice avec moi.

— Cool ! C'est au Piston Pélican, tu vois où c'est ?

— Oui parfaitement, comment puis-je oublier, rit-elle.

— Ah oui... Thierry !

— On n'est pas loin, on sera là dans un quart d'heure.

— Dacodac, à toute.

Une fois qu'elles eurent raccroché, Fabrice pressa Marion de questions.

— Elle t'a dit quoi ? Elle est O.K. ? Tu penses que c'est une bonne idée ? Et que va dire Jud...

— Stooop ! le coupa Marion. Oui, elle est d'accord pour qu'on la rejoigne.

Il n'attendit pas la fin de la phrase pour s'arracher la fausse barbe du menton.

— J'ai toujours détesté le carnaval, s'agaça-t-il. Faut prévenir Judith.

— Je lui envoie un texto. Va falloir la jouer fine, j'ai senti qu'elle doutait de ma sincérité. La connaissant, on va avoir droit à une série de tests, va falloir qu'on accorde nos violons à la perfection. Tiens, on va se poser deux secondes dans le petit troquet, là !

Valérie et Pierre étaient partis se reposer en prévision d'une planque nocturne devant le domicile de Jeff alors que Yann essayait désespérément de trouver une quelconque explication à l'entremêlement des deux affaires quand Judith raccrocha.

— Ils sont dans un bar près de chez Magalie, annonça-t-elle à son lieutenant.

— Qui ça, « ils » ?

— Marion s'invite à une soirée avec Magalie.

— C'est pas trop risqué ?

— Non, je pense même que c'est une très bonne idée. T'en es où, toi ?

— Nulle part. Je n'arrive pas à comprendre, se désola-t-il. C'est tiré par les cheveux. Je ne trouve pas de mobile qui tienne la route.

— Va au fond de ta pensée.

— Deux options : la première, Bonnet a tué la petite Van den Brake, explique-moi pourquoi il se mettrait à buter tout ce qui bouge ? Deuxième, il ne l'a pas tuée et dans ce cas, il bute son avocat parce qu'il estime que sa défense a été nulle. Qu'en est-il pour Depino, alors ?

— Moi, ce n'est pas tant le mobile qui me dérange. C'est la thanatopraxie !

— Tu m'as dit qu'il avait fait médecine ?

— Non, il a commencé médecine, comme moi qui ai commencé la poterie !

— Son père est chirurgien.

— D'une, ça n'a rien à voir et de deux, même s'il a les connaissances nécessaires, il lui faut le matériel. Tu ne pratiques pas une thanatopraxie avec des couteaux de cuisine et un tuyau d'arrosage !

— Y a le cabinet de Depino. Il y a peut-être trouvé le matos ? lui rappela-t-il.

— Oui, enfin c'est pas une clinique. Je me suis renseignée vite fait. Alors certes, tu peux pratiquer l'opération un peu partout, mais il te faut des machines spéciales et des produits supra-toxiques pour la conservation des corps. Non, ça ne colle pas !

— Alors quoi ?

— Bah… Je sais pas ! Et puis, imagine que son but soit, comme on l'imaginait avant, de punir les pédophiles, explique-moi comment il connaîtrait leurs identités. Ce mec sort de prison. Quoi ? Il se balade pas avec une pancarte *Pédophiles, je vous aime ! Venez me faire un câlin !*

— Il a fréquenté des gars comme Fourniret pendant près de vingt ans. Faut pas l'oublier, ça !

— Je vois mal Fourniret balancer des noms à ses codétenus, s'amusa-t-elle.

— Si c'est pas lui, il en a d'autres à Ensisheim.

— Hum… Sceptique, je suis ! On est passés à côté d'un truc, il faut tout reprendre à zéro. J'espère que t'es en forme car la nuit va être longue.

— Pas grave, ce ne sera que la deuxième.

Lorsque Marion et Fabrice entrèrent dans le bar, le groupe de musique Squid and the stéréo, un trio haut en couleur apprécié pour sa musique punchy électro, commençait à peine ses balances dans une ambiance décontractée, festive et bon enfant.

Marion, talonnée par Fabrice, alla aussitôt à la rencontre de Magalie qui, entourée de ses compagnons de soirée, sirotait un café au bout du comptoir.

— Hé ! Les gnous, les salua-t-elle.

— Bonsoir ! répondirent-ils en chœur.

Magalie s'empressa de faire des présentations rapides et commanda une tournée à Aurélie qui reconnut aussitôt Marion, qu'elle avait vue quelques mois plus tôt sauter à la gorge de l'un de ses collègues et lui infliger une correction des plus sévères.

— Bonsoir, lieutenant ! J'espère qu'aucun de mes clients n'aura le malheur d'attirer votre courroux ? la charria Aurélie gentiment.

— Eh bien si personne n'insulte Magalie, je devrais pouvoir me contenir, lui sourit-elle.

— Richard, tu n'as plus qu'à bien te tenir, s'amusa Magalie.

— Ça va, j'ai eu mon compte pour aujourd'hui. Et j'ai bien compris que tu avais appelé des renforts par crainte de représailles.

Jeff, un peu mal à l'aise face aux collègues de Magalie, ne se fit pas remarquer, préférant rester un peu à l'écart. Une fois sa bière à la main, Fabrice entreprit de venir trinquer avec le jeune homme, sous le regard d'une Magalie plus que vigilante.

— Jeff ? C'est ça ?

— Oui, répondit-il timidement le nez dans sa pinte.

— Fabrice, enchanté !

— De même.

Marion tenta la diversion, espérant ainsi laisser un peu d'espace à son collègue.

— Tu te sors Richard ? murmura-t-elle taquine à l'oreille de Magalie.

— Quoi ? Oh mon Dieu, non ! s'offusqua-t-elle. C'est un pote, ce serait… incestueux.

— Ah cool. Parce je trouve le mec avec qui Fabrice discute beaucoup plus mignon.

Magalie sonda Marion un court instant.

— Tu me prends vraiment pour une buse, Marion ? C'est mon poumon qui s'est éventé, pas mon cerveau !

— Quoi ? fit-elle mine de ne pas comprendre.

— Tu vas me faire croire que tu ne sais pas qui est ce type ?

— Euh…

— Écoute, on est là pour passer une bonne soirée avec du bon son dans les oreilles, alors s'il vous plaît lâchez-le. Quoi que vous ait dit Judith, ce gars est clean.

— Je…

— Marion, n'espère pas réussir à me bluffer.

— O.K., Judith m'a parlé d'un gars avec qui tu traînais qui avait été accusé de viol, se trompa-t-elle sciemment. Mais on n'est pas entrées dans les détails. Elle m'a juste dit que tu cherchais à prouver son innocence.

— Hmm ! grogna-t-elle, sceptique.

— Quoi ?

— Ne le faites pas chier, c'est tout ce que je vous demande, conclut-elle avant de se lever pour aller retrouver Jeff et Fabrice en pleine discussion.

Cathy poussa la porte du bar et s'arrêta, surprise par les imposantes moulures qui encadraient le plafond. Elle était… différente. Elle avait opté pour le style décontracté. Converse blanches immaculées, jean bleu délavé parfaitement taillé dessinant finement, au grand dam des badauds, ses longues jambes subtilement sculptées. Son pull en V rouge tombant sur l'épaule droite forçait aussitôt le regard à redescendre sur sa mince poitrine sublimement mise en valeur par un léger soutien-gorge dont on pouvait apercevoir l'une des fines bretelles en dentelle rose. Son maquillage discret mettait en valeur la beauté naturelle de ses traits atypiques.

Elle aperçut Magalie accoudée au bar, inspira fort et se décida à la rejoindre.

— Bonsoir Magalie, lança-t-elle en lui tapotant l'épaule.

— Cathy, t'as pu te libérer. C'est génial ! feignit-elle parfaitement.

— Oui, dit-elle d'une voix docile et douce.

— Viens que je te présente.

Comprenant que la soirée allait être longue, Judith et Yann s'étaient commandé à manger. Ils s'offraient donc une pause-dîner sur les canapés du bureau, profitant du reflet rosâtre d'un timide coucher de soleil sur les eaux paisibles de la Seine.

— Tu as l'air soucieuse, Judith ?

— Hmm, un peu, murmura-t-elle.

— Tu veux en parler ? lui proposa-t-il avant de croquer vigoureusement dans son cheeseburger.

— J'hésite à envoyer un message à Magalie. Je ne pense pas que ce soit le moment si elle est avec Marion et Fabrice, mais je n'aime pas trop l'idée qu'on se soit embrouillées.

— Eh ben vas-y, alors.

— Je ne sais pas, hésita-t-elle.

— Ah les nanas, je te jure, ironisa-t-il. Envoie ce texto, sinon tu vas passer la nuit à te demander si tu dois le faire pour finir par regretter de ne pas l'avoir fait.

Judith sourit et acquiesça en attrapant son portable. Elle rédigea rapidement son SMS, reprit son sandwich et croqua dedans.

— Ça va mieux, non ?

— Je ne sais pas, mais en tout cas ça me fait une question en moins. Merci, mon Yanou.

— À ton service, patron !

— Le schéma que t'as fait est bien foutu, lui dit-elle, pointant l'immense tableau blanc de l'autre côté de la pièce, face aux fenêtres.

— Je me suis dit que ça nous aiderait d'avoir une vue d'ensemble… pour ne rien oublier.

— T'as bien fait. La preuve : avec tout ça j'avais oublié cette histoire d'agence de location d'appart, par exemple.

— Oui, enfin c'est pas le plus important, ça.

— Non, mais si on regarde dans l'ensemble, c'est le seul lien entre les victimes.

— Moi, c'est Hanin que j'avais zappé car lui aussi c'est un lien entre les deux victimes.

— Pas faux ! Rhalala si on avait un peu plus de biscuits, je demanderais une saisie de l'ordi de Hanin. Juste pour vérifier si lui aussi se balade dans le *dark web*.

— Si comme on l'imagine lui aussi est pédophile, je peux t'assurer qu'il le fait.

— Tu m'as dit y être déjà allé ?

— Oui.

— Montre-moi !

— Quoi ? Maintenant ?

Magalie était sortie fumer une cigarette avec Cathy. Elle s'éloignèrent du bar en remontant la ruelle jusqu'à s'arrêter devant le petit jardin partagé de la cité Aubry.

— Je ne comprends pas pourquoi tu as besoin de mes services ? Ce garçon est plutôt beau gosse, il a l'air sympathique et p'têt' même intelligent.

— Il l'est !

— Ce que je veux dire, c'est qu'il n'aurait aucun mal à trouver une fille.

— Oui j'ai compris, mais figure-toi qu'il en a, du mal. Je me dis que si tu lui mets le pied à l'étrier, ça viendra tout seul après. Tout ce dont il a besoin, c'est d'un peu de confiance en lui. Mais vas-y mollo quand même. Et tu me promets de ne pas lui dire comment tu occupes tes soirées ?

— T'inquiète pas, la rassura-t-elle. Pour une fois que je te vois faire un truc sympa, je ne vais pas te casser la baraque. On ne sait jamais que ça te reprenne, lui asséna-t-elle.

— Tu me connais mal, très chère Cathy, lui lança Magalie en regagnant le bistrot. C'est un cœur de mousse dans un corps de pierre que tu vois là, conclut-elle, arrachant un rire à la jeune femme. D'ailleurs, je voulais te dire un truc... t'es bien plus jolie comme ça que...

— Qu'en pute ?

— Non, c'est pas ce que je... en fait si, désolée, s'excusa-t-elle.

— Je prends ça comme un compliment venant de ta part, lui lâcha Cathy en entrant dans le bar.

Judith n'en revenait pas. Son instinct maternel hurlait à la mort tant son initiation au *dark web* l'effrayait. *Il faut que j'interdise à Sarah de surfer sur Internet*, pensa-t-elle si fort que Yann l'entendit.

— N'y pense même pas ! Il faut juste être vigilant. La plupart des gens ne savent même pas que tout ça existe, la rassura-t-il.

— Quelle chance, car en moins de trois minutes, j'aurais pu acheter des armes, de la drogue et des faux papiers, ironisa-t-elle.

— Détends-toi, Judith. Ça fait des années que ça existe...

— ... Eh bien ça explique pas mal de choses !

— Que veux-tu, chaque avancée technologique a ses avantages et ses inconvénients.

— Hmm, ça fait quand même beaucoup d'inconvénients, là.

— Oui et non, car si tu étais née dans un pays totalitaire tu apprécierais toi aussi cet espace de non-droit.

— Si tu le dis ! Montre-moi le site en question.

— Leisure House ?

— Oui.

Il pianota quelques instants sur son clavier, jusqu'à ce qu'enfin la page d'accueil lui apparaisse.

— Voilà, nous y sommes.

— Tu ne peux pas entrer ?

— Si, faut juste que tu ouvres un compte.
— Crées-en un !
— Attends ! Je l'ai déjà fait ce matin, je vais récup' mes ID dans ma boîte mail.

La page d'accueil était sobre. En haut à droite, un simple logo bichrome couronnait l'encart demandant les identifiants.

— Ça y est, je les ai !… Ben… Pourquoi ça ne fonctionne plus ? s'étonna-t-il en recomposant les codes. Toujours pas ?
— C'est quoi le problème ?
— Je ne sais pas. Attends, je retente une fois de plus…

Le moniteur devint subitement noir, laissant Yann interdit, n'osant plus toucher à rien. Puis un encadré jaune s'afficha en plein écran.

— *Avertissement ! Un problème est survenu lors de votre identification, merci de vous rendre à cette adresse*, lut-il à haute voix avant de s'exciter sur son clavier.
— Ben vas-y, qu'est-ce que t'attends, s'impatienta Judith voyant le compte à rebours défiler sous l'annonce. T'as qu'à cliquer sur le lien.
— Certainement pas ! J'aime pas bien ce genre de délire. Je ne peux plus rien faire si ce n'est cliquer sur cette saloperie d'adresse.
— Oui, en attendant l'horloge tourne, lui indiqua-t-elle.
— C'est bien ce qui m'inquiète, poursuivit-il, faisant danser ses doigts de plus belle.

Judith se pencha au-dessus du jeune homme et tenta de déchiffrer ce qu'il s'obstinait à écrire, mais ce n'était là qu'une suite illogique de lettres et de chiffres qui, pour un non-initié, s'avérait totalement incompréhensible. Elle regarda l'écran et s'inquiéta de voir qu'il ne restait que deux secondes, une seconde, et… La page se réactualisa tout naturellement. Judith partit d'une crise de rire incontrôlable alors que Yann, les yeux ronds, fixait l'écran bêtement.

— Excuse-moi Yann, hahaha ! Mais c'est trop drôle, se tordit-elle. Pendant une minute, je t'ai vu te métamorphoser en Matthew Broderick dans *War Games* pour au final, quoi ?... Revenir sur la même page ! Hahaha, rit-elle en s'écartant.

— Ce n'est pas la même page ! l'informa-t-il.

Mais Judith ne parvenait pas à vaincre son fou rire.

— Oh ma parole ! Si tu avais vu ta tête, toi aussi tu serais plié en deux.

— Judith, reprit-il sèchement. Ce n'est pas la même page !

Cette fois-ci, le commandant comprit au ton de voix que le lieutenant semblait inquiet. Elle se reprit tant bien que mal, les yeux encore humides, et s'approcha de son collègue.

— L'adresse n'est pas la même. C'est un « .com » et plus un « .onion » !

— Un quoi ? Un oignon ? pouffa-t-elle encore.

— Je me retrouve en surface sans avoir rien demandé à personne.

— Faut que je m'inquiète ?

— Je sais pas, dit-il en se remettant à son clavier.

— Tu retentes une connexion à ton compte ?

— Oui... Et maintenant ça marche !

Judith s'esclaffa, encore sous l'emprise de son fou rire.

— C'est peut-être ton ordi qui déconne ? tenta-t-elle d'articuler.

— Non, c'est sûr que non, mais je crois avoir compris.

— Compris quoi ? demanda-t-elle, enfin calmée.

— Quand j'ai créé mon compte ce matin, ça m'a surpris mais je n'y ai pas prêté attention... Mais là...

Judith attendait désespérément la suite de la phrase mais n'osait pas interrompre Yann en pleine rédaction.

— Non mais sérieux, c'est fou ça, s'emporta-t-il soudain. Je ne le trouve plus !

— Tu ne trouves plus quoi, Yann ?

— Je ne trouve plus ce satané site. L'adresse n'est plus valide dans le *dark web*.

— Tu veux dire quoi par « plus valide » ?

— Elle n'existe plus, Judith. Elle a dû migrer ailleurs.

— Ok, c'est pas grave, il suffit de la retrouver, dit-elle, crédule.

— Non, Judith ! Il ne suffit pas. C'est comme si je te disais de me retrouver ce stylo avec pour seul indice qu'il est sur le continent américain.

— Et tu crois que c'est ta fausse manœuvre qui a provoqué le déménagement.

— Je ne crois pas, j'en suis sûr. Et je n'ai pas fait de fausse manœuvre, comme tu dis. J'ai fait un copier-coller, aucune chance que je me sois planté dans la saisie de mon ID ou encore dans celle de mon password.

— Alors quoi ?

— Quand j'ai cliqué sur « *créer un compte* » ce matin, j'ai été redirigé en surface.

— Tu veux dire sur le site accessible au tout-venant.

— Exactement ! Je ne me suis pas trop inquiété, c'est une pratique souvent utilisée. Tu centralises, en somme.

— O.K. Jusque-là je comprends.

— J'ai donc créé un compte en surface.

— Oui, là tu te répètes, s'agaça-t-elle.

— Je suis donc entré dans le site en…

— … Surface, le coupa-t-elle. Tu as donc eu accès au site visible par tous et non à celui planqué dans les bas-fonds.

— C'est ça, t'as compris. J'étais tellement crevé ce matin que j'ai pas eu l'idée de me déconnecter pour me reconnecter au duplicata du *dark web*. Bon sang, ce que je peux être débile parfois !

— Si je comprends bien, tes identifiants sont donc uniquement valides en surface.

— Il semblerait, oui ! Mais je n'ai même plus le moyen de vérifier vu que je n'y ai plus accès, se dépita-t-il.

— Je crois qu'on vient de trouver le lien entre nos pédophiles.

— Non, on vient de le perdre, Judith !

— T'oublies qu'on a le nom de la boîte.

— On peut tenter, effectivement.

— Ok, sors-moi tout le pedigree de Leisure House.

La soirée battait son plein sur le rythme endiablé de «Karma», l'un des morceaux phare de Squid and the Stereo. Marion, un peu grisée par l'alcool, s'était même laissée aller à entamer un petit pas de danse. Et alors que Jeff se rendait aux toilettes, Cathy fit un signe à Magalie lui demandant de la rejoindre dehors.

— Ça a l'air de plutôt bien se passer avec Jeff? se précipita Magalie, piquée par la curiosité.

— Je crois qu'il n'est pas insensible à mes charmes. Mais il est quand même sacrément pudique, ce garçon.

— *Piano, piano, si va sano e lontano*! lui sourit Magalie en tirant sur sa cigarette.

— Ce n'est pas pour Jeff que je t'ai demandé de sortir. Tu aurais pu me prévenir qu'il y aurait tous les flics de France à ta soirée, finit-elle par s'agacer.

— Tous les flics de France... Ton surnom, c'est Exagérator, non? rit-elle. Dis-toi que ce soir, Marion et Fabrice ne sont pas des flics mais juste des amis sympathiques qui viennent boire un coup avec moi pour prendre de mes nouvelles. Rassure-toi, ils sont cool. Ce ne sont pas eux qui viendront te chercher les poux.

— Ils ont l'air sympa, effectivement. Et les autres?

— Quels autres? Tu penses que Richard est flic? pouffa-t-elle. Oh, cette blague. Faudra lui faire!

— Magalie, je te parle des deux autres flics accoudés au bar près de l'entrée.

— Hein?

— T'es aveugle ou bien? Et je peux même t'assurer qu'ils ne sont pas là pour boire des coups et encore moins pour la musique!

— Attends, t'es sûre de toi? insista-t-elle en regardant discrètement à travers la vitre.

— Plus que sûre, oui! J'ai eu affaire à l'un d'entre eux... Ou je lui offrais la soirée ou je finissais au poste... J'ai fini au poste!

— Ça existe vraiment, des connards pareils?

— Mais dans quel monde tu vis, Magalie?

— Et après tu te plains de moi. La seule fois où je…

— … Arrête, la coupa-t-elle. Par chance, il ne m'a pas encore reconnue. Imagine maintenant que mon visage lui revienne…

— Il ne viendrait quand même pas te voir, alors que tu es avec Jeff.

— Tu crois ? se moqua-t-elle.

— S'ils viennent te faire chier, je m'en occupe, promis. En revanche, faut que je prévienne Aurélie si tu me dis qu'ils sont au taf.

— Aurélie ? La patronne ?

— Ouais. C'est toujours bien de savoir quand il y a des flics chez toi, sourit-elle.

— Non, t'as pas compris, là. Ce gars-là, c'est du lourd ! C'est pas le petit flic de quartier. Je sais même pas ce qu'il fout ici. Il est hors secteur. À moins qu'il n'ait été muté ?

— Attends, comment ça ? se réveilla enfin Magalie. Tu t'étais fait toper où ?

— À la Défense.

— Putain, l'enfoiré ! réalisa enfin Magalie. Ce tocard me fait suivre !

Elle se ralluma une cigarette nerveusement sous le regard intrigué de la jeune femme.

— Attends, t'es en train de me dire qu'ils sont là pour toi ? s'esclaffa-t-elle.

— J'en ai bien peur, oui… On va vite être fixées ! Toi, essaye de te faire discrète en attendant. Une fois que je suis partie, s'ils me suivent tu ne changes rien au plan initial. Si c'est pas le cas, je reviens dans deux minutes et j'aviserai. Ça marche ?

— Tu ne vas pas m'expliquer ?

— Non, lui dit-elle en lâchant sa cigarette à peine consumée.

Elle entra dans le bar par la ruelle, profita de la cohue provoquée par le concert pour emmener Fabrice à l'arrière du bistrot.

— Qu'est-ce qui se passe ? s'étonna-t-il.

— T'es en état de conduire?
— Oui, pourquoi?
— Et t'es en état de conduire ma moto?
— Quoi, tu veux dire LA moto? Oh bordel, mais c'est toi qui est bourrée.
— Fabrice!
— J'en rêve Magalie, alors oui. Mais je comprends pas bien, là.
— Judith est encore au taf?
Fabrice hésita un instant.
— Putain, Fabrice!
— Oui, elle y est avec Yann normalement. Enfin, je crois.
— O.K., je t'expliquerai une fois dehors.
Magalie mit un point d'honneur à rendre plus qu'évident son imminent départ. Après avoir salué tous ses acolytes, elle vint se poser au bar au côté de nos deux limiers et appela Aurélie.
— Tu t'en vas alors que le concert n'est pas fini? s'étonna la barmaid.
— Oui, je viens de recevoir l'info que j'attends depuis ce matin. C'est du lourd. Faut que j'y aille! J'ai demandé à Fabrice de m'y déposer, lança-t-elle juste assez fort pour que les deux hommes l'entendent. Avec un peu de chance je serai de retour avant la fermeture.
— O.K., s'étonna la jeune femme. À tout à l'heure!
Elle sortit du bar et rejoignit Fabrice et Marion qui l'attendaient sur le trottoir.
— T'es sûre que ces deux gars sont des flics? s'enquit Marion suspicieuse.
— Quasi, oui! On va en avoir la certitude dans deux secondes.
— O.K.! Et je fais quoi, moi?
— Tu retournes dans le bar comme si de rien n'était. Le seul truc que je te demande, c'est de faire en sorte qu'aucun des deux ne s'approche de Cathy.
— De Cathy?

— C'est trop long à expliquer. Mais si j'ai vu juste, tu n'auras pas à t'en faire pour ça car ils sont censés me suivre.

— Et tu comptes les balader dans Paris ?

— Je veux être sûre que c'est moi qu'ils filochent. Bon, on est partis, Fab ?

— Je n'attends que toi !

— Marion, je t'appelle dans une vingtaine de minutes pour te dire ce qu'il en est.

— J'attends ton coup de fil, alors.

Magalie lui colla une bise rapide sur la joue et partit au bras de Fabrice. Ils remontèrent la rue jusqu'à chez elle, sa moto y étant garée. Elle demanda à Fabrice de l'attendre le temps de récupérer les casques et les clefs. Il profita de son absence pour appeler Marion, qui lui confirma le départ des deux hommes.

Magalie ressortit à peine deux minutes plus tard.

— Fabrice, s'arrêta-t-elle. Si tu dois planter ma moto, fais en sorte de me tuer avec… Sinon c'est moi qui te tue !

— Rhoo, j'arrive pas à y croire, je vais conduire ta Laverda Jota 1000, s'impatienta-t-il. Rappelle-moi de remercier Judith de t'avoir tiré dessus.

Magalie eut un rapide frisson le long de la colonne vertébrale en voyant Fabrice sautiller comme un enfant à qui l'on a promis l'open-bar dans un magasin de bonbon.

— Fabrice, lui lança-t-elle sèchement.

— Oui, O.K. T'inquiète. On y va ?

— Oui, je te la démarre, elle est un peu capricieuse à force de ne pas rouler !

— Ah, au fait, Marion m'a dit que les gars étaient derrière nous.

— J'ai vu. Ils sont aussi discrets qu'un troupeau de moutons. On va voir s'ils arrivent à nous suivre.

Yann approfondissait ses recherches sur Leisure House alors que Judith, le combiné en équilibre sur son épaule, attendait désespérément d'être mise en relation avec le juge d'instruction chargé de l'enquête, lorsque Magalie entra dans le bureau.

— Bonsoir tout le monde !

— Mage ? sursauta Judith, s'empressant de raccrocher le téléphone. Fabrice ? ajouta-t-elle en voyant son lieutenant.

— Hé, Magalie, sourit Yann. Quel bon vent t'amène ?

— Je suis pas sûre qu'il soit si bon que ça… le vent, je veux dire, lui lança-t-elle sèchement.

— Écoute Mage, je peux tout t'expliquer, s'aventura maladroitement Judith.

— Comment ça ? Expliquer quoi, Judith ?

Fabrice, toujours derrière Magalie, se mit à gesticuler dans tous les sens, espérant faire comprendre à son commandant qu'il fallait couper court à la conversation. Judith ne comprit malheureusement pas l'avertissement.

— Tu ne m'as pas laissé le choix, Mage, s'excusa-t-elle.

— Le choix ?

— Tu voulais que je fasse quoi, bon sang ? Que j'avertisse le juge ?

— Bon les filles, il se fait tard, là, tenta Fabrice. Si on est ici, c'est que…

— … Le juge ? le coupa Magalie intriguée. Mais de quoi tu parles, Jude ?

Judith, comprenant enfin sa bévue, chercha désespérément un moyen de rattraper la situation, sans qu'aucune idée brillante lui vienne à l'esprit. Yann, lui, cessa de taper sur son clavier et glissa très lentement au fond de son siège, espérant disparaître. Peut-être parviendrait-il même à se faire oublier.

— Laisse tomber, oublie ce que j'ai dit, essaya Judith maladroitement. Tu disais quoi, mon Fab ? Pourquoi êtes-vous ici ?

— Euuh… On est allés boire un verre avec Magalie en quittant le service et figure-toi que…

— Quelqu'un compte me dire ce qui se passe, ici ? s'obstina Magalie en regardant nerveusement ses collègues un à un. Ouh ouh, s'exclama-t-elle soudain. C'est moi, Magalie !

— Et merde, ce que je peux être stupide, parfois, se désola Judith, se prenant la tête entre les mains.

Elle prit un court instant pour elle et inspira profondément avant de se lancer.

— Avant toute chose, faut que tu saches qu'aucun d'entre eux n'a voulu se prêter au jeu. Je les ai tout bonnement forcés, ce qui m'a d'ailleurs valu une prise de tête avec Marion.

Yann et Fabrice échangèrent un regard circonspect et Judith de poursuivre :

— Il faut aussi que tu comprennes que, si je leur ai demandé ça, c'était pour te protéger.

Magalie, les sourcils froncés, se tenait droite comme un I face à son commandant, essayant de comprendre ce qu'elle était en train de lui expliquer. Judith se racla la gorge et reprit fébrilement :

— Cet après-midi, suite à ton départ, on s'est rendu compte que ton Jean-François Bonnet avait un lien avec notre affaire en cours. On n'a pas voulu prévenir le juge tout de suite parce qu'on savait qu'en demandant une commission rogatoire, ton nom apparaîtrait sur les P.V. Ce que je voulais à tout prix éviter. Je me suis donc dit qu'il valait mieux garder ça sous clef, le temps de te faire… revenir à la raison. J'ai donc organisé une sorte de… surveillance.

— Quoi ? T'es en train de me dire que c'est toi qui m'a collé ces deux tocards au cul ? s'envola-t-elle furibonde. Et toi, espèce de bâtard, tu me dis ne pas les connaître, ces losers ?

Elle se retourna vers Fabrice, les yeux exorbités et la voix cassée par les nerfs.

— Merci pour le bâtard, se vexa-t-il. Et pour info, je ne les connais pas ces losers, comme tu dis. Je comprends que tu sois énervée, mais fais au moins l'effort de comprendre. C'est Marion et moi qui étions chargés de t'avoir à l'œil !

lui confia-t-il avant de se retourner vers Judith. Merci pour la gaffe, patron. On est au top, là, ironisa-t-il.

Yann, toujours immobile derrière son moniteur, attendait bien sagement que l'orage passe pour oser se manifester.

— C'est qui « les losers » ? s'enquit Judith intriguée.

— Tu m'as fait suivre par mes propres collègues, Judith ? s'offusqua Magalie de plus belle.

— Bon sang ! Que voulais-tu que je fasse, Magalie ? s'emporta Judith à son tour.

— Que tu m'appelles ! aboya-t-elle. Ne serait-ce que pour me demander mes identifiants de « localiser mon iPhone », ça t'aurait évité de balancer l'argent public par la fenêtre. Putain, je coûte sacrément cher à la société, j'ai quand même les deux plus grandes brigades de France au cul ! Balèze, la meuf !

— Quoi ? redescendit aussitôt Judith.

— On va peut-être enfin réussir à parler de ce qui nous amène ici ? intervint Fabrice. À moins que vous vouliez passer le reste de la nuit à vous pourrir ? Parce que dans ce cas, moi… je rentre me coucher !

— Très bien, expliquez-moi alors !

— J'ai deux mecs de Versailles aux basques ! Ouais, moi aussi ça m'a fait bizarre, confirma-t-elle en voyant Judith se figer.

— T'es sûre ?

— Oui, y a pas plus sûr, répliqua Fabrice. Je viens de me les trimballer dans Paris pendant plus d'une demi-heure.

Magalie s'assit sur le siège de Marion et alors que son regard balayait le bureau, un mot retint son attention.

— Rugier ? lança-t-elle. Vous vous occupez du meurtre de Rugier ?

— Oui, dut admettre Judith.

— Ah O.K ! Voilà la raison qui te pousse à croire que Jeff est lié au meurtre. J'étais sûre que ça allait lui retomber dessus ! Il sort de taule et il est tellement con que le premier truc qu'il fait, c'est d'aller dessouder son ex-avocat. Malin, le garçon ! s'amusa-t-elle.

— Il n'y pas que ça qui le lie à l'affaire, Mage.

— Ah bon ?

Magalie n'écoutait que d'une oreille, regardant le schéma que Yann avait soigneusement dessiné au tableau.

— Leisure house, s'écria-t-elle subitement. D'où tu sors ça ? La filature ne suffisait pas, tu m'as aussi mise sur écoute ?

— Quoi ? Bien sûr que non ! s'indigna Judith. Tu connais Leisure House ? Comment ?

— J'essaye de trouver leur bureau depuis ce matin, répliqua-t-elle incrédule.

— Pourquoi ?

— Figure-toi que ce sont les employeurs du seul témoin à charge dans l'affaire Van den Brake. Témoin qui, comme par hasard, s'est suicidé dans des conditions plus que chelous alors qu'il avait enfin accepté de rencontrer Jeff en prison.

— Oh ? souffla Yann, sortant soudain de sa souricière juste avant que Marion fasse irruption dans le bureau, provoquant un sursaut général.

— Oups, désolée. Je penserai à frapper la prochaine fois. Alors, vous les avez semés ? s'informa-t-elle.

— Comment ne pas le faire avec une telle moto, lui sourit Fabrice.

— Y a que vous deux que je n'ai pas réussi à semer, la tacla Magalie sèchement. Jeff était encore au bar quand t'es partie ? finit-elle par demander.

— Oui, je ne sais pas pour combien de temps encore. Mais il y était encore quand je suis partie, lui répondit Marion sans faire de vague.

— Cathy ?

— Oui, il y a eu un rapprochement significatif !

— Cool !

— On peut s'y remettre ? leur proposa Judith.

Ce fut Magalie qui prit la parole la première. Elle leur exposa ses récentes découvertes et continua son discours par une vigoureuse plaidoirie, espérant ainsi convaincre son public de l'innocence de Jeff dans l'affaire Van den Brake.

Judith ne se risqua pas à lui donner raison, mais accepta volontiers de partager ses avancées dans l'enquête, espérant elle aussi parvenir à raisonner Magalie.

— Mage, tu es au moins d'accord avec le fait que ton copain est trempé jusqu'au cou dans cette affaire ?

— Trempé ? Non, bien sûr que non ! Maintenant si tu me dis que les affaires sont liées... Il me sera difficile de te contredire. Mais elle ne sont pas liées comme tu le crois, Jude.

— Et comment, alors ?

— Je ne sais pas ! Mais ton histoire ne tient pas debout. Explique-moi pourquoi tuer le médecin ?

— Parce que pédophile ! intervint Fabrice.

— Soit ! Et il le sait comment que ce gars, qu'il n'a jamais vu de sa vie, est un pédophile ? Le Saint-Esprit lui est apparu en prison et lui a donné une liste de noms, se moqua-t-elle.

— Imagine qu'il ait infiltré le réseau, spécula Yann.

— Mais comment, putain ? Il était en prison !

— Magalie, tout le monde sait qu'il y a des téléphones qui se baladent de main en main en prison.

— Il est même pas capable de t'allumer un ordinateur et tu veux me faire croire qu'il a craqué un site internet, objecta-t-elle. Soyons sérieux !

— Qui te parle de l'avoir craqué ? s'invita Marion. T'as vu le palmarès de ses codétenus ?

— Tu le vois souvent ? dévia Judith.

— Ouais... un peu.

— Tu peux lui offrir un alibi pour mercredi soir ?

— Quoi ?... Quelle heure ?

— 22 heures, dans mes souvenirs.

Magalie se troubla. Jeff n'avait pas voulu rester chez elle pour entamer l'enquête. Il était rentré, prétextant ne pas être au mieux de sa forme.

— Je prends ça pour un non. Et pour le week-end dernier ? continua Judith.

Magalie resta silencieuse.

— Écoute, Magalie, je ne te demande pas de changer d'avis. Je te demande juste de laisser un peu de place au doute. Ce mec est sans doute très sympa. Il n'a même peut-être jamais tué cette gamine, qui sait ? Mais avoue qu'en ce qui nous concerne, tout l'accuse.

— Comme il y a dix-huit ans… tout l'accusait !

— Magalie, sérieusement ! Fais pas l'autruche !

— Alors explique-moi pourquoi j'ai Versailles au cul ?

— Peut-être que tu as vu juste concernant l'affaire Van den Brake. Il n'est peut-être pas le coupable, ce qui serait une énorme tache dans le dossier du divisionnaire. Il fait donc pression pour que personne ne déterre l'affaire.

— Jude, il ne fait pas pression, là ! Il me fait suivre. C'est pas tout à fait pareil. Ce mec veut s'assurer que je ne trouve rien.

— Bien évidemment, Mage ! Si tu as vu juste, il a envoyé un innocent en prison pour dix-huit ans. Si cela venait à se savoir, imagine la taille des indemnités que l'État devrait lui verser ! Le divisionnaire peut dire au revoir à toute promotion ! Il sera même sans doute placardisé ! T'es peut-être en train de foutre la carrière d'un commissaire divisionnaire en l'air, Magalie ! T'attends qu'il te laisse démolir sa vie sans bouger le petit doigt ?

— C'est bien beau ce que tu dis, mais réfléchis… Si lors de l'enquête il était sûr de la culpabilité de Jeff, pourquoi en douter aujourd'hui et pourquoi me filocher ? Il lui suffirait de…

— … Te laisser te ridiculiser toute seule comme une grande, comprit alors Marion.

— Exactement, pourquoi se ferait-il chier à me faire suivre ? Ce mec sait pertinemment que Jeff n'est pas coupable, Jude ! Et s'il le sait aujourd'hui, c'est qu'il le savait quand il l'a envoyé en « zonzon » !

— Très bien, pense ce que tu veux, Magalie. Mais on s'égare, là ! Excuse-moi si je te choque, mais là, ce qui m'intéresse, c'est pas de savoir qui a tué Van den Brake mais qui vient de tuer les Depino et Rugier. Et que tu le veuilles ou non, notre suspect numéro 1, c'est ton Jeff.

— T'as aucune preuve, Jude!

— Effectivement, et c'est pour ça que dès demain je demanderai une commission rogatoire au juge... Pour en trouver, des preuves...

— Fais comme tu veux, après tout! Si t'as du temps à perdre, vas-y! abdiqua Magalie.

— Au final, si je ne l'accuse pas c'est que je le disculpe. Si tu es sûre de toi, tu n'as donc aucune inquiétude à te faire.

— Je ne me fais pas d'inquiétude, Jude! Mais faites-moi le plaisir de rester discrets. Je suis pas sûre qu'il apprécie de se savoir à nouveau suspecté de meurtre!

— Fais-moi confiance. Toi, en attendant, mets-la en sourdine.

— Pourquoi? Tu viens toi-même de me dire que Van den Brake n'était pas ton problème. Je vais continuer ce que j'ai commencé. Et rien à foutre du CD de Versailles! Si c'est moi qu'il veut, qu'il vienne me chercher!

— Magalie, intervint Marion. C'est vraiment pas une riche idée.

— Je suis d'accord, tenta de la raviser Fabrice. Tu ne feras pas le poids, Magalie! Ce gars a trente ans de carrière derrière lui.

— Alors quoi? Je vais voir Jeff et lui dis: bon finalement, je préfère te coller trois autres homicides sur le dos plutôt que de me frotter au mec qui t'a envoyé en taule. T'as rien contre, hein? On reste amis! Comment ça, les flics sont tous des connards? T'es dur, là! Essaye de comprendre!

Ils restèrent tous silencieux, ne sachant pas quoi lui répondre.

— Marion, Fabrice, vous lui avez parlé... Vous le croyez réellement capable de passer quatre heures à disséquer un pauv' type accroché en croix à des tringles à rideaux? Vous avez même pas de mobile, putain!

— On a la haine et la vengeance. C'est amplement suffisant dans bon nombre de cas ! C'est pas à toi que je vais expliquer ça, Mage !

— Moi, je pense qu'il faut tout envisager, s'immisça Yann.

— Merci Yann, se rassura-t-elle de voir enfin un esprit averti prendre la parole.

— Non, Magalie ! Va pas croire que je suis de ton côté. Je pense juste qu'il nous manque des pièces du puzzle. On a raison de le croire coupable, comme tu n'as pas tort de le croire innocent. C'est pour ça qu'il faut rester ouvert et tout envisager.

— C'est sûr que des pistes à suivre, on en a un paquet, se désola Fabrice. Entre Hanin, Leisure House, les thanatopracteurs, Jeff et je ne sais qui encore... on peut pas dire qu'on manque de taf !

— Oui, d'ailleurs va falloir rentrer prendre des forces. Parce que là on est tous en train de piquer du nez, se réveilla Judith. De toute façon, on a perdu Bonnet pour la soirée. Alors autant en profiter. On reprendra la filature demain, dès que j'aurai eu le juge. Marion et Fabrice, offrez-vous une mini grasse mat'... C'est le week-end après tout, sourit-elle.

— Je peux vous dispenser de la filature demain après-midi. On va visiter des baraques avec Jeff. Je l'aurai à l'œil pour vous. Je vous offre le temps d'explorer les pistes viables. Ça me fait zizir ! les charria-t-elle.

— Tu vas visiter des maisons ? s'inquiéta Judith.

— T'as pris un rencard avec Leisure House ? enchérit Marion incrédule.

— Quoi ? Je suis pas en service ! Je fais avec les moyens du bord, s'expliqua-t-elle.

— Bon sang, Mage !

— Quoi ? J'ai le droit de visiter des baraques à louer ! On va pas me mettre en taule pour ça ? Et puis ça leur fera voir du pays, aux tocards qui me filent le train, finit-elle par rire.

— T'es pas gérable, se dépita Fabrice.
— En fait, réfléchit Yann, je crois que t'aime ça !
— Que j'aime quoi ?
— Les emmerdes, Magalie ! T'adores te retrouver dans la gadoue jusqu'au cou. Tu kiffes ! C'est ta dope, quoi !
— Moi je dis plus rien, t'es une grande fille, Mage. Faudra juste pas venir te plaindre, après ! renonça Judith.
— C'est pas du tout mon genre ! Et puis tu sais bien que, tel un chat, je retombe toujours sur mes pattes.

16

La nuit de Judith avait été extrêmement saccadée ; régulièrement réveillée par des apnées du sommeil tenaces, elle ne s'était pas vraiment reposée. À six heures et quart, elle se leva, abandonnant tout espoir de parvenir à se rendormir.

Veillant à ne pas faire de bruit pour que sa fille Sarah puisse pleinement profiter de son week-end, elle opta pour la prise du petit déjeuner dans la cuisine. Elle se prépara un Earl Grey bien corsé, beurra deux petits pains suédois et dévora le tout, debout face au carrelage en damier blanc et framboise.

Une fois sustentée, elle passa un bref coup de fil à son supérieur, Jean-Pierre Berta, avant de disparaître dans la salle de bains.

Elle mit à peine un quart d'heure à se préparer. Elle laissa un mot à Sarah lui disant qu'elle partait travailler et sortit de l'appartement en prenant soin de refermer la porte à clef.

Jean-Pierre vivait à quelques rues de chez Judith. C'est sans doute pourquoi elle entreprit de s'y rendre à pied malgré le ciel couvert.

L'air frais et la balade matinale lui firent le plus grand bien.

Arrivée devant le bâtiment du commissaire, elle composa le code, entra dans le hall, s'engouffra dans l'ascenseur et en ressortit au cinquième étage. Les parois devaient être fines comme du papier car le divisionnaire n'attendit pas qu'elle frappe à la porte pour lui ouvrir.

— Entre donc ! l'invita-t-il.

— Désolée de débarquer de si bonne heure, s'excusa-t-elle.

— Ne t'en fais pas, je suis un lève-tôt, au grand désarroi de ma femme. On va juste essayer de ne pas faire trop de bruit. Je te sers un café ?

— Volontiers, dit-elle en le suivant dans la cuisine.

— Alors dis-moi ce qu'il y a de si important.

Judith s'installa à table et se mit à lui exposer ses récentes découvertes avant de lui faire part de ses inquiétudes concernant l'investissement de Magalie dans l'affaire Van den Brake. Elle ne manqua bien évidemment pas de l'informer du fait que Versailles l'avait placée sous surveillance, ce qui en plus de surprendre Berta eut pour effet de profondément l'irriter.

— Comment ça, une surveillance ?

— Ton copain a collé deux gars au train de Magalie.

— Alors, premièrement ce n'est pas mon copain ! précisa-t-il sèchement. Sache que j'exècre ce type. C'est un arriviste qui vendrait sa propre mère pour arriver à ses fins.

— Soit, quoi qu'il en soit, il fait suivre Magalie ! Je t'avouerais qu'elle est presque parvenue à me convaincre de l'innocence de Bonnet dans l'affaire Van den Brake, il est clair que ses arguments ne sont pas dénués de sens... Surtout quand je vois la réaction de Versailles.

— À quoi penses-tu ?

— Je voulais justement voir ça avec toi.

— Je ne sais pas pourquoi, mais je sens que ça ne va pas me plaire.

— Tu connais Magalie, quand elle a un os, elle ne le lâche pas. J'ai peur qu'il lui arrive des broutilles.

— Oui, et ?

— On pourrait peut-être penser à la réintégrer ? tenta-t-elle.

— Attends, il y a deux jours, tu étais formellement contre cette idée et là...

— … Si on la laisse dans la nature, elle va s'attirer de gros problèmes. Si je l'ai sous le coude, je pense pouvoir la canaliser.

— Canaliser Binet ? pouffa le divisionnaire.

— Oui, bon ! Tu noteras que je n'ai pas dit maîtriser, avoua-t-elle.

— Comment peut-on être à la fois aussi brillante et aussi… obstinée que cette jeune femme ? s'irrita le quinquagénaire.

— Effectivement, mais l'un ne va pas sans l'autre dans son cas, et c'est pour ça qu'elle excelle.

— La témérité n'a jamais fait bon ménage avec la notion de groupe, Judith… Versailles m'a clairement demandé de museler Binet et toi tu me demandes de la réintégrer avant l'heure ?

— C'est la seule façon de la « museler » comme tu dis.

— Tu es tout bonnement en train de me demander de déclarer la guerre à Versailles. T'as la moindre idée de ce que ça veut dire ? Je te rappelle qu'il n'y a pas trois mois, on évitait de justesse un scandale qui aurait mis la brigade à genoux.

— Je sais bien, mais le fait est que c'est eux qui nous ont déclaré la guerre, Jean-Pierre ! Ils sont en train de filocher un de tes agents, bon sang ! Tu comptes en rester là ? Parce que Magalie, elle, ne se contentera pas de ça. Je peux te l'assurer !

Jean-Pierre s'avança vers la fenêtre. Le ciel s'était soudainement assombri. Et voilà que de microscopiques gouttelettes d'eau tourbillonnant au gré de la fine brise venaient se coller aux vitres, perturbant petit à petit l'horizon de toits zingués fraîchement vernis par la pluie. Son regard se troubla, laissant libre cours à sa réflexion. Ils restèrent là, plongés dans un silence abyssal que seuls les cliquetis mécaniques du chauffe-eau venaient perturber.

— La peste ou le choléra, en somme, se navra-t-il enfin.

Judith ne répondit pas, admettant que dans les deux cas de figure, ils allaient sans doute devoir faire face à une guerre de clans.

— Eh bien soit ! Quitte à être en conflit... Autant profiter de l'effet de surprise. Se savent-ils démasqués ?

— Non, Fabrice et Magalie étaient en moto ! Il leur a suffi d'un feu rouge pour les distancer sans éveiller leurs soupçons.

— Parfait ! Dis à Binet de se laisser faire jusqu'à ce que sa réintégration soit effective.

— Quand le sera-t-elle ?

— Lundi.

— Tu veux vraiment lui laisser le temps d'un week-end ?

— Judith ?...la regarda-t-il outré avant de se résigner. O.K. ! Je vois ce que je peux faire et te rappelle dans l'après-midi.

— Merci, Jean-Pierre, dit-elle en se levant. Je vais te laisser, on a du pain sur la planche. Faut que j'appelle le juge au plus vite.

— Il est évident qu'elle ne fera pas de terrain, chercha-t-il à se rassurer. On est au moins d'accord là-dessus, Judith ?

— Oui, je la cantonnerai au travail de bureau, ne t'inquiète pas.

— Et pas d'arme tant qu'elle n'a pas validé ses tests de tir !

— Rassure-toi ! Je ne pense pas que sa blessure lui permette de toute façon.

— On se voit cet après-midi, alors.

Yann, Pierre et Valérie étaient déjà opérationnels lorsque Judith arriva au 304. Elle leur expliqua brièvement son entrevue avec Berta et se consola de voir que la réintégration de Magalie était plus que bien sentie par ses collègues.

— Comment s'appelle le CD de Versailles, déjà ? demanda timidement Valérie.

— Demaurie ! lui répondit Judith. Bien, je dois joindre le juge pour la commission rogatoire de Bonnet. Qui veut prendre le premier quart ?

— Valérie, t'es avec moi ? lui proposa Pierre.

— Si tu veux, oui.

— Très bien. Et surtout soyez bien discrets !

— *Don't worry, boss* ! lui sourit Pierre en enfilant sa veste.

— Je vous bipe dès que le juge confirme.

— Qui vient nous relever et à quelle heure ? demanda Valérie.

— Dès que vous voyez qu'il est en compagnie de Mage, vous pouvez décrocher. Ils visitent des maisons dans l'après-midi, elle m'a promis de me prévenir dès leur retour sur Paris… Ah j'oubliais, si l'un d'entre vous peut remonter la rue et me dire si Versailles est toujours devant sa porte…

— Compte sur nous !

Les deux agents sortirent comme des flèches, laissant Judith et Yann en tête-à-tête.

— T'en es où sur Leisure House ?

— J'ai tout vérifié. Il n'y a rien de fou, si ce n'est l'identité de l'un des gérants comme je te l'expliquais hier soir. Je commence à croire qu'il y a eu usurpation d'identité pour le site du *darknet*. Tu prends une page d'accueil au pif que tu recopies et le tour est joué !

— Et qu'est-ce que tu fais de Vinici ?

— Oh ! J'avais oublié celui-là.

— Et pour Hanin ?

— Les écoutes sont toujours en cours. Pour bien faire, il nous faudrait son ordinateur. Avec un peu de chance, lui aussi est un client de Leisure House.

— Ça, tu oublies tout de suite ! Aucun juge ne nous délivrera de mandat. Hanin est un bien trop gros poisson. Va falloir faire sans… Bon allez, j'appelle le juge, conclut-elle.

* * *

samedi 10 mai
9h20

Un de plus ! Il y a certes eu un petit accident de parcours, mais l'essentiel reste dans la conclusion : il est mort ! Ça, c'est fait.
J'ai longtemps douté, mais je commence à croire que je vais peut-être y parvenir.
Oh rassurez-vous, je ne suis pas naïf, je sais bien que je ne réussirai pas à tous les éradiquer. Juste à mon échelle… et ce n'est déjà pas si mal.

Aujourd'hui ma mère aurait eu 60 ans. Peut-être aurait-elle les cheveux blancs ?
Je ne me souviens même plus de sa voix. Par chance les photos me rappellent son visage, mais sa voix… Feutrée ? Grave ? Grinçante ? Suave ? Aucune idée !
Je me demande ce qu'elle dirait de moi, si elle était encore de ce monde. Elle me demanderait sans doute comment j'en suis arrivé là.
Elle était douce et sensible, ma mère. Aimante aussi. Et Dieu qu'elle était belle ! Une beauté à vous couper le souffle… Mais elle était si faible ! Une merveilleuse et adorable faiblesse… qui lui aura coûté la vie tant mon père en a tiré profit. J'ai longtemps cru que j'étais le seul et unique responsable. Je me rends aujourd'hui compte que ce n'était pas moi, mais mon père, ce monstre. Voilà le seul et unique responsable de tout ce gâchis. Il l'a injuriée, humiliée, parfois même battue. L'humiliation au quotidien et la honte, voilà qui résume parfaitement la vie de ma pauvre mère. Dépourvue de courage, elle s'était laissée aller à croire que tout finirait par rentrer dans l'ordre. Qu'avec le temps… Que tout irait mieux !
J'étais jeune à l'époque et les deux femmes de ma vie s'évertuaient à me protéger, ma mère trouvant encore la force de

me sourire et ma sœur me préservant du monstre qu'était mon père.
Si seulement j'avais su à l'époque de qui j'étais le fils ! Si j'avais vraiment su !
Il était trop tard pour ma mère, elle ne pouvait plus s'échapper, cela faisait bien longtemps qu'elle était condamnée, mais nous deux... ma sœur et moi, jeunes, pleins de vie et de vigueur... nous nous en serions sortis, pour sûr ! Si seulement j'avais eu assez de temps pour lire ce satané journal intime. Si seulement ma tendre sœur n'était pas entrée dans la chambre à ce moment pour me l'arracher des mains. Si seulement la leçon ne m'avait pas suffi, elle aurait éveillé en moi une curiosité dévorante et incontrôlable... Je ne parviens pas à oublier ces cinq petites minutes de ma vie qui ont, sans même que je m'en aperçoive, tué la dernière chance que j'avais de m'en sortir.
Aujourd'hui, ma mère aurait eu 60 ans... mais elle a préféré ne plus souffrir, elle s'est endormie dans un bain de sang et ses longs cheveux ne seront plus jamais blancs.

⋆ ⋆ ⋆

9 h 30, le réveil de Magalie s'enclencha. Elle l'arrêta d'un revers de main maladroit, préférant se rendormir tant la fatigue lui serrait les yeux. Mais il allait en être autrement car à peine deux minutes plus tard, son téléphone se remit à sonner, l'éjectant à nouveau de ses songes. Agacée, elle l'attrapa pour réitérer la manœuvre mais lorsqu'elle déchiffra les six petites lettres sur l'écran, elle comprit aussitôt qu'elle ne retournerait pas si vite au pays des merveilles. Les yeux toujours collés par le sommeil, elle se résigna et décrocha.

— Judith ! Que me vaut ce plaisir ? bafouilla-t-elle la bouche pâteuse.

— Oups, désolée. Je te réveille ?

— Hmm ! Qu'est-ce que tu m'veux ?

— Je peux te rappeler plus...

— ... Judith ! la stoppa-t-elle irritée par tant de scrupules.

— Très bien ! J'ai vu Jean-Pierre ce matin et il est O.K pour te réintégrer...

Magalie garda le silence.

— Mage, t'es toujours là ?

— Oui.

— Je pensais que ça te ferait plaisir ?

— J'imagine que c'est à toi que ça fait plaisir ?

— Comment ça ? feinta-t-elle, se sachant démasquée.

— Tu vas pouvoir m'avoir à l'œil, comme ça !

— Qu'est-ce que tu vas t'imaginer, Mage ! tenta-t-elle encore. J'ai bien réfléchi cette nuit et vu la tournure que prend l'enquête, tu ne seras pas de trop.

— Et comme ça, je laisse tomber Jeff !

— Non, voyons ! Je compte justement sur toi pour nous taper sur les doigts, si tu penses que l'instruction est menée à charge.

— Ouais, ouais, se moqua Magalie, pas dupe de la combine.

— Écoute, j'ai cru que cela t'intéresserait, maintenant si tu préfères profiter du bon temps qu'il te reste, je ne vais certainement pas te forcer la...

— ... Ça va, arrête ton char, Ben-Hur ! la coupa-t-elle. En revanche aujourd'hui, je suis prise.

— O.K. ! De toute façon Jean-Pierre attendait ton aval pour lancer la procédure.

— Parfait ! Tiens-moi au jus, alors.

— Dac ! En attendant, on s'est dit que ce serait bien que tu ne te fasses pas remarquer auprès de tes copains de Versailles.

— Tu me connais, ironisa-t-elle. Je comptais justement leur faire voir du pays, aujourd'hui.

— Mollo sur le disco, Mage ! Ah, et pendant que j'y pense, le juge nous a filé la commission. Y a Pierre et Valérie qui planquent devant chez ton pote, je leur ai dit de vous laisser tranquilles cet après-midi. Donc pense bien à me prévenir quand tu reviens sur Paris.

— O.K. !

— Super ! Je te laisse te rendormir, la bise !

17

Le rendez-vous avec l'agence de location devait avoir lieu porte de Saint-Cloud. Magalie avait insisté pour prendre un taxi, cherchant à simplifier la filature en mâchant le travail de ses collègues de Versailles. Si elle voulait qu'ils la suivent, il leur fallait donc avoir leur voiture. Elle eut tout le mal du monde à convaincre Jeff qui s'obstinait à vouloir prendre le métro à la station Buzenval, prétextant que la ligne 9 les mènerait d'une traite à bon port. Il ne comprenait pas l'entêtement de Magalie, qui n'eut d'autre choix que d'invoquer son asociabilité volontairement exagérée à laquelle venait se mêler une pointe de claustrophobie. Elle l'emporta en lui rappelant que de toute façon, c'est elle qui payerait la course.

Bien qu'ayant trouvé facilement un taxi disponible, c'est avec cinq bonnes minutes de retard qu'ils arrivèrent à la porte de Saint-Cloud.

Irritée par la nonchalance du chauffeur, Magalie sauta hors du véhicule sans demander son reste. Elle jeta un œil discret et fut rassurée de voir que les Versaillais avaient bien tenu la distance. Il fallait maintenant trouver l'agent immobilier. C'est sous le porche de l'église Sainte-Jeanne-de-Chantal que Magalie aperçut la jeune femme correspondant à la description. À l'abri de la fraîche bruine printanière, elle scrutait les badauds, espérant trouver ses clients parmi eux. Magalie alla à sa rencontre suivie d'un Jeff discret.

Les présentations furent brèves. L'agent immobilier les invita à rejoindre sa voiture et c'est en un rien de temps que tout ce petit monde se retrouva sur l'autoroute A13, direction le parc naturel régional du Vexin.

— Vous allez donc vous marier ? se réjouit la jeune femme.

— Oui, répondit Magalie.

— Félicitations ! Vous avez la date ?

— On est encore en pourparlers. On pense au mois d'août.

— Août ?... Il est effectivement temps de commencer à s'organiser, rit-elle.

— On va faire un truc simple entre potes. Mais on voulait une baraque suffisamment grande pour pouvoir héberger tout le monde.

— Je comprends, ça évite tout un tas de problèmes, acquiesça-t-elle.

— Ça fait longtemps que vous êtes dans le métier ? tenta Magalie.

— Quelques années, oui.

— Et toujours pour Leisure House ?

— Non, avant je travaillais dans une agence de voyages organisés.

— O.K... Et ça fait combien de temps que vous travaillez pour Leisure House ?

La question surprit la jeune femme.

— Ça fera six ans au mois de septembre.

— Oh ? s'exclama Magalie avant de se retourner vers Jeff. Elle connaît peut-être ton ami ?

— Peut-être, oui, murmura-t-il.

— Comment ça ?

— On connaissait quelqu'un qui travaillait pour le même patron que vous. C'est d'ailleurs pour ça qu'on est là. Il a toujours dit le plus grand bien de votre agence.

— Comment s'appelle-t-il ?

— Baptiste Vinici. C'est ça, chéri ?

— Oui, répondit Jeff timidement, surpris du sobriquet.

— Vinici ? Non... Ça ne me dit rien.

— Les bureaux sont si grands que ça ? sourit Magalie.

— Non, pas du tout même, bien au contraire.

Magalie voyait ses espoirs fondre comme neige au soleil. Elle était sans doute tombée sur l'agent immobilier la moins loquace de la place de Paris… à son grand désarroi.

— J'ai vu sur votre site que vous aviez beaucoup de maisons en location.

— Oui, effectivement.

— Et dans beaucoup de régions aussi.

— Oui.

— Vous devez toujours être en vadrouille. C'est une chance que vous ayez pu vous libérer si rapidement.

— Moi, je ne m'occupe que de Paris et de ses alentours.

— Un gros morceau, dites-moi. Vous êtes seule ?

— Non, sourit-elle. Rassurez-vous. Le parc immobilier de la boîte est réparti entre plusieurs agents.

— Oh, c'est sans doute pour ça que vous ne connaissez pas Baptiste ?

— Si votre ami travaille sur Paris, c'est qu'il doit être dans un autre secteur que celui de la location.

— Malheureusement, il ne travaille plus. En fait il… il s'est suicidé, il y a quelques années.

— Oh mon Dieu, se désola la jeune femme.

— Non n'ayez crainte, il était gravement malade. C'est sans doute un mal pour un bien.

— Oh !

— Ça aurait quand même été très drôle que vous vous soyez fréquentés, sourit Magalie.

— Effectivement ! Ça ne me dit rien, pourtant. Il devait être dans le secteur logistique.

— Logistique ? se renseigna Magalie.

— Oui, moi je m'occupe des visites et des contrats. La logistique se charge d'ouvrir et fermer les maisons. On bosse pour le même patron, mais on ne se croise quasiment pas. Une fois les vérifications faites et le contrat signé, c'est la logistique qui s'occupe de tout.

— Et vous me dites que c'est une petite boîte, la taquina Magalie.

— Ah non, je ne vous ai pas dit que c'était une petite boîte. Je vous ai dit que les bureaux n'étaient pas grands, rectifia-t-elle tout sourire.

Lorsque Valérie et Pierre arrivèrent au 304, ils y trouvèrent le reste du groupe en plein debriefing sur l'agence de location Leisure House.

— Tout s'est bien passé ? s'enquit Judith.

— Oh ben oui ! Heureusement que tu as eu la présence d'esprit de nous envoyer un SMS, sans quoi on y serait encore.

— Faut m'écouter quand je parle ! Ce matin, je vous ai dit de décrocher dès qu'il serait en compagnie de Magalie.

— D'accord, mais on l'a pas vu, ton loustic.

— Comment ça, vous ne l'avez pas vu ?

— On a planqué devant son hôtel, mais il n'y était déjà plus, répliqua Valérie.

— Comment ça ?

— On est arrivés chez lui à 9 h 30 passées, s'immisça Pierre. J'imagine qu'il était déjà sorti.

— Ah ? s'étonna Judith. Pas grave, il est entre de bonnes mains à présent.

— Et sinon pour Magalie… Je confirme : elle a toujours Versailles aux fesses !

— Oui, je sais, elle vient de m'envoyer un texto. Elle balade tout ce beau monde du coté du Vexin, se réjouit-elle.

— Et ça se passe bien ?

— Elle a été des plus brèves dans son message… Sinon Yann vient de nous faire un petit topo sur la boîte, vous verrez ça plus tard avec lui. En attendant, on les a appelés, le gérant ne peut nous recevoir qu'à compter de lundi. On va devoir prendre notre mal en patience d'ici là. Je vous propose donc de reprendre les recherches. On devrait peut-être se recentrer sur Hanin ?

— Je serais bien allée rendre visite à un thanatopracteur, juste pour me faire une idée du matos qu'il faut pour faire un travail digne de ce nom, proposa Marion.

— Fais bien ce que tu veux. En revanche, essaye d'être là pour 17 heures. Il faudra reprendre la filature de Bonnet.

— J'espère être là bien avant.

— Yann ? s'enquit Judith.

— Je suis en train d'entrer des alertes dans la base de données.

— Des alertes... de quoi ? s'étonna Judith.

— J'ai là une liste des divers employés et personnes ayant un rapport avec Leisure House. On ne sait jamais, des fois qu'il y en ait un qui aurait eu maille à partir avec la justice...

— Bien sûr, Yann, le charria-t-elle. Pour pédophilie, par exemple ?

— Et pourquoi pas ! Qui ne tente rien n'a rien, s'offusqua-t-il.

— Ouais, d'accord, se moqua Pierre. Un taf de planqué, quoi ! Valérie, tu me suis sur Hanin ? Yann préfère les machines aux humains, on va le laisser tranquille ?

— D'accord.

— Super ! Vous ne serez pas trop de deux. La pile sur le copieur, ce sont les retranscriptions de ses écoutes. À vous l'honneur !

— *God!* Mais quelle idée m'a pris ? regretta Pierre. *I'm so sorry*, Valérie, s'excusa-t-il.

— Pas de souci, faut bien que quelqu'un s'y colle de toute façon.

— Comme tu dis... Yann, c'est bon ! Tu peux lâcher tes alertes, on s'occupe de la corvée, s'amusa-t-il encore.

Yann, concentré à son poste de travail, n'entendit pas la boutade et continua de faire danser ses doigts agiles sur le clavier.

— Et toi, Fabrice ? s'informa Judith.

— On peut aller se boire un canon ! Il est bientôt 15 heures, c'est l'heure de l'apéro, non ?

— On pourrait, oui, rit-elle. Après tout, c'est le week-end.

— ... Vous vous foutiez de ma gueule, non ? intervint Yann triomphant.

— Oui je te disais que tu pouvais revenir parmi nous, sachant qu'avec Valérie on est sur les écoutes ! insista Pierre.

— Quoi ?

— Non rien, laisse tomber ! se résigna-t-il. Retourne jouer avec tes machines !

— J'ai rien compris... Enfin bref! Vous vous moquiez... Eh bien sachez que depuis hier soir, l'expert-comptable de Leisure House est porté disparu.

— Quoi ? se précipita Judith.

— « Disparition inquiétante », c'est écrit juste là, souligna-t-il de son index, un sourire radieux lui fendant le visage.

— Décidément !

— Alors, Pierre... *Who's the master?*

— Où a été déposée la plainte ? poursuivit Judith.

— Dans le 17e.

— On est partis, Fabrice ?

— Super ! Je connais un petit troquet dans le coin, on s'y arrêtera pour boire un godet ?

La maison était splendide. Perdue au beau milieu d'un terrain boisé de six hectares, cet ancien corps de ferme avait entièrement été rénové, et ce dans les règles de l'art. L'investissement avait dû être considérable, mais le résultat était des plus époustouflants. L'architecte était parvenu à rendre à cette grande bâtisse son âme originelle sans pour autant la priver de tout le confort qu'offrent le luxe et la technologie contemporaine.

Immense, son unique étage était doté de treize chambres, chacune ayant hérité d'un style bien particulier et toutes pourvues d'une salle de bains privative. Quant à son rez-de-chaussée, il alignait subtilement deux grands salons, une bibliothèque colossale et une gigantesque salle à manger qui expliquait à elle seule les dimensions extravagantes de la cuisine.

— Waouh, c'est... très joli ! Très grand aussi, s'extasia Magalie impressionnée.

Elle attrapa son téléphone et se mit à prendre des photos. Jeff l'imita.

— Oui, pour moi c'est l'une de nos plus belles maisons. Elle est certes un peu chère mais vous y trouverez tout le confort nécessaire, et attendez de voir le jardin.

— Ça va, chéri ? s'enquit Magalie voyant Jeff perplexe, son téléphone à la main.

— Euh... se figea-t-il. Je n'arrive pas à prendre de photos avec ce truc.

— Haha, passe voir. C'est moi la geek du foyer, expliqua-t-elle à la jeune femme. Tiens, ça devrait être bon comme ça, conclut-elle en lui rendant son téléphone. Et sinon, la maison ? T'en penses quoi ?

— Jolie ! Très jolie.

— Veuillez m'excuser un instant. J'ai là trois appels de mon patron, en moins de deux minutes. C'est que ce doit être urgent.

Elle s'éloigna, laissant Magalie et Jeff en tête-à-tête.

— C'est raté, lui murmura-t-il.

— Hmm, s'avoua-t-elle.

— À moins que tu veuilles qu'on loue une maison pour croiser les gars de la logistique.

— Vu le prix des baraques, je préfère m'abstenir.

L'agent revint de sa conversation la mine un peu déconfite.

— Écoutez, je suis sincèrement désolée, mais je vais devoir retourner à Paris sur-le-champ.

— Oh ? Et pour le jardin ? Et pour les autres maisons ?

— Je ne vais pas pouvoir vous en faire la visite aujourd'hui. Il nous faut partir au plus vite, finit-elle d'un ton pressé.

— Mais...

— ... Je suis désolée ! Maintenant si vous voulez bien me suivre, insista-elle avant de sortir de la pièce.

Nos deux faux fiancés se regardèrent pantois mais n'eurent d'autre choix que de se soumettre à la volonté plus que pressante de la jeune femme.

À leur arrivée au poste du 17e arrondissement de Paris, Judith et Fabrice furent reçus par l'officier qui avait enregistré la plainte de la femme du comptable pour disparition inquiétante. L'homme était de toute évidence une très jeune recrue, car en voyant la plaque de Judith il eut tout le mal du monde à cacher son admiration pour la brigade criminelle ou peut-être pour son mythe.

— Pourriez-vous, s'il vous plaît, nous sortir le procès-verbal ?

— Tout de suite, commandant ! s'exécuta-t-il impressionné par l'aplomb de Judith.

— Qui est venu déclarer la disparition ? demanda Fabrice.

— Sa femme et son associée. Enfin, l'associée de monsieur Nataf, rectifia-t-il.

— Il va nous falloir leurs adresses…

— … J'ai tout ce qu'il te faut dans le P.V., Fabrice, le coupa Judith. Quelqu'un s'occupe du dossier ? demanda-t-elle à l'officier.

— Je ne pense pas, commandant. C'est-à-dire que généralement, on attend…

— … 24 heures. Je sais ! Très bien, merci pour toutes ces informations, dit-elle sur le départ.

— Que dois-je faire ?

— Comment ça ?

— On garde le dossier ?

— Oui, bien sûr ! On va juste rendre une petite visite à sa femme et à son associée, mais on vous laisse le bébé jusqu'à nouvel ordre. En revanche, appelez-moi s'il y a du nouveau.

— Très bien, commandant, lui répondit-il en attrapant la carte de visite que lui tendait Judith.

L'étude de l'expert-comptable se situait à quelques pas du commissariat dans le quartier dit des Batignolles. Même si peu convaincus d'y trouver âme qui vive un samedi après-midi, ils s'empressèrent de s'y rendre.

Ils sonnèrent et furent agréablement surpris en entendant le cliquetis de l'ouverture automatique du portail. Dans le hall, une plaque cuivrée indiquait que le cabinet se situait bâtiment B, au premier étage. Ils traversèrent la cour et gravirent les quelques marches à petites foulées. Une femme proche de la cinquantaine les attendait sur le palier.

— Bonjour, madame. Judith Lagrange, brigade criminelle de Paris...

— Oh mon Dieu ! s'écria la femme. C'est mon mari ? Vous avez retrouvé mon mari ? Mort ?

— Non, nous sommes là pour essayer de le retrouver justement, la rassura-t-elle.

— Dieu soit loué !

— Nous aurions quelques questions à vous poser... Si possible ?

— Bien sûr. Suivez-moi.

Ils suivirent la femme dans le cabinet, empruntèrent le long couloir central aux murs blancs immaculés et au parquet fraîchement ciré. L'hôte leur ouvrit la porte d'une petite salle de réunion, leur proposa de s'y installer et de bien vouloir patienter un court instant. Elle revint à peine deux minutes plus tard, accompagnée de l'associée de son mari.

La collaboratrice était de petite taille mais quelque chose dans son regard la grandissait. Il devait être bien difficile d'impressionner ce petit bout de femme.

Une fois les présentations faites, Judith entama l'audition sans prendre la peine de faire de détour.

— Est-ce que monsieur Nataf pourrait tremper dans des affaires... disons... peu légales ?

— Comment ? On vous annonce une disparition et vous le suspectez aussitôt de fraude ? Mais pour qui vous prenez-vous ? C'est tout simplement scandaleux ! Est-ce là où part l'argent de mes impôts ? s'emporta l'associée.

Judith, impassible, fixa l'expert comptable un court instant, comme pour lui signifier que ces simagrées n'avaient aucun impact sur elle, avant de reprendre calmement d'un ton monocorde.

— Écoutez, il n'y a que très peu de raisons à une disparation. Les principales étant la peur, l'argent et le sexe... il y en a d'autres mais elles sont bien souvent du même acabit. Alors ne m'en veuillez pas d'être directe. Je peux, bien évidement, si vous le préférez, vous faire perdre votre temps avec la forme... Oui, je sais aussi le faire, lui sourit-elle. Mais sachez que ces questions vous seront posées quoi qu'il arrive. Alors ? Doit-on mettre toutes les chances de notre côté pour retrouver votre associé au plus vite ? Ou dois-je perdre un temps précieux en appliquant les règles de la bienséance à cet entretien ?

— Veuillez m'excuser, se calma aussitôt la jeune femme. Pour répondre à votre question initiale, pas à ma connaissance.

— Et vous madame, lui connaissez-vous... des aventures ? reprit le commandant.

— Je ne pense pas, non. Mais vous savez ce qu'on dit... La femme est bien souvent la dernière au courant.

— Une chose est sûre, il ne s'agit pas d'un abandon de domicile. Sa disparition n'a rien à voir avec une conquête ou que sais-je encore, intervint l'associée.

— Vous semblez bien sûre de vous, madame ?

— Je le suis ! Si je me suis inquiétée, c'est qu'hier il a manqué une réunion extrêmement importante. J'ai cherché à le joindre tout l'après-midi... en vain. On travaillait comme des acharnés sur ce dossier et ce depuis des mois. Il n'aurait jamais planté l'affaire si près du but.

— Attendez... vous dites hier après-midi ? Je croyais qu'il avait disparu en soirée, s'étonna Fabrice jusque-là silencieux.

— Non ! On avait une réunion, ici même, à 16 heures. Réunion qui a fini aux alentours de 19 heures. Je l'ai rappelé une énième fois et quand j'ai vu que je tombais encore sur messagerie, j'ai décidé d'appeler madame, ici présente. Mais tout ça, je l'ai déjà raconté à vos collègues.

— Après avoir appelé les hôpitaux, on a un peu attendu, reprit l'épouse. Mais à 22 heures, ne le voyant toujours pas revenir, je suis partie au commissariat.

— Et je l'y ai rejointe.

À Neuilly, dans l'une des petites rues du quartier très sélect coincé entre la Seine, le Jardin d'Acclimatation et le bois de Boulogne, les riverains les plus curieux avaient pu, en ce samedi après-midi, remarquer le drôle de manège qui menait de belles voitures aux vitres teintées derrière le haut portail vert du numéro 5 où vivait un juge d'instruction de Nanterre, très secret.

Le magistrat avait profité de l'absence de sa femme, partie en vacances une semaine à Saint-Martin, pour offrir à ses sulfureux camarades un endroit discret où pourrait avoir lieu cette réunion de crise improvisée.

Étaient présents tous les cadres de Leisure House, à savoir les deux créateurs et uniques actionnaires de la structure, mais aussi son gérant, son responsable de la sécurité informatique, le manager immobilier et l'hôte en la personne du juge d'instruction.

— J'espère que vous avez bien tous suivi les règles ? vérifia le responsable de la sécurité.

— Oui, répondirent-ils à l'unisson.

— Pas de téléphone, pas de GPS pour venir, pas de chauffeur ?... Rien ?... Très bien, on va pouvoir commencer, alors !

— Il manque pourtant Nataf et Hanin, s'enquit le patron de la grande firme automobile.

— Hanin ne viendra pas, il pense être suivi. Quant à Nataf, il est introuvable, les informa le gérant.

— Comment ça, introuvable ? Il faut qu'il apprenne à se rendre disponible, celui-là ! J'ai moi-même dû annuler une opération à la Salpêtrière cet après-midi. Quels sont ses motifs ? s'agaça le neurologue.

— Il n'y en a pas. Il est juste introuvable !

— Doit-on s'inquiéter ?

— Je pense que oui, intervint le juge. Lorsque tu m'as appelé, j'ai fait une rapide recherche dans le fichier central et y ai trouvé un dépôt de plainte à son nom pour une disparition inquiétante. Au vu des derniers événements, je crains que Nataf ne soit plus de ce monde ! Probablement victime du détraqué qui nous réunit ici aujourd'hui.

Tous se regardèrent, incrédules.

— Quelqu'un peut-il m'expliquer ce bordel ? Pourquoi n'a-t-on toujours pas mis la main sur ce barbare ? gronda soudainement le grand patron.

— C'est le 36 qui est chargé de l'affaire, expliqua le juge.

— Et ?

— Et on n'a plus personne au 36, ajouta l'hôte.

— Donc on laisse des impotents se charger de notre protection ! C'est ça, votre plan ?

— J'ai déjà eu à instruire des affaires avec ce groupe. On peut les qualifier de beaucoup de choses, mais certainement pas d'impotents.

— Eh bien, qu'attendent-ils alors pour lui mettre la main dessus ?

— Ils n'attendent pas ! Ils sont même en très bonne voie. Le problème, c'est qu'on est en plein dans leur ligne de mire.

— Comment pourraient-ils remonter jusqu'à nous ? se renseigna le neurologue.

— Aucune idée, intervint le gérant. Mais leur chef de groupe m'a appelé plus tôt dans la journée pour me demander un rendez-vous en début de semaine prochaine.

— Quoi ?

— Pour le moment, ils n'ont rien ! les rassura aussitôt l'informaticien. Mais cette nuit, le site a subi une tentative d'intrusion et visiblement l'attaque venait du 36.

— Quoi ? Mais pourquoi je te paye ? s'emporta le P.-D.G automobile.

— J'ai dit tentative. Le site a tenu bon ! Il a directement migré à une autre adresse. Il est hors d'atteinte, maintenant !

— La question est : comment ont-ils trouvé l'adresse ?

— J'imagine que Rugier ou Depino n'ont pas correctement suivi la procédure, laissant des traces dans leur machine. Mais ça, moi, je n'y peux rien. Si les adhérents ne suivent pas les consignes, que puis-je faire ? se désola le responsable de la sécurité informatique.

— Mais quelle bande de bras cassés, ces deux-là ! Il faut immédiatement envoyer une alerte à tous ces idiots et leur rappeler les instructions !

— C'est chose faite !

— Très bien. Qu'y a-t-il de prévu au planning pour les jours à venir ?

— Il y a quatre locations en cours qui se finissent demain soir, répondit le manager de l'immobilier.

— En revanche la semaine prochaine, il y a la mensuelle, leur rappela le gérant.

— Où se joue-t-elle ?

— À Fontainebleau.

— Combien sont-ils ?

— On a... sept participants, lui répondit-il en vérifiant ses fiches.

— Il faut l'annuler.

— C'est impossible !

— Pourquoi ? La marchandise est-elle déjà sur place ?

— Non, les gamins sont encore en Roumanie, mais...

— ... Eh bien qu'ils y restent. On annule tout !

— Comment vais-je expliquer ça aux adhérents ?

— Tu te démerdes ! gronda le P.-D.G.

— Excuse-toi et offre-leur un bonus à leur goût, lui proposa le neurologue plus calmement.

— M'excuser? Ils ont tous leurs cotisations à jour et viennent de payer la coquette somme de six mille euros par tête pour la mensuelle.

— S'ils te cherchent des poux, rembourse-les et n'oublie surtout pas de les radier. S'ils ont un minimum de jugeote, ils comprendront facilement les risques du métier.

— Que dois-je leur dire? Quand reprendra-t-on les activités?

— Ce n'est pas le problème pour le moment. Tu les rembourses, tu leur dit de rester tranquille. Dès qu'on en saura plus, on les recontactera. Maintenant ce que je voudrais savoir, c'est comment l'autre psychopathe a eu les noms de Rugier, Depino… et Nataf?

Nul ne put répondre.

— Mais à quoi servez-vous?… Juge, une idée?

— Il y a le secret de l'instruction, pour le moment je n'en sais pas plus, balbutia l'hôte de la maison.

— Sécurité?

— J'ai tout vérifié quinze fois, hormis la tentative d'hier soir il n'y a pas eu d'intrusion suspecte. Je ne sais pas comment ce type a trouvé leur identité. Je n'ai aucune explication!

— Quelqu'un est-il foutu de m'en donner une, d'explication? J'arrose la France entière, et personne n'est capable de nous donner la bonne information!

— Il faut vraiment tout mettre en stand-by et pas seulement la mensuelle. Tout! lui murmura son associé. Quitte à ce qu'il y ait des mécontents, il faut tout arrêter sur-le-champ.

L'homme d'affaires se leva de table et s'offrit quelques secondes de réflexion à l'écart du groupe, face à la fenêtre donnant sur le jardinet.

— Il faut que le site disparaisse de la toile. Tu me le clôtures au plus vite, revint-il décidé.

— C'est impensable, si le comptable était là…

— ... D'après ce que je viens d'apprendre, mon comptable est probablement mort. Il faut sauver ce qu'il reste à sauver. Et là, c'est de nos vies dont je vous parle.

— Et puis lequel d'entre eux irait porter plainte? enchérit tout sourire le neurologue.

— La balance commerciale est ultra-fragile, intervint le gérant. La marchandise est achetée, l'acheminement totalement payé...

— ... Et avec nos derniers investissements immobiliers, autant vous dire que l'équilibre est précaire, ajouta le gestionnaire du patrimoine.

— Précaire? S'il me faut vendre une maison, je la vendrai. Et s'il me faut toutes les vendre, je le ferai aussi. Est-ce clair?

— Très clair, monsieur.

— Au 36, qu'ont-ils sur nous? poursuivit le grand patron.

— À ma connaissance, rien de probant.

— Juge, peux-tu récupérer le dossier d'instruction?

— J'exerce à Nanterre, je ne peux pas intervenir sur Paris, expliqua l'hôte. Et quand bien même, il faudrait pouvoir destituer le juge en place.

— Tu as un ami à Vendôme, non? demanda le neurologue à son associé.

— J'avais... Le dir-cab oui, mais je te rappelle que le gouvernement vient de sauter. Je vais quand même voir si je peux faire jouer une autre de mes connaissances. Je vous tiendrai au courant. En attendant, on stoppe tout! L'acheminement de la marchandise ainsi que les locations aux adhérents. Tout! Je veux que tout disparaisse!

— Fermer le site en surface serait une énorme connerie, s'inquiéta le responsable informatique.

— Mais qui te parle de ça, sombre idiot. Bien au contraire, on va lancer une campagne de pub. Il faut nous ramener un maximum de bétail de façon à submerger la flicaille d'informations bidon. Mettez en place une promo spéciale pour cet été, et blindez-moi toutes ces baraques avec des prix défiant toute concurrence.

— Il faut bien faire comprendre à nos adhérents que la situation est très critique, enchérit le neurologue. On reprendra les activités quand on sera hors de portée et surtout hors radars. Pas avant ! En attendant, combien nous reste-t-il de marchandise sur le territoire ?

— On a deux garçons en fin de course et trois filles encore potables, répondit le gérant.

— Il s'agit là des locations en cours ?

— Oui.

— Nous n'avons que cinq gamins sur le territoire ? C'est parfait !

— Oui, les autres devaient arriver courant de semaine prochaine.

— Eh bien débarrassez-vous-en au plus vite. Vous me cleanez tout ça pour demain.

— Comment ça ? Les gamins sont en location pour le moment ! On va quand même pas débarquer et couper court à la petite sauterie ? Les adhérents vont hurler.

— Sachant que pour le moment rien ne presse, on peut peut-être laisser courir jusqu'à demain soir ? proposa le neurologue à son associé.

— Très bien ! Mais dimanche soir, je veux que tout disparaisse. Tu te débarrasses de la marchandise et tu me nettoies les maisons au Kärcher !

— O.K. ! Et je mets en stand-by le recrutement et l'acheminement dès ce soir.

— Parfait ! Par ailleurs, il va nous falloir prévenir tous nos membres des risques qu'ils encourent. Car tant que ce malade se balade dans la nature, aucun d'entre nous n'est à l'abri !

— Je m'en occupe, se proposa le responsable informatique. Je leur enverrai un avertissement codé juste avant de fermer le site.

— Bien ! Cela étant géré, je vous invite à être plus que prudents. Nous ne nous reverrons pas de sitôt, alors dès que l'un d'entre nous trouve quelque chose, veuillez en informer le reste du groupe…

— … Il y a un autre problème, intervint le juge d'instruction.

— Quel genre de problème, encore ? gronda le patron lassé par les mauvaises nouvelles.

— L'affaire Van den Brake !

— L'affaire quoi ?

— La fille du croque-mort, lui rappela le neurologue.

— Oui et ? Cette affaire a plus de vingt ans, pourquoi y aurait-il encore un problème ?

— J'ai appris par Demaurie, le commissaire divisionnaire de Versailles, que Bonnet était sorti de prison, il y a quelques semaines.

— Et en quoi est-ce inquiétant ?

— Il semble bien décidé à prouver son innocence maintenant qu'il est dehors.

— Je lui souhaite bien du courage, ricana le neurologue.

— Bonnet a réussi à convaincre une capitaine de la crim' de sa bonne foi. Et maintenant, cette dernière s'obstine à retourner ciel et terre pour prouver son innocence. D'après Demaurie, elle met son nez partout et surtout là où elle ne devrait pas.

— Et qu'attend cet idiot de Demaurie pour intervenir ?

— Il l'a placée sous surveillance. C'est d'ailleurs comme ça que je viens d'apprendre qu'ils étaient en train de visiter notre maison du Vexin.

— Quoi ? rugit le patron effaré.

— Le nécessaire a été fait, intervint aussitôt le gérant. J'ai fait appeler l'agent sur place. Ils sont à présent de retour sur Paris.

— Le plus inquiétant est que ce capitaine fait partie du groupe chargé de l'affaire.

— Mais c'est quoi ce foutoir ? Vous allez dire à Demaurie qu'il a 24 heures pour me régler le problème. Pas une minute de plus ! Est-ce clair ?

— On parle d'un capitaine de police, là ! s'indigna le juge. Il faut marcher sur des œufs, sinon on va se retrouver avec la brigade sur le dos.

— Je m'en contrefous ! Réglez-moi le problème. Rappelez à cet abruti de Demaurie que c'est à moi qu'il doit le siège qu'il occupe. Ce que je fais, je peux aisément le défaire ! Je me fous de la forme, demain cette affaire est réglée.

Le retour fut extrêmement rapide. Magalie tenta à plusieurs reprises de comprendre le subit empressement de la jeune femme… en vain : celle-ci s'entêtait à lui répondre de façon évasive jusqu'à finir par ne plus lui répondre. À l'arrière du véhicule, bercé par la monotonie de la route, Jeff s'était endormi, abandonnant Magalie dans ce tête-à-tête silencieux dont elle se serait volontiers passée. Gênée par la situation, elle attrapa son téléphone pour se donner bonne figure et fut surprise de constater que Cathy avait cherché à la joindre à deux reprises sans pour autant lui laisser de message. *Je l'appellerai plus tard,* pensa-t-elle avant de rédiger un court texto à Judith pour l'informer de son imminent retour sur Paris.

L'employée de Leisure House avait tout de même eu la sympathique idée de déposer Jeff et Magalie à la sortie du périphérique, porte de Bagnolet, les rapprochant considérablement de leurs domiciles. Magalie proposa à Jeff de redescendre la rue à pied, toujours dans l'optique de faciliter la filature de ses collègues de Versailles qu'elle savait toujours derrière elle. Encore amorphe de sa micro-sieste, Jeff se traînait.

— Fatigué ? lui sourit Magalie, pensant à sa soirée avec Cathy.

— Épuisé, oui ! Je dois couver un truc.

— Refais une sieste en arrivant chez toi.

— Hmm… J'ai peur de ne plus dormir cette nuit, si je fais ça.

— Tu t'en fous, t'es en week-end.

— Magalie… Je suis toujours en week-end !

— Ça… ça ne tient qu'à toi, bonhomme !

— Pas faux ! Et sinon, t'as pu avoir une explication sur ce retour précipité ?

— Pas la moindre ! C'est quand même super chelou cette histoire.

Il leur fallut un petit quart d'heure pour arriver au croisement avec la rue Ligner où ils se séparèrent après s'être donné rendez-vous pour un verre plus tard en soirée.

Une fois à la maison, Magalie tenta de joindre Cathy. Personne !

— Alors ? s'impatienta Yann.

— Son associée a constaté sa disparition hier à 16 heures, l'informa Fabrice.

— Qu'est-ce qu'elle vous a dit ?

— Elles sont formelles, il ne s'agit pas d'un abandon de domicile, renchérit Judith.

— Et au vu de ce qu'elles nous ont appris, je partage leurs avis, abonda Fabrice.

— Faut-il s'attendre à la découverte d'un autre corps dans les heures à venir ? s'inquiéta Yann.

— J'en ai bien peur, oui, se désola son commandant. Et de ton côté, quoi de neuf ?

— Oh pas grand-chose ! On est sur les retranscriptions de Hanin avec Marion. Moi, je ne trouve rien de suspect…

— … Rien non plus de mon côté, abrégea-t-elle. En revanche, tu sais, je t'ai dit que j'allais voir un thanatopracteur…

— Oui…

— Eh bien il m'a montré le matériel utilisé. C'est en fait super transportable. Ça tient en trois valises. Ils ont d'ailleurs pour habitude de pratiquer l'opération chez le défunt. Certains louent des locaux mais ils se sont rendu compte que pour les familles, c'est souvent plus pratique et plus confortable de le faire à domicile. Il suffit d'une pièce avec fenêtre. L'opération prend entre trois et six heures en fonction de l'état du corps. Pour lui, le plus galère dans un cadre illégal est de se procurer les produits mais aussi de s'en débarrasser.

— S'en débarrasser ?

— C'est ultra-toxique, ils sont considérés comme déchets à risque infectieux. Ils doivent être collectés plus ou moins rapidement.

— Ça n'arrange pas nos affaires qu'ils puissent faire ça partout, se dépita Fabrice.

— C'est sûr. Ce qu'on prenait pour une piste ne nous sert en fait à rien.

— On verra bien. On ne va pas se démotiver sinon on n'est pas sortis d'affaire… Des nouvelles de nos deux loustics ? s'enquit Judith.

— Suite à ton message, ils sont partis chez Bonnet, pas plus d'informations depuis.

— Très bien. Continuez sur Hanin, Fab et moi on s'occupe du comptable…

— On n'a pas encore de corps !

— Si on est sur la bonne piste, cela ne saurait tarder. C'est pourquoi il faut s'occuper au plus vite de la victimologie. Ça pourrait nous faire gagner un temps précieux.

— T'as sans doute raison, d'autant que j'imagine que le *modus operandi* sera le même…

— C'est exactement ça, oui. Bref, j'appelle le juge pour la commission rogatoire. Toi, prends de l'avance et appelle les opérateurs téléphoniques. Demande-leur le bornage de son téléphone pro et perso.

— Hum… On a le droit de rêver… J'en profite pour demander les fadettes et la retranscription des messages, j'imagine ?

— *Of course, my dear !*

18

Ce n'est qu'à la troisième sonnerie que Magalie daigna ouvrir les yeux. Elle mit trois secondes de trop à réaliser ce qu'il se passait : l'appel bascula sur sa messagerie. Il lui fallut une minute de plus pour réussir, à force de volonté, à extirper son bras du lit pour s'emparer de son portable. Ses yeux engourdis par le sommeil ne lui laissèrent pas déchiffrer le nom de la personne qui, sans le moindre scrupule, avait osé la réveiller un dimanche de si bon matin. Elle se massa les paupières, espérant améliorer sa visibilité – en vain, car elle n'eut pas le temps de mettre un nom sur le coupable que le Smartphone se remit à tinter. Elle se racla la gorge et décrocha.

— Mage, je te réveille ?

— Décidément… C'est ton nouveau passe-temps ? Il est quelle heure ?

— Huit heures passées ! Je suis désolée mais il faut se lever. On vient de retrouver un corps dans le 17e, l'informa Judith.

— Ah ? Mais je croyais que tu ne voulais pas que je fasse de terrain ?

— Toutes proportions gardées. Les scènes de crimes sont autorisées, enfin si t'es toujours intéressée pour reprendre ton poste aujourd'hui ?

— Euh… Oui, oui bien sûr. Je pensais commencer demain, en fait. Mais c'est cool, c'est juste que là… Tu me laisses combien de temps ?

— Celui qu'il te faudra. Je t'envoie l'adresse par texto, rejoins-nous dès que tu peux.

— O.K., je fais au plus vite.

— Bon réveil et bonne rentrée, copine, lança Judith visiblement heureuse de son retour au 36.

Épuisée, elle se laissa retomber dans le lit et se recouvrit machinalement le visage de son épaisse couette. Droguée par la fatigue, elle s'abandonnait de nouveau aux bras de Morphée lorsque son téléphone vibra, lui indiquant qu'elle avait reçu un message. *Pas de connerie,* pensa-t-elle toujours noyée dans ses draps. *Faut que je me lève. Grr, j'aurais bien dormi quelques heures de plus.*

Judith avait invité le reste du groupe à la rejoindre au 17 rue des Moines dans le 17e arrondissement, à l'exception de Marion et Fabrice qui planquaient toujours devant l'hôtel de Jeff.

Le bâtiment hébergeait en son rez-de-chaussée une boulangerie. La bonne odeur de pain chaud aiguisa l'appétit du commandant, qui s'était contentée d'un expresso en guise de petit déjeuner. Elle s'offrit donc le temps de s'acheter un croissant en attendant l'arrivée de ses collègues. *Après tout, le comptable n'est plus à deux minutes près,* pensa-t-elle. Elle dégusta sa viennoiserie encore luisante sur le trottoir face à la porte de l'immeuble, profitant du soleil matinal de cette belle journée de printemps, et alors qu'elle croquait dans la demi-lune à pleines dents, elle aperçut Yann sortir de l'immeuble.

— Ben ? bafouilla-t-elle la bouche pleine. T'es déjà là ?

— J'habite à deux rues moi aussi, lui sourit-il.

— Ah oui c'est vrai, t'as déménagé. Je t'offre un truc en attendant les autres ? lui proposa-t-elle voyant le garçon lorgner sur son croissant.

— Non, merci.

— Hum, j'ai préféré le manger avant de voir le corps de notre client, je me suis dit qu'après le bain de sang, je n'en aurais sans doute plus trop envie, lui avoua-t-elle.

— Il y a certes un cadavre, mais pas de bain de sang aujourd'hui, sourit-il.

— Comment ça ? demanda-t-elle, manquant de s'étouffer.

— Je sais pas trop quoi te dire, il est juste… mort. Le légiste opte pour une crise cardiaque.

— Une crise cardiaque ? Mais qu'est-ce qu'on fait là, alors ?

— Tu leur as demandé de nous appeler si on retrouvait Nataf. C'est chose faite !

— Franck est là-haut ?

— Non, tu sais, les légistes ont droit à leur week-end, eux, la taquina-t-il. C'est un légiste d'astreinte. Jamais vu !

Magalie était parvenue à s'arracher du lit, non sans mal. Quelques étirements ainsi qu'une rapide douche avaient fini par la sortir définitivement de sa torpeur. Elle enfila un jean, un tee-shirt, sa veste en cuir orange, attrapa une pomme, croqua dedans, vérifia ses poches, re-croqua dans la pomme et sortit de chez elle avec l'intention de faire un petit détour par la rue Planchat, espérant y trouver ses collègues toujours en planque. La veille au soir, elle n'était pas parvenue à joindre Jeff. Ils s'étaient pourtant fixé rendez-vous au Piston à 20 heures lorsqu'ils s'étaient quittés et depuis… Pas de nouvelle. En passant devant la boulangerie, elle eut la riche idée d'acheter deux pains au chocolat accompagnés de deux cafés à emporter. Elle dévala la rue à grands pas, les cafés étant à deux doigts de lui brûler les mains. Elle passa devant le supermarché G20 et reconnut aussitôt la camionnette banalisée de la crim' garée sur les livraisons de l'enseigne. Elle toqua deux coups sur la porte latérale avant que celle-ci ne s'ouvre.

— Salut, les gnous, lança-t-elle, s'empressant de monter dans le véhicule.

— C'est pas sérieux, Judith, si les gars de Versailles te voient, on va se faire griller, lui lança Marion.

— On est dimanche, sourit-elle. Les mecs n'ont pas dû se réveiller car je ne les ai pas vus ce matin.

— Salut ! intervint Fabrice lorgnant sur ses mains. C'est pour nous, ce que t'as là ? s'enquit-il les yeux écarquillés.

— Et comment, sourit-elle. Avouez que je vous ai manqué ?

— Pour ce genre de choses c'est sûr, la taquina-t-il en se jetant sur le sachet imbibé d'huile.

— Quel goinfre ! Il a passé la nuit à grignoter et là on a l'impression qu'il n'a pas mangé depuis trois jours, se dépita Marion.

— Laisse-moi tranquille, fit-il mine de grogner. C'est la jalousie qui te fait parler.

— Et sinon ? Quoi de neuf ? s'informa Magalie. Des news de Jeff ?

— Rien. Il doit roupiller le gaillard, l'informa Fabrice, un bout de pâte feuilletée pendant à la commissure de ses lèvres.

— Oui, c'est un garçon des plus tranquilles, enchérit Marion. Il n'a pas bougé depuis qu'on est là. C'est une bonne nouvelle car on ne pourra pas lui mettre la mort du comptable sur le dos, pour le coup.

— Fabrice, t'as une pomme de terre sur la joue, l'informa Magalie avant de reprendre : c'est effectivement une bonne nouvelle. Quand tu dis qu'il n'a pas bougé... tu entends depuis hier soir ou depuis ce matin ?

— Depuis qu'on est là. Pourquoi ?

— C'est pas normal, se troubla Magalie. On avait rendez-vous hier soir, il m'a plantée et je n'arrive pas à le joindre depuis. Alors certes, il était fatigué, mais quand même. Ça ne lui ressemble vraiment pas. J'ai comme un mauvais pressentiment.

— T'inquiète, il doit juste roupiller. On est dimanche comme tu dis... Jour de grasse mat'... pour les vrais gens en tout cas, la rassura Fabrice qui avait pris soin de se nettoyer la bouche.

Magalie fixa la porte de l'immeuble à travers la vitre sans tain.

— Non, il y a quelque chose qui cloche, se décida-t-elle soudainement.

— Tu fais quoi, là ? s'étonna Marion alors que Magalie ouvrait la porte du camion.

Magalie ne répondit pas, descendit de la fourgonnette et referma la porte derrière elle, laissant ses deux collègues pantois. Elle traversa la rue prestement et s'engouffra dans l'immeuble. Une fois dans la cour, d'un pas ferme, elle entra dans l'hôtel. Elle salua l'étudiante qui dormait à moitié derrière son comptoir avant d'emprunter les escaliers. Elle monta les marches quatre à quatre et fut surprise de constater à quelle vitesse son corps se remettait de sa blessure. *Il y a à peine trois jours, j'en chiais grave*, sourit-elle. Une fois devant la porte de la chambre, elle frappa deux coups discrets. Après quelques instants, ne percevant aucun mouvement, elle reprit de plus belle... Toujours rien ! Son cœur s'était subitement mis à battre la chamade. Elle redescendit les marches... Quatre à quatre, et c'est, cette fois-ci, essoufflée qu'elle sauta sur la jeune femme de l'accueil.

— Jeff, vous l'avez vu ?

— Pardon ? sursauta la jeune femme.

— Jean-Francois Bonnet, votre locataire du deuxième, vous l'avez vu ce matin ?

— Euh non, balbutia-t-elle, ne sachant pas si elle était habilitée à répondre. Vous êtes la première personne que je vois de la journée, pour tout vous avouer.

— Et hier ?

— Je... Je ne sais pas, je n'étais pas là, hier.

— Il me faut les clefs de sa chambre, lança Magalie sans plus d'explications.

— Pardon ?

— J'ai besoin des clefs de sa chambre, vous devez bien avoir un double, non ?

— Oui, mais je ne pense pas avoir le droit de le donner à n'importe qui.

— Vous m'avez déjà vue avec Jeff... Écoutez, il y a urgence, là. J'ai besoin de ce double.

— Et moi je ne vous le donnerai pas, se figea la jeune femme en attrapant discrètement son téléphone. Je n'en ai pas le droit et je ne veux certainement pas en prendre la responsabilité, conclut-elle fermement.

— O.K., je la refais. Je suis de la police et j'ai besoin que vous m'ouvriez cette putain de porte. Tout de suite !

— De la police ? s'étonna la jeune fille incrédule. Eh bien prouvez-le moi !

— Quoi... Que je quoi ? Mais je... Putain de bordel de merde, s'emporta Magalie avant de sortir de l'hôtel sans crier gare.

La jeune étudiante resta là, figée, paralysée même, se disant qu'elle n'était sans doute pas assez payée au vu des risques du métier. Elle jeta un coup d'œil à son bureau et se demanda ce qu'elle aurait bien pu y attraper s'il avait fallu qu'elle se défende. Un peu choquée et maintenant totalement réveillée, elle fit le tour du comptoir pour se servir un verre d'eau fraîche à la fontaine. La gorge serrée, elle en avala une lichette. Le breuvage frais dégoulinant le long de sa trachée lui fit le plus grand bien. Elle jeta un œil à l'horloge, il était neuf heures passées. *Bientôt l'heure de la quille,* pensa-t-elle. Et alors qu'elle portait à nouveau le gobelet à sa bouche, la porte se rouvrit brusquement derrière elle. Surprise par l'intrusion, elle sursauta et manqua de se renverser le reste d'eau sur le buste.

— Magalie Binet, capitaine à la brigade criminelle de Paris et voici ma collègue et sa plaque, puisqu'il vous en fallait une. On peut l'avoir cette foutue clef, maintenant, ou il va falloir qu'on défonce la porte ?

La jeune femme eut un geste de recul. Marion, qui ne manqua rien de la scène, posa la main sur l'épaule de Magalie comme pour la faire redescendre.

— Bonjour Mademoiselle, intervint-elle. Ma collègue ici présente est un peu fougueuse parfois, mais on lui donnerait le bon Dieu sans confession quand on la connaît. Si cela ne vous embête pas de bien vouloir nous accompagner dans la chambre de monsieur Bonnet, que l'on puisse s'assurer que rien ne lui est arrivé, cela nous simplifierait vraiment la vie.

— C'est-à-dire que je...

— Je comprends parfaitement votre position, c'est pourquoi je vous demande juste de nous ouvrir la porte et vous pourrez vérifiez nos poches en sortant si vous voulez, essaya-t-elle de plaisanter.

La jeune femme, presque soulagée, s'avança et vérifia le badge de Marion.

— Il pourrait être faux que je n'en saurais rien de toute façon, avoua-t-elle avant de faire le tour du comptoir.

Elle attrapa son trousseau sur le bureau, ouvrit le petit placard métallique plaqué sur le mur derrière elle, attrapa les clefs de la chambre et les tendit à Marion.

— Voilà vos clefs.

— Voulez-vous nous accompagner? lui proposa Marion alors que Magalie se jetait sur le porte-clefs.

— Ça ira merci, je vous fais confiance.

Dans le petit appartement du 17 rue des Moines, les techniciens de l'identité s'affairaient à prélever les maigres éléments que leur offrait la scène de crime. Le légiste d'astreinte, Rachid Benarbia, venait de finir l'examen du cadavre et se dégantait lorsque Judith entra dans la pièce suivie de Yann et de Valérie.

— Bonjour professeur, Judith Lagrange, commandant et chef de groupe à la brigade criminelle, lança-t-elle à l'attention du médecin.

— Commandant, la salua-t-il à son tour.

— Que pouvez-vous nous apprendre sur les circonstances de la mort, professeur...?

— Benarbia, mais appelez-moi Rachid. Eh bien de prime abord, je maintiens ce que j'ai dit à vos collègues de la DPJ qui ont trouvé le corps, il s'agit bien d'une mort naturelle. Mais il n'y a que la mort qui le soit, semblerait-il. Notre client a vraisemblablement été attaché au radiateur que voici, leur indiqua-t-il. Ses deux poignets nous montrent des traces significatives de ligature comme vous pouvez le voir juste là, pointa-t-il de son index.

— Au radiateur ? s'étonna Valérie.

— Pour le radiateur, ce sont les hommes de l'identité qui ont constaté, juste là, des traces sur les tuyaux. Et au vu de la disposition du corps, j'abonde dans leurs sens. Il a également, d'après mes premières constatations, été bâillonné. En somme, tout porte à croire qu'il a été maintenu de force au sol. Et ce pendant une durée indéterminée.

Feu le comptable de Leisure House, dont le visage était tiré de douleur, se trouvait dans une position fœtale à proximité du radiateur à eau, juste à gauche de la seule fenêtre que comptait la pièce. Il était en tee-shirt blanc, pantalon de costume et chaussures à lacets en cuir marron de marque Weston. Yann remarqua que sa chemise, sa cravate et sa veste avaient été jetées sur le fauteuil juste en face de lui.

— L'heure de la mort ? s'enquit Judith.

— Je dirais… il y a plus de 24 heures. Sans doute dans la nuit de vendredi à samedi. Je serai plus précis une fois l'autopsie pratiquée.

— Et de quoi est-il mort ? intervint Valérie.

— Une crise cardiaque. Enfin, toujours d'après mes premières constations, bien sûr. Je confirmerai tout ça dans la journée.

C'est un nœud au ventre que Magalie poussa la porte de la chambre. Jeff présentait tous les signes d'une sévère dépression, elle craignait que le jeune homme ait attenté à ses jours. Il avait déjà essayé par le passé. *Alors pourquoi ne pas remettre ça aujourd'hui ?* pensa-t-elle.

— Personne ? se dépita-t-elle en inspectant la pièce.

— C'est chelou, avoua Marion.

— Il n'est pas là !

— Dans un sens c'est rassurant, il ne s'est pas fait sauter la tête. C'est toujours ça de pris! tenta Marion.

— Mais il ne peut qu'être là, s'obstina Magalie en ouvrant la porte de la salle d'eau.

— C'est spartiate comme chambre. Tu me diras, sans doute moins qu'une cellule à Ensisheim, se reprit-elle, balayant la pièce du regard.

— Il n'est pas là non plus! se déconcerta Magalie, forcée de se rendre à l'évidence. Mais où est-ce qu'il peut bien être, bordel?

— Hum, c'est vraiment bizarre. On n'a pourtant pas lâché la porte des yeux. Il faudrait demander à la nana de l'accueil s'il y a une autre sortie. En revanche, c'est pas bon signe pour ton copain parce que du coup, il remonte en tête de liste des suspects.

— Il n'y a pas d'autre sortie, Marion, gronda Magalie.

— Je sens comme un reproche dans ta phrase, s'offusqua la jeune lieutenant.

— Comment avez-vous pu le laisser filer, bordel? ne put contenir Magalie.

— Hé, tu te détends tout de suite, Magalie. Je ne sais pas comment, mais je t'assure que je n'ai pas quitté cette foutue porte des yeux depuis que je suis là. Alors tes reproches à deux balles, tu sais ce que tu peux en faire!

— Et avant?

— Avant... c'était Val et Pierrot qui étaient là. On les a repris cette nuit à 1 heure.

— Fait chier, putain. Et maintenant?

— Et maintenant, tu vas te calmer. Tu ne vas certainement pas aller voir Val et Pierrot en les traitant de tous les noms comme tu sais si bien le faire. Il y a forcément une explication et on va la dénicher. Peut-être même s'est-il trouvé de la compagnie dans l'hôtel? J'en sais rien. Quoi qu'il en soit, tu effaces ce regard que je ne connais que trop.

— Ouais ben en attendant, vous avez perdu votre principal suspect et bien évidemment il fallait que ça tombe le jour où on retrouve un macchabée... Vingt sur vingt, les gars! Vive la France! Et qui c'est qui va en faire les frais? Jeff, bien sûr! lança-t-elle furibonde.

— Oui et alors? S'il en fait les frais, c'est peut-être aussi parce que tout va dans ce sens, Magalie. Tu t'obstines à croire que ton nouveau meilleur ami est innocent, mais as-tu pris la peine de reconsidérer les choses ne serait-ce qu'une seconde? Qu'est-ce que j'en ai à foutre, moi, que ce soit lui ou quelqu'un d'autre, tu peux me dire? Pourquoi veux-tu que j'envoie un innocent en taule, bon sang? Le fait est que son comportement est suspect.

— J'ai l'impression que toute votre enquête est à charge, Marion.

— Non, Magalie! Tu as l'impression qu'il est innocent et c'est pour ça qu'on te laisse le bénéfice du doute. Car on a confiance en toi, en tout cas plus que tu n'en as en nous, visiblement! Maintenant, si tu prenais le temps d'enlever tes œillères ne serait-ce qu'un instant, tu serais bien obligée de te rendre à l'évidence.

— Et c'est quoi l'évidence, d'après toi, Marion? Vas-y, explique-moi tout!

— L'évidence, c'est que ton Jeff ne se retrouve pas en tête de liste parce qu'on a décidé de te faire chier. Il mérite amplement le podium. Alors tu as sans doute des choses à te prouver, Magalie. Ce que tu as vécu avec Thierry laisse forcement des séquelles, mais je t'en prie, ne tape pas sur les seules personnes capables de t'aider.

— M'aider? Mais écoute ce que tu dis, bordel! Vous êtes constamment sur mon dos, à remettre en cause le moindre de mes faits et gestes. Vous ne me donnez plus aucun crédit, Marion.

— C'est dans ta tête, Magalie. C'est toi qui ne te fais plus confiance. Nous, on est tous de ton côté, sans quoi je peux t'assurer que ton Jeff ne serait pas dans la nature en ce moment.

— Qu'est-ce que tu insinues, là?

— Que si nous n'avions pas pris en compte ton avis, il serait à l'heure qu'il est encore en garde à vue, Magalie. On a tous pris le parti de te soutenir et on a tous pris un risque pour te laisser une chance de prouver son innocence. Et maintenant, tu nous remets ça sur le dos. C'est un peu facile, non ?

Magalie se figea, fixant Marion d'un regard sombre. Ses nerfs lui martelaient la tête au rythme de ses pulsations cardiaques.

Dans le 17e, Valérie et Pierre s'étaient lancés dans l'enquête de voisinage, Yann travaillait avec les TIC, consignant soigneusement les divers scellés, tandis que Judith s'entretenait avec les deux lieutenants de la DPJ qui avaient retrouvé le corps du comptable.

— Vous êtes donc venus ici après avoir découvert que Nataf louait cet appartement.

— C'est ça. On avait eu l'info par une de ses collaboratrices avec qui il a eu des... écarts de conduite, pour la faire courte et polie.

— Une garçonnière ?

— C'est ce qu'elle a insinué.

— Ça explique que sa femme ne soit pas au courant, pensa à haute voix le commandant.

— C'est ça ! intervint le deuxième homme. Il faisait passer la facture sur le dos de la boîte. Un petit ABS[1] au passage. La classe, quoi !

— Son associée aurait dû m'en parler, s'agaça-t-elle.

— Pas sûr qu'elle ait été dans la confidence. Le cabinet a deux ou trois apparts de fonction. C'est assez facile de le dissimuler dans une compta comme la leur.

— Le dissimuler ? Elle aussi est expert-comptable. C'est quand même son travail !

— Je sais pas quoi vous dire de plus, commandant.

— En tout cas merci pour votre efficacité, répondit-elle en glissant la main dans sa poche.

1. ABS : abus de biens sociaux.

Elle en extirpa son téléphone et constata que Marion avait cherché à la joindre par deux fois.

— Excusez-moi, mais il faut vraiment que je rappelle.

— Pas de souci. Avez-vous encore besoin de nos services, commandant ? demanda le plus maigrelet.

— Non, vous pouvez disposer bien évidemment.

— Alors on vous repasse le bébé et on vous fait parvenir notre rapport dans la journée. Si vous avez besoin d'autre chose, n'hésitez pas.

— Super, merci à vous.

Et alors que les deux hommes s'éloignaient, Judith rappela Marion.

— T'as cherché à me joindre ?

— Oui, on a perdu la trace de Jeff, avoua Marion sans détour.

— Quoi ? s'écria Judith.

— Je ne sais pas comment on s'est démerdés mais il n'est pas chez lui. Il ne répond pas au téléphone. Bref, on l'a perdu !

— Magalie est au courant ?

— Oui et on peut dire qu'elle n'est pas très contente, résuma Marion.

— Passe-la moi, s'il te plaît.

— Elle n'est pas là. Je pense qu'elle est partie te rejoindre. Enfin j'espère. Elle s'est barrée plus qu'énervée. Je ne te cacherai pas qu'elle m'a un peu soûlée, mais bon. Elle vit une phase difficile. On ne lui en tiendra pas rigueur. Essaye quand même de la calmer, sinon Valérie et Pierre vont en prendre pour leur grade. J'en ai déjà fait les frais, si je peux leur éviter ça... C'est cadeau !

— Je m'en occupe, t'inquiète. Ça fait longtemps qu'elle t'a quittée ?

— Je dirais une bonne vingtaine de minutes. Elle ne devrait plus tarder.

— Très bien ! Et pour Bonnet, qu'est-ce qu'il s'est passé ?

— Je n'en sais rien. Je ne comprends vraiment pas comment il nous a fait faux bond. Pas d'autre sortie, j'ai vérifié toutes les chambres de l'hôtel, rien ! Je suis même allée dans les apparts d'en face et personne ne l'a vu ni ne le connaît... Je t'avouerais que la seule explication, à mes yeux, c'est qu'il se soit grimé... Et encore. Depuis qu'on est là avec Fabrice, c'est simple, personne n'est sorti de ce bâtiment. Des gens sont entrés, mais personne n'en est sorti. Je ne comprends pas !

— Dans quoi s'est-elle encore foutue, bon sang? C'est quand même incroyable que ces choses-là n'arrivent qu'à elle.

— En tout cas c'est pas le moment de lui rappeler, je viens déjà de lui faire la leçon. Je pense qu'elle a besoin de notre soutien, Judith.

— Je ne fais que ça de la soutenir, Marion. On n'en serait pas là si je m'étais écoutée.

— C'est ce que je lui ai dit. On va donc éviter d'en rajouter une couche. Moi, elle ne m'est pas trop rentrée dedans mais si ça vient de toi, elle n'hésitera pas.

— Je ne le sais que trop bien. En tout cas merci.

— T'inquiète, et sinon on fait quoi, nous?

— Comment ça?

— Ben ça sert à rien de rester là. Il n'y a personne, ici.

— On ne sait jamais, s'il se décide à rentrer. Maintenez la surveillance et prévenez-moi s'il y a du nouveau. Et pendant que t'y es, appelle la brigade et lance un avis de recherche pour Bonnet.

— O.K. !

— Je te laisse, Mage vient d'arriver.

Elle raccrocha aussi sec.

— Hé Mage, lui sourit-elle. J'espère que t'es en forme pour ton premier jour de travail.

— Super, ouais. T'as eu Marion, je suppose? embraya-t-elle.

— Non, pourquoi? Je viens de voir qu'elle avait cherché à me joindre, mais j'ai pas eu le temps de la rappeler. Y a un problème?

— Et pas des moindres. Vous avez perdu Jeff!

— J'ai peur de ne pas comprendre, feinta-t-elle alors que Pierre et Valérie entraient dans la pièce.

— Ça va, les bras cassés ? lança Magalie sèchement, laissant ses deux collègues sans voix.

— Mage ! s'interposa Judith.

— Salut Magalie, tenta Valérie de sa petite voix fluette. C'est cool de te savoir parmi nous.

La petite voix de la lieutenant eut pour effet de désamorcer l'ire de Magalie, qui lui rendit la politesse par un hochement de tête sans toutefois desserrer les dents.

— Bon, si tu nous expliquais ? quémanda Judith.

— Quoi de plus simple ? Vous avez perdu Jeff. Qu'est-ce que je peux te dire de plus ?

— *What ?* s'écria Pierre. Ils se sont endormis ou quoi ?

— Qui ça ? le fixa Magalie.

— Fabrice et Marion, qui d'autre ? À 1 heure du mat', Bonnet n'avait pas bougé de chez lui. J'en mets ma main à couper. C'est donc sur les heures de Fab et Marion, sans faire de délation bien sûr, se rattrapa-t-il.

Magalie fixa Pierre, incrédule.

— C'est cool, vous vous repassez tous la balle. La grande classe ! s'exaspéra-t-elle.

— Mage ! la somma Judith, voyant sa collègue se figer.

— Quoi ? Marion me dit la même chose. Alors si je comprends bien, il s'est juste… évaporé. Je ne vous cache pas que mon esprit cartésien n'aime pas trop cette explication, ça mettrait en doute bien trop de mes certitudes, ironisa-t-elle cyniquement.

— Il est peut-être chez un des ses voisins, ou voisines, tenta Pierre.

— C'est exclu, j'ai demandé à la nana de l'accueil, il n'y a que trois locataires en ce moment. Et oui, j'ai vérifié… Rien !

— J'ai peut-être une explication, intervint timidement Valérie.

Tous se retournèrent vers elle, suspendus à ses lèvres. Les joues de la jeune femme se teintèrent d'un rose pâle. Elle se racla la gorge.

— Alors, c'est quoi ton explication ? s'impatienta Magalie.
— Peut-être qu'il ne nous a pas faussé compagnie. Peut-être qu'on ne lui a juste jamais tenu compagnie.
Ses trois collègues la regardèrent, dubitatifs.
— On ne lui a juste jamais tenu compagnie ? répéta Judith, cherchant une réponse dans la question.
— Pierre, souviens-toi, hier on est partis du postulat qu'il était chez lui.
— Attendez... quoi ? Vous n'êtes pas sûrs qu'il ait été chez lui ? grommela Judith, alors que les yeux de Magalie s'écarquillaient jusqu'à lui marquer le front de deux profondes rides.
— Après le message de Magalie, on a mis à peine un quart d'heure à aller rue Planchat. C'est impossible qu'il n'ait pas été chez lui, se défendit Pierre, on a dû se louper à trois minutes à peine.
— Je ne comprends pas ? dit Magalie.
— On est partis direct, insista-t-il.
— Mais tu l'as vu rentrer chez lui ou pas ?
— Bah... non !
— Comment ça, non ? s'ahurit Judith.
— Mais Magalie nous a dit qu'elle le ramenait chez lui, s'expliqua Pierre.
— Et vu qu'on ne t'a pas vu, on s'est dit qu'on vous avait loupés de peu, argumenta Valérie.
— Mais putain, c'est lui qui m'a déposée chez moi, se dépita Magalie.
— O.K., donc si je comprends bien depuis hier 18 heures, personne ne peut me dire où se trouve Bonnet, grinça Judith.
— Un truc comme ça, oui, balbutia Valérie.
— Cette putain d'énorme blague, ne put contenir Magalie qui s'écarta du petit groupe pour ne pas se laisser aller à un esclandre dont elle avait le secret.
— Je suis désolée, c'est un énorme quiproquo, s'excusa Valérie dont les joues étaient passées du rose au rouge piment.

— Bon, ça ne sert à rien de s'énerver, recadra Judith. Maintenant il nous faut à tout prix remettre la main sur Bonnet. Mage ! appela-t-elle.

— Quoi ? pesta la capitaine.

— Tu peux peut-être essayer de le joindre ?

— Je ne fais que ça, d'essayer de le joindre, bordel ! Et depuis hier soir, s'emporta-t-elle.

— Alors premièrement tu vas tout de suite redescendre car, là, rien ne justifie ton comportement et deuxièmement tu vas te concentrer, car tu es la dernière à l'avoir vu !

La réprimande maternelle de son commandant eut l'effet escompté.

— Pierre, reprit Judith, tu files au 36 et tu me dégotes au plus vite le bornage du téléphone de Bonnet. Tu soûles les gars du labo jusqu'à ce qu'ils te le donnent.

— O.K. je remonte jusqu'à quand ?

— Dans un premier temps, sur les dernières 24 heures. T'en profites pour me sortir tout ce que tu peux sur lui, les numéros qu'il a appelés, ses mouvements bancaires et tutti quanti.

— On est dimanche, je ne…

— Je m'en balance, tu réveilles tous les juges de Paris s'il le faut ! Je veux tout ça pour ce soir. Il nous faut à tout prix lui remettre la main dessus. On ne disparaît pas comme ça !

— O.K., je suis parti, lança-t-il en s'éloignant.

— Valérie, l'enquête de voisinage a donné quelque chose ?

— Pas grand-chose, si ce n'est le voisin du dessous qui a entendu des « bruits de canalisation » dans la journée de vendredi. Sinon, rien de plus.

— Très bien. Tu sais où en est Yann ?

— Il est toujours sur les scellés. Enfin je crois.

— O.K., il va falloir prévenir la famille du comptable. Valérie, tu te sens de le faire ?

— Seule ?

— O.K., j'ai compris. Appelle Fabrice ou Marion au choix, selon tes préférences, qu'il y en ait un des deux qui décroche de la filature et t'accompagne chez sa femme.

— Très bien, s'exécuta-t-elle.

— Et nous, on fait quoi ? s'impatienta Magalie une fois seule avec Judith.

— Nous, on va boire un café au tabac d'en face.

Les deux femmes se retrouvèrent au comptoir du Camélia, le bar-tabac qui faisait l'angle avec la rue Nollet. Elle commandèrent deux cafés. Magalie porta la tasse à ses lèvres, prit une lichette du sombre breuvage et, dans une grimace, s'empressa de reposer la tasse.

— Grr, c'est du robusta, je déteste ça !

— T'as bien raison de ne pas le boire, la taquina Judith.

— Pourquoi ?

— Je te trouve déjà assez énervée comme ça.

— Tu te fous de moi, Jude ?

— Non Mage, je ne me fous pas de toi. Tu n'as pas à t'adresser à tes collègues comme tu le fais. Quand quelqu'un fait une bourde, c'est le groupe qui fait une bourde, point barre ! Est-ce suffisamment clair ou faut que je te fasse un dessin ?

Magalie ne répondit pas et se contenta de hocher la tête.

— C'est aujourd'hui ton premier jour, tout le monde était plus que content de te revoir et toi tu débarques sur tes grands chevaux et t'en fous plein la gueule à qui veut bien prendre...

— ... Je suis désolée. J'ai peut-être poussé le bouchon un peu loin, mais...

— Il n'y a pas de « mais », Mage. Et ce n'est pas auprès de moi que tu dois t'excuser. D'ailleurs si j'étais toi, je commencerais par Valérie, qui est celle qui te connaît le moins. Elle s'est très bien intégrée au groupe et je ne veux pas que tu viennes tout foutre en l'air avec des allusions fumeuses.

— Le message est bien passé, patron, dit Magalie d'un ton conciliant.

— Mage, toi et moi on a besoin du groupe plus que jamais. Alors pas de connerie. Ils sont là pour nous, mais n'exagérons pas.

— Je vais très bien, Jude !

— C'est faux et visiblement tu es la seule à ne pas t'en rendre compte !

Magalie, la tête baissée, se mit à touiller son café nerveusement.

— Que les choses soient claires, je ne suis pas en train de faire un procès, Mage.

— Je sais.

— Alors on est d'accord ? Car on ne va pas s'offrir le luxe de se mettre nos collègues, qui au passage, pour nombre d'entre eux, sont aussi nos amis, à dos.

— Ça va, j'ai compris. On peut passer à autre chose ?

— Si c'est clair… Je te briefe vite fait sur le cadavre là-haut et après tu me raconteras dans le détail ta journée d'hier avec Bonnet.

— C'est plus que clair !

19

Il était près de 13 heures lorsque Magalie et Judith arrivèrent dans le vingtième. Fabrice, qui avait échappé au douloureux exercice consistant à annoncer la mort de Nataf à sa femme, attendait bien patiemment l'arrivée de ses collègues pour procéder à la perquisition de la chambre de Jeff. Dès qu'il les aperçut dans le rétroviseur du camion, il ouvrit la portière et entreprit d'aller à leur rencontre.

— Salut, patron.

— Bonjour, Fabrice. Ça va, pas trop fatigué?

— Pour le moment c'est O.K. Vous avez réussi à obtenir le mandat?

— Sans aucun mal. Au vu du casier de Jeff, tu penses bien que le juge n'a pas hésité une seconde, répondit Magalie, un brin d'agacement dans la voix.

— Alors c'est par où? abrégea Judith.

Ils s'engouffrèrent dans l'immeuble. Une fois arrivés à l'accueil de l'hôtel, ils prirent le temps d'expliquer le motif de leur visite au quinquagénaire qui avait remplacé la jeune étudiante derrière le comptoir. Celui-ci leur donna sans sourciller les clefs de la chambre.

— C'est fou, toute cette agitation! murmura-t-il.

Magalie prit ça pour elle. Elle se doutait bien que la gardienne de nuit avait dû lui relater dans les moindres détails les événements du matin. C'est sans doute pour cela qu'elle ne releva pas. En revanche, cette phrase intrigua Judith.

— Comment ça ? De quelle agitation parlez-vous, monsieur ?

— Depuis ce matin, la réception s'est transformée en hall de gare.

Magalie se retourna, ne comprenant plus l'allusion.

— Ça a commencé avec vos collègues tôt ce matin, enfin d'après ce que m'a raconté mon employée. Pas très agréable comme elle a dit…

Magalie regarda ses pieds et ne put cacher sa gêne.

— … et puis après, des gens qui entrent et qui ressortent. Bref, j'ai connu des dimanches bien plus calmes. Essayez de ne rien casser, s'il vous plaît.

— Ne vous inquiétez pas monsieur, et merci encore, abrégea Judith avant de fusiller Magalie du regard : T'as encore fait des tiennes à ce que je vois, lui asséna-t-elle une fois dans les escaliers.

— Trois fois rien, minimisa Magalie en lui offrant sa plus belle gueule d'ange.

Fabrice glissa la clef dans la serrure et fut surpris de constater que la porte n'était pas verrouillée.

— *Girls*, vous avez oublié de fermer en repartant ce matin.

— Absolument pas, lança Magalie sûre d'elle.

Judith la regarda, dépitée.

— Quoi ? s'offusqua Magalie. Je suis sûre que Marion a bien fermé la porte en repartant, argumenta-t-elle en entrant dans la pièce.

— Eh ben dis-moi, ce mec est un moine ! s'amusa Fabrice.

— Mais ? Où sont ses affaires ? s'étonna Magalie.

— Ses affaires ? répéta Judith.

— Oui, ses affaires ? Alors certes, il n'avait pas grand-chose mais au moins de quoi s'habiller. Il manque la moitié de ses fringues. Et puis son ordinateur aussi a disparu !

— Disparu ? Tu veux dire depuis ce matin ?

— Oui ! Depuis ce matin, oui. Je t'avais bien dit que j'étais sûre que Marion avait fermé la porte.

— Me regardez pas comme ça, recula Fabrice. Je sais à quoi vous pensez et c'est impossible. Pas deux fois le même jour ! Bonnet n'est pas revenu ce matin, c'est une certitude. Alors ou il est dans ce bâtiment et prend un malin plaisir à se foutre de notre gueule, ou il passe à travers les murs. J'ai pas d'explication logique, mais une chose est sûre c'est qu'il n'est pas passé par la porte de l'immeuble. Que je ne sorte pas en vie de cette pièce si je mens.

— Ne va quand même pas jusque-là !

— Judith, je n'ai aucune expli…

— … Détends-toi, j'ai compris.

— Ben moi, il va falloir qu'on m'explique, parce que là, je comprends pas, se dépita Magalie en se laissant tomber sur la seule chaise de la chambre.

Pierre était de retour au 304. Il fut surpris de n'y trouver que Yann, remplissant soigneusement le manifeste des scellés prélevés plus tôt rue des Moines.

— T'es tout seul ?

— Yep. Val et Marion sont sur le chemin du retour. Elles sont allées annoncer le décès à la famille. Et les autres opèrent une perquis' chez Bonnet.

— Ah O.K.

— Et toi, quoi de neuf ?

— Absolument rien. Si ce n'est que je suis persuadé que Bonnet s'est bien foutu de la gueule de Magalie. Ça ne va pas lui plaire, s'inquiéta-t-il.

— Pourquoi ? quémanda Yann, stoppant net son activité.

— Alors… Bien évidemment son téléphone est coupé.

— Oui, ça on s'en doutait.

— Le truc c'est qu'il a été coupé hier à 18h12…

— Et ?

— C'est l'heure à laquelle ils se sont séparés.

Yann regardait Pierre sans bien comprendre ses allusions.

— Quoi ? Le premier truc que tu fais, toi, quand tu quittes quelqu'un, avec qui au passage tu as rendez-vous dans deux heures, c'est d'éteindre ton phone ? lui demanda Pierre.

— Non, mais tu vas bien vite en besogne. Il n'avait peut-être plus de batterie, ou je sais pas moi... Magalie nous a dit qu'il était fatigué. Il l'a peut-être éteint pour ne pas être réveillé.

— Non, je n'y crois pas ! D'après le technicien du labo, la borne de chez Magalie n'est pas la même que celle rue Planchat. La rue Ligner est chopée par celle de Gambetta alors que Planchat, c'est celle d'Avron. On est juste à la frontière. Eh bien figure-toi que son téléphone n'a jamais borné à Avron.

Yann restait perplexe face aux affirmations de son collègue.

— Quoi ? On aurait si peu de chance que sa batterie serait tombée à plat devant chez Magalie ? Ça fait bien trop de coïncidences pour moi.

— Et donc, c'est quoi ta théorie ?

— Je pense que dès qu'il l'a quittée, il a éteint son tél'. Il sait que Magalie est flic. Il sait très bien qu'elle peut le suivre à la trace. Alors il coupe son portable pour pouvoir disparaître en toute tranquillité. Il sait avoir plusieurs heures devant lui et en profite.

— Mais pourquoi voudrait-il disparaître ?

— Parce qu'il se dit qu'on est sur son cul. Réfléchis, il remarque que les deux tocards de Versailles lui collent le train. Comment veux-tu qu'il sache que c'est après Magalie qu'ils en ont ?

— Ouais, continue, acquiesça Yann soudain moins réticent.

— Il croit comprendre que Magalie joue un double jeu et le fait suivre. Il décide donc de prendre la tangente dès qu'elle a le dos tourné. Il se démerde pour semer les tocards et il y arrive sans mal, vu que c'est Magalie qu'ils filochent.

— Hum... Ça se tient !

— Bien évidemment que ça se tient !

— D'ailleurs, les gars de Versailles ? Je les avais oubliés, ceux-là. Ils sont encore sur Magalie ?

— J'en sais rien. Je lui ai pas demandé.

— Si tu as raison, c'est pas bon pour Magalie.

— C'est-à-dire que deux tarés d'affilée, c'est peut-être un peu too much pour une seule personne…

— … Et pour sa carrière !

— Jusque-là, y a pas grand-monde au courant… Ça devrait passer ?

— T'oublies Versailles. Elle s'est quand même frottée au commissaire divisionn… s'interrompit-il soudain alors que la porte du 304 s'ouvrait.

Judith entra, suivie de ses deux collègues.

— Magalie, salua Yann. Ça fait chaud au cœur de te savoir à nouveau parmi nous. Je commençais à m'ennuyer, les autres ne sont pas aussi drôles que toi.

— Merci, mon Yanou, lui répondit-elle simplement, au grand étonnement du jeune lieutenant.

— Qu'est-ce qui se passe ? se renseigna-t-il, sentant le malaise chez ses trois collaborateurs. C'est la perquisition ?

— La perquisition n'a absolument rien donné, l'informa Judith en prenant place à son bureau.

— Oh ? Rien de rien ? insista Pierre.

— Moins que rien, enchérit Fabrice. Il n'y avait rien à perquisitionner, pour être plus clair.

— Va falloir être plus explicite les gars, s'impatienta Yann.

— La chambre a été vidée !

— Vidée ?

— T'oublies un détail, intervint Magalie. Elle a été vidée entre 9 et 13 heures… aujourd'hui !

— *Seriously ?* se dépita Pierre.

— Bon et vous, dites-nous que vous avez de bonnes nouvelles, coupa Judith. Pierre, le téléphone ?

Pierre, un peu embarrassé, jeta un furtif coup d'œil à Magalie qui retrouvait son bureau qu'elle avait quitté plus de trois mois auparavant.

— Pierre, insista Judith. Le téléphone de Bonnet ?

— Oui… Alors, euh… Eh bien, comme on pouvait s'en douter, il est toujours coupé.

— À l'essentiel Pierre, à l'essentiel !

— O.K., dit-il en se raclant la gorge. D'après le labo, il a été coupé hier à 18 h 12, juste après…

— … Qu'il m'a laissée, s'étonna Magalie.

— C'est ça ! ne put qu'admettre Pierre, toujours aussi gêné.

— La batterie, peut-être ? tenta Judith.

— C'est une explication, acquiesça Fabrice.

— Si ça se trouve, vous étiez encore ensemble quand sa batterie a lâché. Tu n'es pas précise à dix minutes près sur ton emploi du temps.

— Il était crevé, il l'a sans doute coupé pour ne pas être dérangé pendant sa sieste, soumit Magalie.

— Impossible ! Le téléphone n'a pas borné rue Planchat.

— Bon, il reste l'option batterie.

— Ce n'est pas la batterie, murmura Magalie.

— Quoi ? demanda Judith.

— Je te dis que ce n'est pas sa batterie. J'ai eu son téléphone entre les mains quand on visitait les baraques et sa batterie était quasi pleine. Ce n'est pas la batterie, se répéta-t-elle incrédule. Et quand bien même, il aurait eu le temps de le recharger depuis hier 18 h 12, finit-elle par s'énerver.

— Il y a une explication, faut juste la trouver, essaya Fabrice.

— C'est sympa de prendre des pincettes les gars, mais maintenant, il faut arrêter. Je sais ce que vous pensez et force est de constater que je me suis sans doute encore foutu un doigt dans l'œil, ajouta-t-elle en se levant. Un doigt ? Que dis-je ? La main… le bras !

— Mage, écoute…

— … ça va, Jude, j'ai juste besoin de prendre un peu l'air, la rassura-t-elle avant de sortir du bureau.

— Oups, lança Yann alors que Judith, toujours installée à son bureau, s'enfonçait la tête dans les mains.

Les quatre agents restèrent là, immobiles, plongés dans un profond silence. Il fallut attendre l'arrivée de Valérie pour que celui-ci soit rompu.

— Hé, on vient de croiser Magalie… Elle avait pas l'air au top de sa forme ? C'est sa blessure ? s'inquiéta la jeune femme.

— Pas vraiment, non… lui répondit Judith d'un ton monocorde. Où est Marion ?

— Ben du coup, elle est restée avec Magalie. Elles sont allées boire un coup, je crois.

— Bonne initiative. Ça s'est bien passé avec la mère Nataf?

— Bien n'est pas le terme. Ça s'est passé. Et vous, des nouvelles ?

— T'as d'autres questions comme ça ? ironisa Pierre.

— Fabrice, reprit Judith, joins le juge d'instruction et demande-lui un mandat pour tout ce qui est du matériel informatique de Nataf.

— O.K.

— Yann…

— … Je m'en occuperai dès qu'on a le feu vert.

— Parfait. Vu qu'on n'a rien sur Bonnet, on va donc se concentrer sur Nataf, faute de mieux. Quelqu'un sait ou en est l'autopsie ?

— Benarbia m'a dit aux alentours de 16 heures, l'informa Yann.

— O.K., ça ne devrait plus tarder à tomber.

— Je m'occupe des mouvements bancaires si tu veux, se proposa Valérie.

— Fais-toi plaisir. Pierre, il se passe quoi au final avec le téléphone de Bonnet ?

— Le labo est dessus. S'il se reconnecte, on en sera informé dans les cinq minutes qui suivent.

— Encore faudrait-il qu'il ait la bonne idée de le faire, murmura-t-elle.

— Au fait, il y avait son téléphone portable dans les scellés, intervint Yann. J'ai réussi à le déverrouiller. J'ai jeté un coup d'œil vite fait.

— Et ? s'impatienta Judith.

— Pas grand-chose, si ce n'est que Hanin est dans ses contacts.

— Décidément, notre avocat préféré n'est jamais bien loin, ironisa-t-elle.

— Il faudrait peut-être penser à le filocher plus sérieusement, proposa Pierre.

— Il le serait depuis longtemps s'il n'était pas avocat. Aucun juge ne nous donnera de mandat pour ça. Et vu la conjoncture, on va éviter de faire trop de vagues. Si Jeff est notre homme, on est sur le gril.

— C'est bon, lança Fabrice en raccrochant le téléphone. On a le mandat pour Nataf.

— Super, je pars direct, s'avança Yann.

— Je t'accompagne si tu veux, dit Fabrice.

— Non, c'est Pierre qui va t'accompagner. Fabrice, toi tu rentres dormir.

— Ça va je t'assure, je suis encore opérationnel.

— Tu n'as dormi que quatre heures cette nuit, alors tu fais ce que je te dis… Tu rentres te reposer.

— Très bien, si t'insistes.

— Les gars, vous pensez à nous tenir au courant.

— *Of course, my dear*, lui sourit Pierre.

Judith se retrouva donc seule avec Valérie. Elles se partagèrent les recherches sur la dernière victime en attendant le retour de leurs deux collègues parties décompresser autour d'un verre.

C'est au bout d'une grosse demi-heure que les deux filles firent leur entrée au 304. Judith adressa un regard inquisiteur à Marion qui, en un signe de tête discret, la rassura sur l'état de sa protégée.

— Où sont les beaux gosses ? s'étonna Marion.

— N'enlève pas ta veste, lui ordonna Judith.

— Oh ? Pourquoi, je vais où ?

— Chez toi ! Tu rentres te reposer. Demain j'ai besoin de toi au meilleur de ta forme, alors... Bye bye !

— Sûre ? Vous avez pas besoin d'un coup de main ? Je ne suis pas contre rentrer tôt, ne serait-ce que pour Charles, mais je peux encore t'offrir une heure, une heure et demie.

— Ça va aller t'inquiète, rentre voir ton Charles et passe-lui le bonjour de ma part.

— Si t'insistes, se réjouit-elle. À demain les filles, et n'hésitez pas si besoin.

— À demain, salua Valérie.

Magalie lui fit un clin d'œil discret, avant de taper deux petits coups sur sa poitrine en signe de remerciement.

— Je t'enverrai la note de frais, t'inquiète, la charria-t-elle. Allez, je file voir mon chéri, lança-t-elle avant de disparaître dans le couloir.

Et alors que Magalie rejoignait son bureau, le fax s'enclencha.

— C'est quoi ?

— Ce doit être le rapport d'autopsie. Alors qu'est-ce qu'on a là ? C'est confirmé, c'est bien une crise cardiaque.

— Et pour l'heure de la mort ? s'intéressa Magalie.

— Entre 4 et 6 heures du matin, dans la nuit de vendredi à samedi.

— Quoi ? Il est mort hier dans la nuit ? se précipita Magalie.

— Et qu'y a-t-il de si... surprenant ?

— Jeff n'était pas seul à ce moment-là, affirma Magalie le visage soudainement apaisé.

— Quoi ?... T'as couché avec ce type, Mage ? reprit-elle outrée.

Les yeux de Valérie, qui installée devant son écran visionnait les mouvements bancaires du comptable, devinrent subitement ronds comme des billes.

— Mais, non, tu me prends pour qui ? s'offusqua Magalie.

— Pardon, c'est juste que… Alors comment peux-tu dire qu'il n'était pas seul ?

— Eh bien… C'est une longue histoire. Je te raconterai plus tard. Là, faut que je passe un coup de fil.

Magalie récupéra son portable dans la poche de sa veste et disparut dans l'une des pièces d'audition sous le regard inquisiteur de Judith.

— Elle appelle qui, là ? s'intéressa Valérie.

— Va savoir ! Tu sais bien qu'on doit s'attendre à tout avec elle, lui rappela Judith.

Et alors que le visage de Valérie se fendait d'un joli sourire Ultra Brite, Magalie revint dans le bureau.

— Bon, je n'arrive pas à la joindre, mais je vous confirmerai ça tout à l'heure.

— Tu peux au moins nous expliquer ?

— Vendredi soir, on était au Piston et visiblement les charmes de Jeff n'ont pas laissé une copine indifférente. D'après mes infos ils ont passé la nuit ensemble, sourit-elle.

— C'est tout le mal que je lui souhaite, dit Judith, semblant elle aussi soulagée de la nouvelle.

— Donc on peut considérer que Jeff n'est plus le suspect numéro un ? s'enquit Valérie.

— Il reste sur la liste, sa subite disparition pose quand même quelques questions. Magalie, t'as pas la moindre explication ?

— Tu penses bien que non. Un pickpocket, peut-être ?

— C'est pas con, comment n'y a-t-on pas pensé ? s'étonna Valérie.

— Ça explique le téléphone, mais pas son évaporation. Et encore moins le fait que sa chambre ait été vidée, objecta Judith.

Magalie, installée à son bureau, semblait être aspirée par le vide interstellaire.

— Mage, un problème ?

— Je ne comprends pas et ça m'agace. Pourquoi partir maintenant ? Ça n'a pas de sens !

— Tu lui as parlé de l'enquête en cours ?

— Bien sûr que non, Jude ! s'offusqua-t-elle.
— Ça n'a donc effectivement pas de sens. Et tu ne vois vraiment pas quelqu'un chez qui il pourrait être allé ?
— Non, je te dis qu'on avait tous rencard au Piston. Les seules personnes susceptibles de l'accueillir… j'étais avec elles hier soir.
— J'ai peut-être une idée ? s'immisça Valérie. Tu pourrais peut-être demander aux flics de Versailles s'ils ont vu quelque chose ?
— Je ne pense pas que ce soit une riche idée. Ce serait leur avouer qu'on les a grillés, expliqua Judith. On a dit pas de vagues !
— En parlant de ces blaireaux, il semblerait qu'ils m'aient lâché la grappe.
— Depuis quand ? s'étonna Judith.
— Hier soir quand je suis allée au Piston, je ne les ai pas vus. Et ce matin non plus.
— Mage, voyons ?
— Quoi ? fit-elle, surprise.
— T'es rouillée ma vieille ! Valérie, tu peux me vérifier les GAV en cours à Versailles, s'il te plaît ?
— Hein ? Tu crois quand même pas qu'ils l'auraient embarqué, s'indigna Magalie alors que Valérie s'exécutait.
— Mage, tu remues ciel et terre en insinuant que le CD de Versailles est un raté… Tu t'attends à quoi comme réaction, bon sang ? Je te rappelle qu'ils t'ont fait suivre ! Je n'ai pas l'impression qu'ils soient à une garde à vue près. Un bon petit coup de pression et tout rentre dans l'ordre !
— S'ils s'imaginent que je vais laisser tomber, ils se foutent un doigt dans l'œil. Quelle bande de bâtards, ragea Magalie.
— S'ils l'ont chez eux, intervint Valérie, ils ne l'ont pas déclaré, en tout cas.
Les trois collègues se regardèrent, perplexes.
— T'as quelqu'un à Versailles ? s'enquit Magalie.
Judith hocha la tête en signe de négation.
— J'ai peut-être une personne… mais… hésita Valérie.

— Mais quoi ? s'impatienta Magalie.

— Pas sûr qu'elle veuille me rendre service, grimaça la jeune femme.

— Pourquoi ? Comment ça ? Qu'est ce que tu lui as fait pour que…

— Mage ! s'imposa Judith. Tu lui fous la paix, oui. En quoi ça te regarde ?

— Désolée, murmura-t-elle.

— La vrai question est : est-ce quelqu'un de fiable ?

— Fiable, oui.

— Et ça t'engagerait trop que de lui demander ce service en toute discrétion ?

Valérie ébouriffa sa frange blonde, alors que son visage virait au rouge.

— O.K., laisse tomber Valérie, la rassura Magalie. On va se démerder.

— Non, c'est bon, je vais l'appeler.

— Tu sais, s'il a été embarqué hier soir, il ne lui reste plus beaucoup de temps à tirer. Il faut pas que ça te mette dans une position de merde.

— Ça va aller…

— … Attendez, intervint Judith. S'il est en garde à vue, qui est venu vider son appart ?

— C'est vrai, ça.

— Si les tocards sont prêts à embarquer Jeff sans aucun motif, c'est pas une petite perquisition illégale qui va les freiner, s'avança Magalie.

— Pas faux ! abonda Judith.

— Je l'appelle, conclut Valérie avant de sortir dans le couloir son téléphone à la main.

Lorsqu'elle fut hors de portée, Magalie se fendit d'un rire silencieux.

— Qu'est-ce qui te fait marrer comme ça ? murmura Judith.

— La pauvre ! On est en train de la forcer à reprendre contact avec son ex. Ex avec qui, visiblement, ça ne s'est pas très bien terminé. La petite cachottière, rit-elle encore. Valérie avec un gars de Versailles, c'est vraiment surprenant. Je l'imaginais plus avec un… un informaticien, tu vois ?

— Quoi ? Mais… Et ça te fait marrer ? T'es vraiment qu'une… chèvre, pour rester polie !

— Hé, fit-elle mine de s'offusquer. J'ai dit « la pauvre » ! et puis c'est sympa les informaticiens, je vois pas ce que j'ai dit de méchant. T'avoueras quand même qu'on a du mal à se projeter. Elle cache bien son jeu la petite, conclut-elle toujours hilare.

— Elle fait ça pour te rendre service, Mage !

— Plus sérieusement, elle fait ça pour l'enquête en cours avant tout. Je voulais juste souligner ce petit détail, dit-elle avec un clin d'œil.

— Ça n'en reste pas moins déplacé, Mage. Et puis c'est pas parce que…

— … Ça va, c'était juste une boutade. Tu me connais, Jude. Il n'y a pas une once de méchanceté dans ce que je dis. Je l'aime bien, Valérie. Elle est vraiment super chouette. Je t'avouerais même qu'elle a le don de me faire redescendre en deux secondes avec sa petite voix mimi et ses petites joues qui passent du rose au…

Valérie entra dans le bureau.

— La bonne nouvelle, c'est qu'elle veut bien nous rendre le service…

— Elle ? l'interrompit Magalie ahurie, alors que Judith, les lèvres pincées, eut du mal à dissimuler un sourire moqueur.

Le sourcil gauche de la jeune lieutenant se leva et plissa son front enfantin, y dessinant un point d'interrogation.

— Oublie, pardon. Tu disais quoi ? détourna Magalie.

— Eh bien, mon amie veut bien nous rendre ce service mais aujourd'hui elle est en week-end. Elle rentre ce soir assez tard. Donc il nous faudra attendre demain. Elle m'a quand même proposé d'appeler un de ses collègues, j'ai dit non.

— Tu as bien fait, acquiesça Judith le sourire toujours collé aux lèvres.

— Magalie ? s'enquit Valérie.

— Ouais.

— C'était quoi cette question… bizarre ?

— Une question bizarre ? Moi ?

Magalie embarrassée se tourna vers Judith.

— Ah non, là tu te démerdes ma grande, rit-elle.

Magalie adressa son plus beau sourire penaud à Valérie, qui croisant les bras attendait une réponse.

— Alors… Euh, c'est juste que quand tu appelais ton amie… Dehors. Et bien j'ai peut-être soumis l'idée à Judith, ici présente, bafouilla-t-elle, que… Enfin… qu'on était en train de te mettre dans une position un peu désagréable avec un ex. Mais me voilà rassurée, se rattrapa-t-elle in extremis.

— Pas mal, admit Judith.

— Et pourquoi es-tu rassurée ? persévéra Valérie, profitant pleinement de l'embarras de sa collègue.

— Pourquoi je suis rassurée ?… Mais parce que tout le monde sait bien que les rapport post-rupture sont toujours un peu… compliqués, grimaça-t-elle. Je suis donc rassurée parce que là, ce n'est pas le cas.

— Comment ça… « ce n'est pas le cas » ?

La mâchoire de Magalie se décrocha alors que son front se plissait d'étonnement. Elle se retourna vers Judith avec un regard qui l'implorait de venir à son secours, mais Judith ne put retenir son éclat de rire. Et alors que Valérie savourait, se délectait même de la situation, à Magalie de reprendre :

— C'est vrai. Comment puis-je affirmer que ce n'est pas le cas ? On oublie bien souvent les relations entre personnes du même sexe. Je dois bien admettre que je suis peut-être allée un peu vite en besogne. On ne m'y reprendra pas, sourit-elle bêtement.

— Bien, maintenant que les choses sont dites, on va en revenir à nos moutons, intervint Judith, sauvant Magalie.

Le rapport d'autopsie, en plus de confirmer que Nataf avait bien succombé à un arrêt cardiaque, indiquait aussi que le corps avait fait l'objet de maltraitances post-mortem. Deux côtes gauches s'étaient fracturées sous la violence des coups portés. Les résultats de la toxicologie montraient que le comptable avait probablement été drogué à l'éther comme l'avait été l'avocat.

Yann et Pierre arrivèrent au bureau vers 18 h 30. Leurs recherches dans les deux portables du comptable ainsi que sur son ordinateur fixe n'avaient guère été fructueuses. Pas d'anomalie dans la comptabilité secrètement visitée de Leisure House, pas de VPN, pas de logiciel permettant une navigation optimale dans le *dark web*, en somme rien qui puisse lier l'expert-comptable à une quelconque pratique pédophile.

Voyant la fatigue s'accumuler dans les yeux de ses agents, Judith leur proposa de rentrer chez eux prendre un peu de repos en leur fixant rendez-vous au bureau dès le lendemain 8 heures.

Yann, Pierre et Valérie ne se firent pas prier et disposèrent dans les plus brefs délais. Judith proposa à Magalie de venir dîner chez elle, ce qu'elle accepta sans problème. L'idée de voir Sarah l'enchantait. Le repas fut convivial. Un de ces moments de joie et de bonne humeur comme elles n'en avaient pas vécu depuis un bon moment.

Judith raccompagna Magalie chez elle aux alentours de 22 heures.

Magalie se brossait les dents lorsqu'elle se souvint qu'elle n'avait pas eu de nouvelle de Cathy. Elle recracha le dentifrice, se rinça la bouche et retourna dans le salon pour y récupérer son téléphone mais, quand elle vit l'heure, préféra s'abstenir d'appeler la jeune femme de peur de la déranger pendant son labeur. Elle se coucha, tenta de lire son polar en cours avant de céder à la fatigue et d'éteindre sa lampe de chevet.

20

Yann s'était fait réveiller à l'aube par le laboratoire informatique du 36 quai des Orfèvres qui lui signalait la réactivation du téléphone de Jeff à Saint-Cloud. Il s'empressa d'en informer le reste du groupe qui se fixa rendez-vous directement sur place.

Ce furent Fabrice, Pierre et Marion qui arrivèrent les premiers. Fabrice stationna le véhicule sur l'une des places de parking désertes du boulevard Sénard, à une cinquantaine de mètres du pont du même nom.

Le temps était lourd et se faisait menaçant. Les épaisses masses nuageuses chargées d'eau laissaient présager une averse imminente.

Les trois agents descendirent du véhicule et se regardèrent circonspects.

— *What the fuck ?* lança Pierre les yeux encore pris par le sommeil.

— Hum, ouais c'est bizarre. T'es sûr de l'adresse, Fab ? s'enquit Marion.

— Oui, Yann m'a dit au croisement boulevard Sénard et pont.

— Parce que là… ben y a pas grand chose…

— … Si ce n'est des arbres, enchérit Pierre.

La voie était bordée de part et d'autre par une végétation plus ou moins dense. À l'est on devinait, derrière les branchages, un terrain de football synthétique et ce qui semblait être la terre battue d'un court de tennis. À l'ouest, rien que de la verdure ! Hormis les quelques voitures qui s'étaient perdues sur le boulevard, force était de constater qu'il n'y avait pas grande activité dans le coin.

— Je vais rappeler le labo, Jeff a forcément dû bouger depuis.

Et alors que Fabrice attendait patiemment d'être mis en relation avec le bon service, Marion aperçut la voiture de Judith. Elle lui fit signe de se garer juste derrière eux.

Une fois à l'arrêt, le moteur n'eut pas le temps d'être coupé que Magalie sauta hors du véhicule.

— Alors ? Vous l'avez trouvé ? se précipita-t-elle.

— Non, comme tu peux le voir, l'informa Marion, ouvrant grand ses bras.

— Salut, tout le monde, lança Judith. Qu'est-ce qu'il fait ? demanda-t-elle, pointant Fabrice du doigt.

— Il appelle le labo.

— Pour quoi faire ? s'étonna Yann.

— Pour leur demander la position de Jeff, car visiblement il n'est pas là.

— Je viens pourtant de les avoir. Il n'a pas bougé depuis qu'il s'est connecté. Ils me rappellent si mouvement il y a.

Un soudain bourdonnement se fit sentir à travers le piaillement des oiseaux bien plus réveillés que nos agents décontenancés. Le ronflement gonfla et se transforma en vrombissement typique d'un train lancé sur ses rails. Ils purent alors distinguer le long chaînon métallique filer à travers les épais feuillages.

— Des rails ? s'inquiéta Marion, les yeux écarquillés.

— Il aurait pas fait ça quand même, chercha à rassurer Pierre alors que Magalie, comprenant l'allusion de Marion, accourut aussitôt sur le pont, talonnée par ses collègues.

— Il n'est pas là, clama-t-elle dans un souffle de soulagement.

Rien ou plutôt personne ! Si Jeff s'était jeté, ils n'auraient pas pu le louper.

Le soleil ne parvenait que très difficilement à se frayer un chemin à travers les lourds nuages qui s'obscurcissaient à vue d'œil.

Le pont Sénard n'était pas bien long, une trentaine de mètres à peine. Il offrait une parfaite visibilité sur la voie ferrée qui menait à La Défense ainsi que sur ce qui semblait être un jardin partagé, au vu du quadrillage et des diverses plantations.

— Yann, la géolocalisation donne quoi ? s'informa Judith en scrutant le panorama.

— On ne doit pas être bien loin. Une cinquantaine de mètres.

— Tu veux que je descende sous le pont ? se proposa Fabrice. Je dois pouvoir escalader la petite clôture qui borde le boulevard et descendre sur les rails.

— O.K. mais soit prudent. Pierre, tu l'accompagnes ?

— Yep !

— On va se séparer pour inspecter les alentours. Valérie et Marion, vous vous occupez du boulevard Sénard et nous on prend la parallèle de ce coté du pont, pointa-t-elle. Ça vous va ?

— Parfait.

— On se tient au jus, lança Magalie avant que les trois petits groupes ne se séparent.

Le ciel s'illumina subitement, précédant de peu un grondement assourdissant, alors que de grosses gouttes tièdes faisaient leur apparition, étoilant de taches brunâtres l'asphalte rouge.

— Manquait plus que ça, on va se choper la saucée ! ronchonna Judith en pressant le pas.

Yann, Magalie et Judith tournèrent à gauche après le pont, sur l'avenue du Maréchal de Lattre de Tassigny qui, bordée d'un côté par un mur de soutènement formé de vielles pierres érodées, longeait de l'autre le fameux potager visible du pont. Ils remontèrent l'avenue sur une cinquantaine de mètres et arrivèrent à l'entrée du jardin. Judith stoppa net.

— L'entrée semble avoir été forcée, annonça-t-elle à ses collègues.

Yann s'approcha du portail vert bouteille.

— À la pince-monseigneur visiblement, ajouta-t-il après l'inspection du cadenas.

— Qu'est-ce qu'il peut bien chercher dans un potager, ce couillon ? s'étonna Magalie avant d'entrer dans le parc. Jeff ! entonna-t-elle une première fois.

Ses deux collègues lui emboîtèrent le pas. Le jardin était très bien entretenu. Hormis quelques lopins de terre mis en jachère, les plantations fleurissaient et fructifiaient à leur aise. Les différents lots étaient délimités par de simples petits filets accrochés à des tasseaux en bois plongés dans la terre et rongés par l'humidité. De nombreux points d'eau çà et là facilitaient l'exploitation du terrain et, pour chaque parcelle, un petit cabanon d'une dizaine de mètres carrés était mis à la disposition de l'exploitant pour qu'il puisse entreposer ses outils.

— Tu sais, c'est peut-être des petits jeunes qui ont forcé l'entrée, à la recherche d'un coin sympa pour fumer leur herbe, imagina Yann.

— Sans doute, parce que je vois vraiment pas ce qu'il serait venu foutre ici, acquiesça Magalie.

Ils avançaient rapidement et sans grande conviction, traversant les plants disparates, lorsque Yann, un peu en retrait, aperçut la porte de l'une des cabanes entrouverte. Piqué par la curiosité, il s'en approcha alors que les deux femmes continuaient leur promenade sur le petit chemin bordé de géraniums.

— Jeff ! meugla encore Magalie, de plus en plus incrédule.

— Yann a peut-être vu juste, admit Judith. Ce doit être les gosses du coin qui ont forcé l'entrée. On devrait peut-être se presser un peu, la pluie s'intensifie et visiblement il n'est pas là.

— T'as sans doute raison. J'ai vu des maisons un chouille plus loin dans la rue, il est peut-être chez un pote ? On tente le porte-à-porte ?

— Au point où on en est… pourquoi pas !

Les deux femmes firent demi-tour et furent surprises de ne pas voir Yann derrière elle.

— Il est où ? s'interloqua Magalie.

— Eh bien... je ne sais pas ! Yann ! aboya Judith à son tour.

Aucune réponse ne se fit entendre. Elles rebroussèrent chemin et, au bout d'une trentaine de pas, aperçurent Yann dans l'encadrement de la porte du cabanon, les bras ballants, le regard perdu et la mine déconfite.

— Yann, t'as l'air tout drôle, s'alarma Judith. Que se passe-t-il ?

Le garçon ne répondit pas. Il fallut attendre que Magalie arrive à sa hauteur pour qu'il se décide enfin à réagir.

— Magalie, dit-il en lui empoignant subitement le bras. Je ne te conseille pas d'entrer. Crois-moi sur parole, tu préfères rentrer chez toi.

D'un coup sec qui provoqua instantanément une douleur pinçante à sa blessure à la poitrine, elle dégagea son bras. Elle fixa Yann une fraction de seconde avant de se retourner vers Judith, le regard inquiet et les sourcils froncés.

Un éclair promptement suivi d'une longue détonation assourdissante illumina subitement le parc, faisant sursauter Judith et Yann. Magalie profita de ce moment d'inattention pour forcer l'entrée de l'abri de jardin. Une autre lueur aveuglante éclata dans les cieux, accompagnée de son fracas tonitruant, alors qu'une trombe d'eau venait s'abattre sur nos deux agents.

Judith entra à son tour dans le cabanon et trouva Magalie prostrée près du corps, à moitié dénudé, d'une jeune fille. L'adolescente était défigurée. Son visage irisé et boursouflé par les hématomes témoignait de la violence des coups qui lui avaient été portés. Ses mains étaient fermement attachées aux étagères à l'aide d'un fil torsadé bleu en nylon qui lui avait littéralement scié les poignets. Ses jambes entrouvertes et sa culotte arrachée ne laissaient aucun doute : elle avait manifestement été violée.

Judith s'avança prudemment, interloquée par l'attitude de sa collègue et alors qu'elle arrivait à sa hauteur, comprit aussitôt le désarroi de son amie. Elle l'aperçut, juste là, devant Magalie. Son corps était écroulé sur un tas de sacs de terreau au pied duquel s'était échoué un revolver. Le crâne pataugeant dans une mare de sang encore vif, Jeff était mort, les yeux grand ouverts, fixant pour l'éternité la petite faux appuyée au mur devant lui.

La pluie s'écrasait lourdement sur le toit au-dessus de leurs têtes tandis qu'un rideau d'eau obstruait la seule petite fenêtre de la baraque.

— Mage ? chuchota Judith en lui posant amicalement la main sur l'épaule.

Mais Magalie n'eut aucune réaction, elle resta, là, figée, assommée et incrédule devant le corps de Jeff.

— Magalie ! retenta-t-elle, lui faisant face cette fois-ci.

Son visage était livide, sa bouche entrouverte et son regard embué de larmes.

— Mage, tu devrais peut-être aller prendre l'air ?

Toujours aucune réaction.

Yann, qui était revenu dans la pièce, fit un signe à Judith pour lui dire qu'il avait appelé l'identité judiciaire. Il fut soudain attiré par une feuille posée nonchalamment sur les outils qui jonchaient l'établi.

— Mage, réponds-moi, s'il te plaît, s'impatienta Judith.

Elle eut enfin un geste. Elle cligna des yeux, libérant la vague de larmes qui s'empressa de dévaler ses joues blafardes.

— Viens avec moi, on va sortir prendre l'air un peu. On peut aller s'abriter dans la voiture. Et puis il ne faut pas abîmer la scène de crime, tenta-t-elle en séchant les pleurs de son amie du revers de la main.

Les yeux de Magalie se détachèrent enfin du cadavre de Jeff. Elle balaya la cabane d'un coup d'œil furtif et aperçut Yann, un format A4 à la main.

— C'est quoi ? demanda-t-elle d'une voix basse et tremblante.

— Euh… Une lettre, hésita-t-il.

— De suicide ? marmonna-t-elle.

— Il semblerait bien, oui, dut-il admettre.

— Mage, on va prendre l'air, retenta vainement Judith voyant son amie titubante.

— Et qu'est-ce qu'elle dit, cette lettre? insista-t-elle en serrant les dents sans considération pour la bienveillance de Judith.

Yann lança un regard inquisiteur à son commandant, ne sachant pas quoi faire.

— Quoi? s'impatienta Magalie soudainement agacée par tant de cérémonie.

— Vas-y, Yann, lui proposa Judith.

— Très bien. Alors voilà, commença-t-il. «Il faut que tout cela cesse. C'est pourquoi je prends aujourd'hui la décision de mettre fin à mes jours», poursuivit-il en se raclant la gorge. «C'est la seule solution car je suis vraisemblablement incurable. Je croyais être capable de me tenir. Force est de constater que je n'y suis pas arrivé.»

Les masséters de Magalie se contractèrent violemment. Les poings serrés, elle faisait face fébrilement à son collègue.

— «Quand je l'ai croisée» continuait Yann, «cette fille dont je ne connais même pas le nom, l'appel était trop fort et l'envie trop irrésistible. Je n'ai pas pu, je n'ai pas su résister. Ce monstre s'est à nouveau emparé de moi, me laissant seul témoin de mes propres déviances. Je n'en peux plus. Je ne sais que trop bien ce que l'avenir me réserve. La prison je n'en veux plus, comme je ne veux plus me retrouver à serrer dans mes mains le cou d'une jeune fille innocente jusqu'à ce qu'il cède. Je libère le monde de mon esprit malade. Je présente mes excuses aux proches qu'il me reste et voudrais leur dire une dernière chose: j'étais le premier à vouloir croire en mon innocence, je ne vous ai pas menti. Vous avez eu raison de me croire, c'est moi qui n'aurais jamais dû le faire.» Signé Jean-Francois Bonnet, ponctua Yann.

Malgré le battage incessant de la pluie sur le bac acier, un pesant silence s'imposa dans le gourbi. Le jeune lieutenant reposa délicatement la lettre sur l'établi. Magalie sclérosée se tenait droite comme un «i» sous les yeux craintifs de Judith. Yann, plus que mal à l'aise, regardait çà et là, n'osant pas affronter de face sa collègue. Il fallut attendre que Fabrice vienne toquer deux coups discrets à la porte pour que cet interminable et insoutenable calvaire prenne fin.

— Ne rentrez surtout pas, vous êtes trempés, vous allez compromettre la scène de crime, le stoppa Judith. D'ailleurs nous aussi on va sortir, dit-elle en attrapant Magalie par le coude. Yann, toi tu restes et prends un max de photos. Notamment de la lettre.

— L'identité arrive, ils vont s'en occu...

— Prends un maximum de photos, Yann, répéta le commandant.

— O.K., chef!

Judith traîna Magalie dehors sans que celle-ci oppose de réelle résistance. L'averse qui s'était muée en déluge ne laissait pas le temps à la terre d'absorber l'eau et avait transformé le potager en marécage. Les lourdes gouttes d'eau qui venaient frapper le visage de Magalie, telles de petites taloches célestes, eurent pour effet de l'extirper de son indolence. Tentant de prendre du recul sur les choses, elle se regarda et se vit, là, face à ses collègues. Une soudaine vague de honte la submergea, lui transperçant le cœur. *Comment ai-je pu être si naïve?... Encore!* se hurla-t-elle intérieurement.

Judith, ne lâchant pas le coude de son amie, exposa à ses collègues la nature de leur découverte. Tous comprirent rapidement que l'impact sur Magalie était de taille et sans doute dévastateur. Marion fut la première à réagir en ce sens.

— Bon, si je comprends bien, maintenant on attend l'identité. Ça ne sert peut-être à rien qu'on reste tous ici sous cette pluie de fou à choper la mort?

Judith, comprenant la manœuvre de sa collègue, enchérit aussitôt.

— Pas faux! Je pense qu'on peut gérer à quatre. On ne doit pas perdre de vue notre enquête. Qui veut rester?

— Moi je rentrerais bien au bureau si possible, se proposa Marion.

— Quelqu'un d'autre ?

— Magalie, tu viens avec moi ?

— Moi, je vous suis si vous voulez bien de moi, s'invita Valérie.

— Parfait, je reste avec les garçons. On se retrouve dès que possible.

— Fabrice, tu me laisses ta voiture ?

— Yep, tiens ! fit-il en lui lançant les clefs.

— O.K., à tout'. On se tient au jus.

Avant de partir, Marion laissa sa veste à capuche à Judith qui ne manqua pas de la remercier chaleureusement. Les trois femmes s'éloignèrent d'un pas rapide. Magalie, absente, terrée dans un silence absolu, se laissa traîner jusqu'à la voiture, menée à bout de bras par Marion.

Judith soucieuse les regarda s'éloigner, essayant de se convaincre que pour le bien de tous, il valait mieux qu'elle reste là.

— Elle a pris ça comment ? s'enquit Fabrice une fois les filles hors de portée.

— Calmement, c'est bien ce qui m'effraie.

— Tu crois que ça va avoir des répercussions sur sa réintégration ? s'alarma Pierre.

— J'en sais rien. Pour le moment, je t'avouerais que c'est plus pour son équilibre mental que je m'inquiète.

— Elle est suivie par quelqu'un ?

— On n'en a pas trop parlé mais je crois que oui.

— En tout cas si elle ne l'est pas… c'est le moment d'y penser sérieusement.

Yann sortit du cabanon et s'empressa de mettre sa capuche.

— T'as été bien inspiré de prendre ta grosse veste, l'envia Pierre.

— Je regarde la météo avant de sortir, moi, le nargua-t-il. Où sont parties les filles ?

— Au bureau.

— Hé, on a de la visite, intervint Fabrice.

Un octogénaire bâti comme un athlète s'avançait vers eux d'un pas décidé, à l'abri d'un immense parapluie rouge vif qui lui couvrait à peine les épaules. L'orage et la pluie avaient désaturé le décor, le rendant presque monochrome. L'arrivée de ce parapluie dans le cadre rappelait la célèbre bande dessinée *Sin City* de Frank Miller, ajoutant une touche angoissante à la photographie. Sans même que Judith ait eu le temps de se présenter, l'homme se mit à les invectiver.

— Bande de voyous ! Vous n'avez rien de mieux à faire que de dégrader les biens d'autrui ? Je ne sais pas ce qui me retient de vous botter le cul.

Fabrice ne put retenir un rire.

— Ça vous fait rire, jeune homme ? Vous me prenez pour un vieillard grabataire, c'est ça ? J'aurais sans doute dû m'abstenir d'appeler la police, cela m'aurait laissé tout le temps de vous donner une bonne leçon de courtoisie.

— Bonjour monsieur, tenta d'apaiser Judith.

— Ce n'est pas à vous que je m'adresse. Et puis une femme de votre âge qui accompagne des voyous dans des parcs… de mon temps ça s'appelait des…

— … Avant que vous ne regrettiez vos propos, écourta-t-elle, laissez-moi me présenter. Je suis Judith Lagrange, commandant et chef de groupe à la brigade criminelle de Paris et voici mes lieutenants.

L'homme, surpris, la sonda un court instant, avant de partir d'un rire gras.

— Vous me prenez vraiment pour une buse ? Je ne suis pas encore sénile. Commandant, une femme, à la crim' ? Et puis quoi encore ? Faites-moi rire !

Agacée, peut-être même un peu vexée, Judith sortit son badge et lui colla sous le nez.

— Votre vue vous permet-elle encore de lire ou bien faut-il que j'attende que vous alliez chercher vos lunettes ? lui asséna-t-elle d'une voix monocorde.

L'homme inspecta la plaque d'un regard noir surmonté d'épais sourcils broussailleux.

— Mais à quelle époque vit-on ? Et vous, ajouta-t-il en se retournant vers les trois garçons, vous avez quoi dans le pantalon ? Vous faire diriger par une femme ! Je parie que vous faites la vaisselle chez vous. Quand je vois la police d'aujourd'hui, je comprends mieux l'état de notre si beau pays.

— Oui, on sait, c'était bien mieux avant, les femmes engrossées en cuisine, la guerre, le régime de Vichy, l'antisémitisme et tout ça, railla-t-elle.

— À notre époque, il y a des machines qui font la vaisselle, enchérit Pierre. C'est pratique, vous devriez essayer, lui sourit-il, complaisant.

— Bref, coupa Judith, je suis un peu pressée, c'est que je dois aller préparer la popote pour mon mari et mes douze enfants. Puis-je savoir à qui j'ai à faire ?

— Monsieur Pierre-Emmanuel de la Jaquette.

Yann, jusque-là silencieux, éclata de rire, suivi de ses deux collègues. Seule Judith parvint à garder son sérieux bien qu'elle dût pour cela se mordre le coin de la lèvre inférieure.

— Qu'y a-t-il de si drôle ? s'offusqua le vieil homme, furibond.

— Rien de bien intéressant, tenta Judith.

— Oh si, super intéressant ! Ça explique quand même beaucoup de choses, patron, souligna Fabrice, son sourire lui gommant le visage.

— Et quel bon vent vous amène, Monsieur ? recadra Judith, voyant les épais sourcils de l'octogénaire creuser de profonds sillons sur son front.

— Je suis le régisseur général de ce jardin partagé, répliqua-t-il sèchement, vexé par les allusions.

— Étrangement, vous allez peut-être nous être utile, pour le coup, lui dit-elle en lui offrant son plus beau sourire. Pourriez-vous nous communiquer le nom du propriétaire de ce cabanon, s'il vous plaît ?

— Je pourrais, mais pourquoi le ferais-je ? Je ne suis pas sûr que la loi vous autorise à forcer une propriété privée sans mandat ? Vous allez avoir des problèmes, mademoiselle, je vous l'assure.

— C'est commandant lorsque vous vous adressez à moi. Et pour info, on vient d'y trouver deux cadavres, dans cette cabane… Obstruction, ça vous parle ?

— Deux cadavres dans mon cabanon, lança-t-il avant d'essayer de forcer l'entrée du gourbi.

Fabrice s'imposa et lui expliqua que jusqu'à nouvel ordre, la cabane serait sous scellés. C'est alors que deux agents du service public firent leur apparition. Vêtus de leur uniforme de pluie surmonté d'une casquette floquée police, ils s'avançaient prudemment la main sur le holster.

— Police municipale, annonça le plus aguerri des deux. C'est vous qui nous avez appelés ?

— C'est moi, lança le vieil homme clairement décontenancé.

— C'est pour une effraction ? On a vu que le portail avait été forcé, pointa l'autre homme, bien plus maigre.

— Bonjour lieutenants, intervint Judith en sortant sa plaque.

Les deux gaillards se regardèrent intrigués.

— Il y a effectivement eu effraction. Mais pas seulement ! Mes collègues et moi venons de trouver deux corps dans la maisonnette derrière moi, l'identité est en route et ne devrait donc plus tarder. On a gelé la scène en les attendant.

Les yeux des jeunes agents devinrent ronds comme des billes.

— Deux cadavres, vous dites ?

— Il faut qu'on prévienne la hiérarchie, Roman.

— En fait ce ne sera pas nécessaire, tout est sous contrôle, intervint Judith.

— Désolé, commandant, mais on va se faire tirer les oreilles si on ne prévient pas notre hiérarchie. On est à Saint-Cloud et il faut prévenir le parquet de Nanterre au plus vite. Ne vous inquiétez pas, on connaît bien la procédure.

— Un peu trop même, grinça Fabrice entre ses dents.

— Je retourne à la voiture et j'appelle le poste, lança l'un des lieutenants en filant sous le regard agacé de Judith.

Le trajet avait été silencieux et des plus embouteillés. Les filles étaient arrivées au 304 peu avant 10 heures et furent surprises d'y trouver Luc confortablement installé dans l'un des canapés, lisant bien au sec une revue psychologique, un café crème encore fumant à la main.

— Je pensais que vous seriez là plus tôt, s'exclama-t-il.

Voyant les trois femmes trempées de la tête aux pieds, une drôle de grimace tirant les commissures de ses lèvres vers le menton lui échappa. Il posa soigneusement sa tasse sur la table basse, se leva et vint à leur rencontre. Ne constatant aucune réaction, pas un mot même, il continua le plus naturellement possible, craignant de commettre un impair.

— Je vous avais acheté des viennoiseries, j'espère que vous n'avez pas encore petit déjeuné.

— Salut Luc ! C'est super sympa, le remercia Marion alors que Magalie, taciturne, s'installait à son bureau.

— Magalie ! Je suis ravi de te revoir parmi nous !

— Merci, miaula-t-elle.

— Eh bien ? Moi qui croyais que tu trépignais d'impatience à l'idée de reprendre du service, s'étonna le criminologue.

Valérie et Marion s'empressèrent de lui faire un signe l'incitant à ne pas persévérer dans cette voie.

— Très bien, continua-t-il en se raclant la gorge, de plus en plus interloqué. Où se trouve le reste du groupe ?

— Ils sont à Saint-Cloud, l'informa Valérie alors que Marion l'invitait discrètement à la suivre dans l'un des bureaux d'audition.

Il s'exécuta sans chercher à comprendre. Bien évidemment, Magalie ne manqua rien de la scène. Une fois seule avec Valérie, elle embraya aussitôt.

— Je peux te demander un service, Valérie?
— Bien sûr, dis-moi?
— Que penses-tu de moi?
— Pardon? s'étouffa-t-elle.
— Le service... c'est la franchise. Tu peux te lâcher! Alors que penses-tu de moi? On ne se connaît pas bien et tu es sans doute la mieux placée pour avoir un avis objectif.
La jeune femme se mit à rougir.
— O.K. C'est bon, te fatigue pas, j'ai compris.
— Non, il n'y a rien à comprendre. J'imagine que je viens de passer du rose au rouge, mais ça c'est normal... En fait, ce que je pense de toi est plutôt positif.
— Franchise!
— Je suis franche, Magalie. Tu es certes quelqu'un de difficilement canalisable, parfois un peu trop fougueuse, un peu trop directe aussi... pour quelqu'un avec un tempérament comme le mien en tout cas. Mais tu as toute mon estime. Sache-le!
— Professionnellement?
— En fait... ben c'est du professionnel dont je parlais; pour le reste, comme tu l'as justement dit, on ne se connaît pas, alors...
— Et que penses-tu de mes fréquentations? Comment vis-tu le fait que mes amis soient des psychopathes assassins d'enfants?
— C'est un peu exagéré, sourit Valérie. Je pense que par la force des choses et au vu de notre métier, on se trouve dans des situations parfois un peu... cocasses.
— Cocasses? s'emporta Magalie.
— Magalie, tu dois, je l'imagine, te poser un milliard de questions sur... toi, tes compétences et je ne sais quoi... Mais si je peux me permettre... ce n'est vraiment pas le moment.
— Tu trouves? Moi, je pense qu'à force de ne pas me poser de question je me retrouve dans ce genre de situation merdique. Et toi tu me dis de persévérer dans ma connerie?

— Entendons-nous bien, ce n'est pas du tout ce que je te dis. Je ne te dis pas de ne pas te poser de questions, je te dis que ce n'est pas le bon moment. Tu viens de vivre coup sur coup deux énormes traumatismes, enfin avec aujourd'hui on en est à trois. Tu n'as pas assez de recul sur les choses pour pouvoir avoir un jugement fiable. Et c'est sans doute ce qui nous amène ici aujourd'hui. Actuellement, ce dont tu as besoin, c'est de te reposer un peu sur tes proches et surtout de leur faire entièrement confiance, car je peux t'assurer que leur vision est sans aucun doute moins biaisée que la tienne. Tu as la chance d'être très bien entourée, c'est maintenant qu'il faut en profiter. Je sais que le moment venu, tu sauras leur rendre la pareille.

— Moi, je pense que mes collègues n'ont plus aucune confiance en moi. Et comment pourrais-je leur en vouloir ? se referma Magalie.

— CQFD, Magalie. La preuve que ton raisonnement est complètement faussé par la culpabilité qui te ronge. Tu ne te pardonnes rien. Tu es perfectionniste et bien trop dure avec toi-même. Il faut apprendre à lâcher du lest.

— Je ne comprends pas comment, je... J'étais sûre de moi pourtant, tellement sûre de son innocence. Il semblait si sincère. Il s'est bien foutu de ma gueule, ce tocard. Ce que je ne comprends pas, c'est pourquoi se faire chier à m'avoir sur le dos ? C'est pas logique.

— Ce sont des esprits malades, il n'y a pas toujours d'explication, Magalie.

— J'ai vu son regard, je te jure qu'il semblait si...

— ... Ne perds pas ton temps, Magalie.

Luc et Marion revinrent dans la pièce. Magalie, impassible, les regarda s'installer, jeta un œil à sa table, puis à son ordinateur, puis à la pièce et soudain se leva.

— Je vais rentrer chez moi, Marion, annonça-t-elle sans plus d'explications.

— Comment ça ? Non !

— Ça va aller, ne t'inquiète pas. Je suis trempée et j'ai besoin de… repos.

— O.K., je t'accompagne alors.

— Certainement pas, trancha-t-elle. Vous avez une enquête à boucler, c'est pas en jouant à la baby-sitter que vous aller y arriver. Et ne t'inquiète pas, Valérie vient de me remettre les idées en place. Il y a une chose que j'ai compris, c'est que je peux vous appeler.

— Promis ?

— Promis !

— Tu ne veux même pas que je te dépose ?

— Non, à tout', répondit-elle en sortant sans demander son dû.

La porte eut à peine le temps de se refermer que Marion se retourna vers le psychiatre.

— Tu crois que c'est prudent de la laisser seule ?

— Prudent ? On parle bien de Magalie, là ? ricana-t-il. La prudence n'est pas sa plus grande vertu !

— Je suis sérieuse, Luc. Elle ne va pas bien du tout. Elle n'a même pas crié, injurié ni tapé, rien ! Elle est restée… stoïque. C'est flippant !

— Rassure-toi, Magalie n'est pas suicidaire, si c'est ce à quoi tu penses. La connaissant, elle doit être remplie de honte et vexée au plus haut point de s'être laissé abuser aussi facilement.

— Ça fait deux fois, là ! Moi, à sa place, je me poserais de sérieuses questions.

— Et elle va le faire. C'est pourquoi elle est rentrée chez elle, j'imagine. Je t'assure qu'il ne lui arrivera rien. C'est surprenant certes, mais Magalie est une personne très bien structurée, il n'y a aucun risque de ce côté.

— Tu me conseilles donc de la laisser tranquille.

— Oui, et si jamais, envoie-lui un message ce soir.

— Si jamais quoi ?

— Si jamais elle n'est pas revenue.

— Tu crois vraiment qu'elle va revenir ?

— Forte probabilité, sourit-il en lui lançant un clin d'œil. Bon, moi, faut que je file, je repasserai plus tard.

— T'as pu avancer sur le profil ? se renseigna Valérie.

— Oui. J'ai aussi jeté un œil au rapport d'autopsie du comptable. Très intéressant ! J'attends de vous avoir tous sous la main pour vous en parler.

— Juste… est-ce que le profil a changé ?

— Non, je l'ai amélioré, mais rien n'a changé. Je vous en parle dans l'après-midi. Là, je dois vraiment y aller, sinon je vais être en retard.

— Désolée, grimaça-t-elle.

— Pas de souci. Bonne fin de matinée, les filles.

Le jardin partagé retrouvait peu à peu ses couleurs. La pluie avait enfin cessé, laissant filtrer de rares rayons de soleil çà et là. Les éclairs blancs s'étaient mués en feu bleu électrique tournoyant et les ra pluvieux avaient, eux, laissé la place aux chuchotements des hommes de l'identité judiciaire qui, pataugeant dans le trop d'eau, tentaient de ne pas trop dénaturer la scène de crime.

Judith avait demandé à ses collègues d'assister les TIC dans leur travail. S'appuyant au chambranle, elle chaussait soigneusement des patins en plastique de façon à pouvoir retourner dans le cabanon voir le légiste lorsqu'elle aperçut, derrière les haies de délimitation du parc, une berline flambant neuve, surmontée d'un gyrophare, se garer sur le trottoir. Elle scruta le véhicule et fut surprise d'en voir descendre le commissaire divisionnaire de Versailles. *Les emmerdes commencent*, pensa-t-elle. Elle s'empressa de rejoindre le légiste, sachant son temps compté.

L'homme était penché sur le corps de l'adolescente, en train de lui planter soigneusement une sonde dans le foie.

— Bonjour, je suis le commandant Judith Lagrange, chef du 4e groupe au 36.

— Commandant, la salua-t-il sans lâcher le thermomètre des yeux.

— Que pouvez-vous m'apprendre ?

— D'après mes premières constatations, cette jeune fille est morte asphyxiée suite à une strangulation mécanique.

Si vous me laissez deux minutes, je pourrai vous donner l'heure de la mort.

— Avez-vous examiné le corps du jeune homme ?

— Très brièvement.

— Un suicide ?

— Je ne m'avancerais pas sans un examen plus poussé mais tout porte à le croire, oui, dit-il avant d'extraire la sonde avec minutie.

— Quelque chose vous semble-t-il anormal ? tenta-t-elle.

Le légiste se releva.

— La mort n'est pas naturelle. Est-ce suffisamment anormal ?

— Certes, sourit-elle.

— Commandant, je n'ai pas pour habitude d'induire mes collaborateurs en erreur. Je préfère sincèrement finir mon examen avant d'avoir à me prononcer. Je sais que certains de mes confrères ne se formalisent pas mais c'est pour moi essentiel. Je vous promets de faire au plus vite. Avec un peu de chance, vous aurez le résultat des deux autopsies en fin de journée sur votre bureau. Mais pour cela, il va falloir me laisser travailler.

— Bien sûr, veuillez m'excuser.

— Elle est morte entre 3 et 5 heures du matin. Chose promise chose due, sourit-il. Maintenant si vous voulez bien…

— Je vous laisse travailler. Merci professeur.

Judith s'écarta un peu pour laisser le légiste manipuler le corps à son aise. Elle profita que l'homme lui tourne le dos pour attraper discrètement un Coton-Tige dans sa mallette.

— Cela ne vous embête pas si je prends deux trois photos du corps du garçon ?

— Faites donc, pour le moment je suis sur cette pauvre jeune fille.

Judith se détourna et s'approcha de la dépouille de Jeff. Elle extirpa le Coton-Tige de son tube protecteur et le passa sur le dos des mains de Jeff avant de remettre méticuleusement le bâton dans son tube. Elle sortit son

Smartphone, fit mine de prendre quelques photos avant de revenir vers le médecin.

— Très bonne fin de journée, lança-t-elle enfin.

— Pareillement.

Elle ressortit de la cabane et tomba nez à nez avec le commissaire divisionnaire Demaurie.

— Lagrange, je suppute ?

— Pour vous servir. À qui ai-je l'honneur ?

Demaurie, amusé par la remarque, la sonda un court instant avant de prendre le parti de ne pas lui répondre.

— Le procureur de la République, ici présent, et moi-même nous demandions ce que des agents du 36 faisaient si loin de leur beau quartier ?

— On suit des pistes qui nous mènent dans vos beaux jardins, sourit-elle.

— J'espère que malgré la pluie la balade vous a plu, la taquina-t-il, voyant le commandant encore détrempée. Il faudra revenir !

Judith jeta un œil par-dessus l'épaule du divisionnaire et aperçut ses agents bredouilles qui se faisaient gentiment mais sûrement raccompagner à l'entrée du parc.

— Il faudra revenir par beau temps, insista-t-il.

— Je n'y manquerai pas.

— Parfait, sourit-il à pleines dents. Sur ce... ravi d'avoir fait votre connaissance, conclut-il.

— Vous partez déjà ? s'amusa-t-elle.

— J'ai peur de m'être mal fait comprendre, c'est vous qui partez, commandant. Nous vous convoquerons peut-être pour une audition à Versailles. Mais pratiquant le même métier et sachant à quel point votre temps est précieux, je vous assure que nous ferons tout notre possible pour l'éviter. Ce qui ne devrait pas être trop compliqué au vu des circonstances.

— Des circonstances ?

— Oui. D'après mes agents, il s'agit d'un cas de récidive. Jean-François Bonnet, dossier que je connais bien pour l'avoir traité. Mais je ne vous apprends rien, n'est-ce pas ?

— Il y a deux corps dans ce cabanon, l'informa-t-elle.

— Si vous voulez mon avis c'est une bonne chose que ce malade se soit fait sauter la caboche. Ça nous évitera la paperasse, ironisa-t-il. Ma principale préoccupation en ce moment est de découvrir l'identité de cette pauvre jeune fille de façon à avertir la famille au plus vite, qu'elle puisse entamer son deuil dans de bonnes conditions. Et maintenant, veuillez m'excuser mais le devoir m'appelle.

— Allez-vous au moins ouvrir une information judiciaire ? l'interpella-t-elle.

— Il n'y a pas de raison en l'état des choses, intervint le procureur jusque-là silencieux. Il s'agit ici d'un cas typique de flagrant délit !

— Ce fut un plaisir de vous rencontrer, commandant Lagrange, depuis que j'entends parler de vous, fit-il en lui tendant la main.

Judith n'eut d'autre choix que de lui rendre la politesse.

— Mes agents vont vous raccompagner et merci encore de nous avoir mâché le travail, dit-il, lui tournant le dos avant de disparaître dans le cabanon sans même prendre la peine de chausser des patins.

Judith fut escortée jusqu'à la sortie où elle retrouva ses collègues qui l'attendaient.

— Ça va ? s'inquiéta Fabrice.

— Ce mec est un sombre connard, ne put-elle retenir. Il vient de pourrir la scène de crime en deux temps trois mouvements.

— On s'en doutait… mais encore ?

— Rien ! Rien de plus !

— Pas moyen de récupérer le dossier en faisant jouer Berta ? essaya Yann.

— Non, pas moyen. Ces deux-là se détestent viscéralement et ici, ce n'est pas notre terrain de chasse. Bref, on rentre se changer et mettre des vêtements secs avant d'attraper la mort… Mais avant, faudrait que je passe au labo déposer ça, dit-elle en sortant le Coton-Tige de sa poche.

— C'est quoi ?
— J'ai tamponné les mains de Bonnet, on ne sait jamais.
— T'as un doute sur le suicide ? s'étonna Yann.
— Pas vraiment, mais je ne veux rien laisser de côté. Demaurie est parti pour tirer profit de cette histoire. Une récidive est une aubaine pour lui. Il ne cherchera pas à comprendre.

21

Magalie était rentrée à pied jusqu'à chez elle. À peine arrivée à l'appartement, elle se précipita dans la salle de bains et se fit couler un bain. Encore toute grelottante, elle ôta ses vêtements trempés par la pluie et plongea dans la baignoire sans même attendre que celle-ci soit pleine. L'eau chaude effaça tous ses maux d'un coup de baguette magique. Son corps se dénoua et s'enivra d'une sensation de bien-être physique. Elle se laissa aller et tenta d'éloigner, avec des exercices de respiration, les pensées contre-productives qui lui venaient à l'esprit.

Elle entendit son téléphone sonner une première fois et prit le parti de ne pas répondre, s'offrant un moment de calme. Et alors qu'elle s'assoupissait comme droguée par la chaleur, le téléphone résonna à nouveau dans la salle de bains, la sortant violemment de son état méditatif. Gagnée par les nerfs, elle attrapa le shampoing et le balança à travers la pièce en hurlant : « *Y a pas moyen d'avoir deux minutes pour soi, bordel de merde !* ».

Le bouchon de la bouteille se rompit contre la porte, la repeignant d'un bleu pâle et gluant.

Dépitée, elle se laissa glisser la tête sous l'eau et resta là, en apnée, une cinquantaine de secondes avant que l'air ne vienne à lui manquer. Elle se releva subitement, décidée, et fit un bond hors de la baignoire.

Elle attrapa une serviette et s'y emmitoufla avant de se mettre à fouiller les poches de son pantalon qui gisait au sol. Elle en extirpa son téléphone.

Judith et Cathy avaient cherché à la joindre.

Elle rappela aussitôt Cathy.

— Dis-moi, c'est une vrai galère pour t'avoir au bout du fil, taquina d'entrée Cathy sans même prendre le temps de saluer Magalie.

— Je te renvoie le compliment, souffla le capitaine.

— J'ai bien eu ton message hier mais j'ai pas eu le temps de te rappeler...

— De toute façon ce n'est plus vraiment nécessaire.

— Comment ça ?

— Rien ! Laisse tomber !

— Très bien, dit-elle sans insister. Bon, pour ma part, ma bonne foi me force à te rembourser une partie de ton argent.

— Comment ça ?

— J'ai hésité à le garder et puis je me suis dit que pour une fois que tu avais été sympa, j'allais t'encourager dans ce sens, se moqua-t-elle.

— Encourager à quoi ?

— À l'être plus souvent. T'es longue à la détente, aujourd'hui. Je t'ai connue plus vive. Bref, je ne te facture que le temps passé, pas la prestation.

— Je ne comprends pas ?

— Ton copain et moi avons passé un moment très sympa mais visiblement il n'était pas prêt, si tu vois ce que je veux dire. C'était assez mignon d'ailleurs, sourit-elle.

— Comment ça, vous n'avez pas couché ensemble ?

— Non, on s'est fait deux trois câlins, puis quand les choses se sont corsées il m'a dit qu'il préférait attendre un peu.

— Attendre quoi ?

— Je pense qu'il voulait qu'on se revoie, le pauvre bougre.

— Tu te fous de moi ?

— Non, pourquoi ? Je n'allais tout de même pas le violer, le pauvre homme ? À moins que tu ne me croie pas capable de tenir une conversation intéressante ?

— Si, bien sûr que si… C'est juste que… Mais tu lui as dit quoi, du coup ?

— Je n'ai pas osé lui dire que ça risquait de lui coûter un bras, rit-elle. Plus sérieusement, je lui ai dit que je repartais dans le Sud mais qu'à l'occasion on pouvait se faire une bouffe. Que voulais-tu que je lui dise ?

Magalie, incrédule, mit un certain temps à réagir.

— Hé t'es toujours là ? s'inquiéta Cathy.

— Quand tu dis que vous vous êtes fait des câlins, tu peux préciser ? reprit Magalie.

— T'es vraiment tordue comme fille !

— S'il te plaît !

— On s'est embrassés et un peu touchés, rien de bien fou. Tu veux que je te fasse un dessin ?

— Tu l'as trouvé étrange ?

— C'est toi que je trouve étrange, Magalie, s'offusqua la jeune femme.

— Écoute, par définition tu as plus d'expérience en matière de sexe que la norme. As-tu décelé des déviances chez Jeff ?

Cathy resta silencieuse un instant avant de se résigner à répondre.

— Mon expérience m'a prouvé que bon nombre des mecs qui viennent me voir ont des déviances, comme tu dis ! Ils ne viendraient peut-être pas sinon. Je ne sais pas ce que tu veux que je te dise, mais ton ami s'est très bien comporté avec moi. Alors, je sais qu'il ne m'a pas payé et que souvent ça pousse à la courtoisie, mais à ce que j'ai vu je ne pense pas que ce soit le genre de gars à s'offrir les services d'une fille comme moi. D'après moi, c'est plus un nounours romantique qu'un vieux pervers. Maintenant j'aimerais bien savoir pourquoi tu me poses ce genre de question. Il y a un problème ? Il t'a dit quelque chose sur moi ?

— Non, rien. Tu l'as quitté à quelle heure vendredi soir ?

— Il devait être près de 3 heures. Le bar a fermé, on est montés boire une tisane chez lui, on s'est fait des bisous-bisous et puis je suis partie.

— O.K., merci.

— Ça va ? T'as l'air bizarre ?

— Ça va aller.

— Je te rembourse comment et quand ? Si on pouvait éviter de faire ça vers mon taf, ce serait top !

— Laisse tomber, garde tout, tu l'as bien mérité.

— Tu m'inquiètes. C'est pas que j'ai beaucoup d'affection pour toi mais là, tu admettras que t'es flippante. Tu ne veux même pas savoir combien je compte te rendre ?

— Prends soin de toi. Je t'en dois une, n'hésite pas à m'appeler si je peux faire un truc pour toi, conclut Magalie avant de raccrocher sans même avoir pris la peine de saluer la jeune femme.

Magalie, perplexe, resta immobile un instant le téléphone à la main, les bras ballants, fixant sa silhouette embrumée dans le miroir. Son cerveau valsait, tourbillonnait, bouillonnait même. Surchauffe provoquée par des réflexions qui ne la menaient nulle part. Il y avait à chaque fois quelque chose qui ne collait pas ! Son esprit pragmatique et cartésien lui imposait de mettre toutes les informations récoltées dans de petites cases soigneusement tracées par sa logique implacable, mais là, ça ne fonctionnait pas. Il lui manquait des éléments, mais lesquels ? Quatre questions la taraudaient sans cesse, faisant systématiquement capoter son raisonnement en insultant par là même son intelligence : pourquoi Jeff avait-il éprouvé le besoin de la convaincre de son innocence, s'il se savait coupable ? C'était une prise de risque inutile. Pourquoi s'était-il obstiné pendant près de vingt ans à lire, relire et même annoter son dossier d'instruction, s'il se savait coupable ? Par ailleurs, pourquoi être venu vider sa chambre ? Il avait sans doute mieux à faire. Et enfin, pourquoi avoir pris la peine de rallumer son téléphone avant de se faire sauter la caboche ? Se savait-il filoché ? Et quand bien même, pourquoi le faire ?

Soudainement décidée, elle rejoignit le salon, se prépara un café et s'offrit une banane avant de s'installer confortablement dans son canapé. Un frisson la traversa. Elle attrapa le plaid en polaire juste à côté d'elle, le mit sur ses épaules dénudées et s'empara du dossier d'instruction de Jeff qu'elle ouvrit à la première page.

C'est au compte-gouttes que les garçons arrivèrent au 36 quai des Orfèvres. Une fois expulsés de la scène de crime, ils avaient fait un détour au labo pour déposer le prélèvement de Judith. Puis cette dernière les avait raccompagnés chez eux pour qu'ils enfilent des vêtements secs. À 14 heures, seules Judith et Magalie manquaient à l'appel.

— Quelqu'un a des news de Magalie? demanda Marion.

— *Nope*, répondit Pierre du tac au tac.

— Non plus, enchérit Yann suivi d'un signe de tête négatif de Fabrice.

— Elle était comment?

— Calme, très étrangement calme, se dépita la lieutenant.

— Moi, je pense que ça va aller, la rassura Valérie.

— C'est ce qu'on lui souhaite, espéra Fabrice alors que la porte du bureau s'ouvrait.

Berta, visiblement agacé, balaya la pièce du regard.

— Où est Judith? grogna-t-il de sa voix caverneuse.

Les cinq agents se regardèrent, perplexes.

— Personne ne sait où est Judith? Alors peut-être pourrez vous me dire où se trouve Binet? Il me semblait qu'elle avait repris hier?

— Magalie avait un rendez-vous chez son kiné, inventa Marion. Elle devrait revenir dans l'après-midi.

— Et Judith doit être sur le point d'arriver, l'aida Fabrice. On a attrapé la grosse pluie ce matin. On est tous rentrés se changer.

Jean-Pierre Berta inspira profondément comme s'il cherchait à contenir ses nerfs.

— Vous me l'envoyez en express dès qu'elle passe cette fichue porte. Est-ce clair? tonna-t-il.

— Oui, monsieur le divisionnaire, sortirent Fabrice et Marion à l'unisson.

L'homme fit volte-face et disparut dans le couloir. Le bureau fut plongé dans un profond silence l'instant de cinq secondes.

— Oups, tenta Pierre.

— J'appelle Judith, réagit enfin Marion.

Judith poussait la lourde porte cochère lorsqu'elle sentit son téléphone vibrer dans sa poche. Une fois sous le porche, elle y jeta un œil. *Marion attendra,* se dit-elle. Elle frappa deux coups à la porte de Magalie, qui vint aussitôt lui ouvrir en prenant soin de se cacher derrière.

— Qu'est-ce qui t'arrive ? s'étonna-t-elle en entrant. Mais t'es en serviette, constata-t-elle enfin.

— Oublié de me rhabiller, répondit très naturellement Magalie.

— Oublié ?

— Qu'est-ce que tu fous là ?

— Je venais aux nouvelles, vu que tu ne réponds pas à mes appels, taquina-t-elle.

— Oups, complètement oublié de te rappeler.

— T'oublies de t'habiller puis tu oublies de me répondre, dois-je m'inquiéter ? s'amusa-t-elle, prenant place sur l'un des fauteuils club.

— Ça va, détends-toi, je ne vais pas si mal. Je te sers un truc ?

— Non, merci. Tu faisais quoi ? s'enquit-elle en essayant de déchiffrer le dossier d'instruction posé en face d'elle sur le canapé.

— J'essayais de comprendre, répondit Magalie en se réinstallant à sa place.

— De comprendre ?

— Oui, de comprendre.

— Écoute Magalie, je ne veux pas…

— Jude, ça va, je te dis, la coupa-t-elle avant que Judith ne parte dans un laïus interminable dont elle avait le secret.

— C'est juste qu'il n'y a parfois rien à comprendre, Mage !

— Jude, je sais que tout pousse à…

— Je t'arrête tout de suite, Magalie. Tu ne crois quand même pas Bonnet…

— … Je ne crois rien, bordel. Je fais ce qu'on fait à chaque fois.

— À savoir ?

— Je me pose des questions. Je veux bien admettre que Jeff soit un enfoiré de pervers, mais il me faut quand même comprendre.

— Mais comprendre quoi, bon sang ? Qu'est-ce qu'il y a de compréhensible dans le fonctionnement d'un pédophile ?

— Bien plus de choses que l'on ne pense. Regarde ça par exemple, dit-elle en lui tendant le dossier d'instruction couvert d'annotations. Explique-moi le délire du gars et j'arrête. Promis !

Sceptique, Judith prit l'épais classeur entre ses mains. Elle savait Magalie fragile. Il lui faudrait trouver les mots justes.

— Je ne sais pas quoi te dire, Mage, dit-elle sans même jeter un œil au dossier. Je sais juste que parfois, les réponses viennent plus tard. Il ne faut pas s'obstiner…

— … Jette au moins un œil à ses annotations, Jude ! S'il te plaît. C'est à n'y rien comprendre.

Elle se leva, passa derrière sa collègue et se mit à lui tourner les pages du dossier sous le nez.

— Regarde là par exemple, pointa-t-elle. « Demander de nouvelles expertises ADN ». C'est surligné deux fois !

Judith accepta enfin de jeter un œil aux annotations.

— Et là, continua Magalie allant une trentaine de pages plus loin. « La solution est en rapport avec le témoin. Comment a-t-il pu m'y voir, vu que je n'y étais pas ? Je dois le rencontrer ! » Pourquoi faire ça, Judith ? Il y a vingt ans d'annotations dans ce bordel !

Judith fixait silencieusement les pages, le front ridé par ses sourcils froncés.

— C'est bon, j'ai compris, abandonna Magalie avant de retourner à sa place toute penaude.

Judith, étrangement silencieuse, se mit à tourner les feuilles.

— Valérie m'a dit de ne pas me faire confiance, se désola Magalie. Je crois qu'elle a raison. Je ne suis pas réellement en état de réfléchir correctement… Je devrais sans doute prolonger mon arrêt de travail. Je pense que je vous serais plus utile ailleurs que dans vos pattes…

Judith restait silencieuse, absorbée par sa lecture.

— … Et puis j'ai encore fait du grand Binet en vous impliquant dans mes délires. J'espère que ça ne va pas vous retomber sur la tronche. Quand je pense à quel point j'ai été débile de croire ce connard, je me dis qu'il faut que je change de taf. Je n'ai plus de feeling avec les gens. Avant, je les voyais et je savais. Rares ont été les fois où je me suis plantée… Et là… Quand j'y pense, je suis vraiment une noob…

Elle regarda Judith, intriguée par le fait que celle-ci ne lui réponde pas.

— T'es toujours avec moi, Jude ?

Judith releva la tête et fixa Magalie. Les sourcils en « V », elle semblait absente. Elle se leva subitement, attrapa sa veste, en extirpa son téléphone et se mit à chercher dans ses contacts. Magalie, interloquée par le comportement de son amie, ouvrit les bras en signe d'interrogation. Judith apposa son index sur sa bouche pour lui dire de se taire, avant de se retourner. Magalie incrédule resta plantée là, dans le canapé.

— Yann, peux-tu m'envoyer au plus vite les photos de la lettre de Bonnet ?

— Pourquoi ? s'étonna Magalie.

Judith plissa les yeux, cherchant à entendre la logorrhée interminable de son lieutenant à l'autre bout du fil.

— O.K., merci Yann. Je passerai le voir dès que j'arrive au 36. En attendant, envoie-moi les photos. Faut à tout prix que je vérifie un truc… Je pense ne plus tarder à partir… Si ça roule bien, je suis là dans trois quarts d'heure… Super. À tout', conclut-elle sous le regard inquisiteur de son amie.

— Tu m'expliques ?

Magalie se leva subitement, manquant de se retrouver avec sa serviette de bain sur les chevilles.

— Non.

— Jude ! supplia-t-elle en renouant son drap de bain.

— Deux minutes. Je veux être sûre de ce que je dis ! Patience, mère de toutes les vertus !

— Grr, grommela Magalie.

Le téléphone de Judith vibra. Elle ouvrit aussitôt l'image et l'agrandit pour mieux l'observer.

— Alors ? s'impatienta Magalie tiraillée par la curiosité.

Judith se rassit et s'empara du classeur.

— Dis-moi ? Tu es sûre que ces annotations sont de la main de Bonnet ?

— Oui, pourquoi ?

— On a donc un sérieux problème, lança-t-elle enfin.

— Un problème ? De quel ordre, le problème ?

— Enfin, c'est moi qui ai un problème. Toi, je pense que tu vas être soulagée. Va t'habiller, dépêche-toi !

— Quoi ? T'as pas le droit de me laisser comme ça !

— Pardon ! La lettre n'a vraisemblablement pas été rédigée par ton Jeff.

— Quoi ? Et tu me dis ça comme ça, toi ?

— Je ne suis pas graphologue mais là… Je dois bien admettre que j'ai comme un doute, dit Judith en lui montrant les évidentes disparités entre les deux écritures.

Yann, installé à son bureau, reposa le combiné du téléphone fixe sous le regard inquisiteur de ses collègues.

— Quoi ? C'est Magalie ? Elle a fait une connerie ? s'alarma Marion.

— Non, Magalie va bien. En revanche, Judith vient de me dire que Bonnet ne s'est probablement pas suicidé, lâcha-t-il un peu assommé.

— Quoi ? Mais… comment ça ? bégaya Fabrice ahuri.

— Attends, je ne comprends pas, intervint Marion en secouant la tête. S'il ne s'est pas suicidé, c'est donc que quelqu'un…

— … l'a tué, coupa Fabrice.

— Je n'ai pas plus d'explication pour le moment, s'excusa Yann.

— Elles sont où, là ? demanda Pierre.

— Elles partent de chez Magalie.

— Qu'est-ce qu'on va faire, du coup ? s'immisça Valérie jusque-là silencieuse.

— On continue à enquêter sur Nataf et on ne lâche pas Hanin. Enfin j'imagine.

— Non, ce que je voulais dire c'est que Versailles semble déjà avoir classé l'affaire. Pour eux, c'est un cas de récidive.

— Il est pourtant clair que si Jeff ne s'est pas suicidé, c'est qu'il n'a sans doute pas violé et tué la gamine, expliqua Marion.

— La blague ! s'étonna Fabrice.

— *Oh my God* ! La vie de merde que ce pauvre type se sera cogné s'il s'avérait qu'il était réellement innocent, réalisa Pierre.

Ils restèrent un instant silencieux essayant d'imaginer le calvaire qu'avait dû vivre Jeff toutes ces années en prison en se sachant innocent.

— Je ne comprends pas ? lança Yann en se balançant sur sa chaise. Pourquoi quelqu'un aurait voulu le tuer ?

— Magalie cherchait à prouver son innocence ; quoi de mieux que de prouver à nouveau sa culpabilité, expliqua Valérie.

— Si on est dans le vrai… à qui profite le crime, si ce n'est au vrai coupable de la mort de Van den Brake ? supposa Fabrice.

— Au vrai coupable de la mort de Van den Brake, répéta Valérie.

— Non !… Il y a quelqu'un d'autre à qui profite le crime, intervint Marion. Réfléchissez bien. Où retrouve-t-on Jeff ?

— Dans un potager, tenta Pierre sans comprendre où tout ça devait les mener.

— À Saint-Cloud, qui est sous la juridiction de Versailles ! réalisa Yann.

— Comme par hasard, minauda Marion.

— Non, là on va trop loin, les gars, objecta Fabrice.

— Fab, réfléchis : Saint-Cloud mais aussi le portable qui s'allume avant qu'il se suicide... Comment veux-tu qu'il sache qu'on peut le tracer avec son téléphone ? Toi aussi tu l'as rencontré, ce type ! Il était aux fraises en termes de technologie. C'était comme lui parler chinois !

— Ça, ce n'est pas un argument, intervint Pierre. Ils n'ont pas d'ordi en prison mais ils ont la télé. Avec toutes les séries d'experts qui existent, ils sont quand même informés sur certaines avancées technologiques.

— Soit, mais pourquoi allumer son téléphone avant de se tirer une balle dans la tête ?

— Il ne s'est vraisemblablement pas tiré de balle dans la tête, Marion, rectifia Yann.

— Encore mieux ! S'il était retenu de force, c'est donc que c'est son assassin qui l'a allumé ! Pourquoi faire un truc pareil ?

— Pourquoi, d'après toi ?

— Pour que ce soit nous qui le trouvions !

— Tu divagues, objecta Fabrice. Et puis comment Versailles aurait su qu'on était sur Jeff ?

— Ça, ils pouvaient le savoir, je te rappelle qu'ils étaient derrière Magalie. Ils auraient pu sans mal griller notre filature, soumit Yann.

— En tout cas ils étaient les mieux placés pour le savoir, enchérit Marion.

— Et toi, t'en conclus direct que c'est Versailles qui se cache derrière tout ça. On parle de deux assassinats ! C'est un peu gros, non ? s'obstina Fabrice.

— C'est gros mais c'est une possibilité, admit Valérie.

— Si Magalie était parvenue à prouver l'innocence de Jeff... qui aurait été le premier sur le gril ? persévéra

Marion. T'oublies quand même qu'il est allé jusqu'à faire suivre Magalie. C'est pas très déontologique, ça!

— Il y a une énorme différence entre une filature illégale et un double meurtre, Marion! Mais bon sang! On parle d'un commissaire divisionnaire, là, s'indigna Fabrice. Je suis le seul à comprendre ce qu'il se dit ici ou bien? Et puis où serait-il allé pour trouver la gamine?

Les agents se regardaient bêtement, cherchant désespérément une explication plus... politiquement correcte. Fabrice, désappointé, se leva et alla se faire couler un café serré.

— En tout cas il n'y a pas cinquante mille possibilités, récapitula Yann. Il n'y en a que deux! La première, c'est Versailles et la deuxième, c'est le véritable assassin de la petite Julie, car à part eux je ne vois vraiment pas l'intérêt d'une telle mise en scène!

— Il y en a peut-être une autre, s'immisça Valérie toujours aussi discrètement.

— On t'écoute, s'intéressa Fabrice.

— Elle est un peu tirée par les cheveux mais pourquoi pas. Imaginons que nous ayons vu juste au sujet de notre affaire...

— Vu juste?

— Les assassinats sur lesquels on enquête.

— O.K., et?

— Imaginons donc que Bonnet soit le coupable de tous ces meurtres barbares. Pour le coup, on admettra assez facilement qu'il a toutes les raisons du monde d'en vouloir aux pédophiles et de vouloir se faire justice, s'il s'avérait qu'il était réellement innocent et qu'il ait été condamné à la place de l'un d'entre eux.

— O.K., et? s'impatientait Marion.

— Partons également du principe qu'une organisation pédophile existe. Ce vers quoi tend l'enquête actuellement.

— Oui.

— Peut-être pourrions-nous alors imaginer qu'il serait dans l'intérêt de cette organisation...

— … De se débarrasser de Jeff avant que celui-ci ne se débarrasse d'eux, coupa Fabrice soulagé, trouvant enfin une explication acceptable.

— C'est effectivement envisageable, dut admettre Marion.

— C'est plus qu'envisageable, Marion. On imagine depuis quelques jours que les deux affaires sont liées. C'est d'ailleurs pourquoi on filochait Jeff, je te rappelle. Et puis Magalie n'a jamais pu donner d'alibi à Jeff pour les heures des meurtres de nos clients.

— Euh… en fait, hier elle nous a dit que pour Nataf, il avait un alibi, révéla Valérie.

— On s'en fout de Nataf, poursuivit Fabrice. Il est mort d'une crise cardiaque. Jeff n'a visiblement pas eu le temps de s'occuper de lui. Le bougre est mort de peur, probablement.

— Pas si vite. C'est une possibilité mais on ne va pas partir tête baissée comme des dératés, le calma Marion.

— Tu préfères partir en guerre contre des moulins à vent versaillais ? piqua Fabrice.

— On se détend, les gars, intervint aussitôt Yann.

— Hum, désolé Marion, redescendit aussi vite Fabrice.

— Pas de souci, on est tous fatigués. Bon, on s'organise comment alors ?

— Il n'y a rien à organiser. On a une affaire en cours, pour le reste on verra avec Judith, statua Yann.

— Si Valérie a vu juste, on n'a plus vraiment d'affaire en cours. Elle vient de se transformer en futur non-lieu. Car sans même parler du pseudo-suicide, il va être très difficile d'expliquer au juge qu'un pédophile avéré, en la personne de Bonnet, soit aussi l'assassin de pédophiles non avérés en les personnes de notables parisiens, s'amusa Pierre.

La porte du bureau s'ouvrit, laissant apparaître Judith et Magalie qui saluaient un collègue du groupe voisin. Elles échangèrent avec lui les rapides banalités de circonstance avant d'entrer dans le bureau. Magalie, excitée comme une puce, s'empressa d'expliquer à ses confrères ce qui les avait menées à la conclusion que Jeff ne s'était pas suicidé tandis que Judith affichait l'une des pages du dossier d'instruction aux côtés de la reproduction photographique de la lettre de suicide de Jeff. Tous sans exception abondèrent dans leur sens : les écritures n'étaient visiblement pas les mêmes. Dès lors, les pronostics filèrent bon train, opposant d'un côté les adeptes de la théorie du complot versaillais et de l'autre les partisans de la secte pédophile qui, se sentant menacée, avait pris toutes les mesures nécessaires pour se débarrasser du problème.

— Comment procède-t-on, Judith ? s'enquit Valérie.

— Là, je vais monter voir Berta. Je me prends mon savon et après j'essaye de voir avoir lui ce qu'il est envisageable de faire sans créer de conflit diplomatique majeur entre les deux maisons.

— Tu veux que je vienne avec toi ? proposa Magalie.

— Non merci, je vais mettre toutes les chances de mon côté si ça ne t'embête pas, lui sourit-elle.

— Et sinon, nous, en attendant on fait quoi ? demanda à son tour Yann.

— Pour le moment... comme si de rien n'était. On continue à enquêter sur notre affaire sans considérer Bonnet.

— Judith, tu te souviens qu'on devait aller voir le gérant de Leisure House ? lui rappela Fabrice.

— Arg, j'avais oublié cette histoire, se désola-t-elle.

— Je fais quoi, je les rappelle et j'annule ?

— Non, appelle-les, dis-leur qu'on a un empêchement de dernière minute et qu'on repousse un peu, dit-elle en jetant un œil à sa montre. Dis leur dans... deux-trois heures !

— Et s'ils ne peuvent pas, je prends un rencard pour demain ?

— S'ils ne peuvent pas ? Alors ce sera eux qui devront venir ici dans deux-trois heures, lança-t-elle, arborant son plus beau sourire. On attend depuis deux jours, ils vont pas nous soûler pour deux heures.

— O.K., je les appelle.

— Bon je vous laisse, conclut-elle en inspirant profondément avant de sortir.

— J'espère qu'elle ne va pas prendre trop cher, se lamenta Magalie.

— C'est à toi que tu devrais penser, Magalie, dit Marion. Moi, j'espère surtout qu'il ne va pas revenir sur ta réintégration.

— Pourquoi ferait-il ça ?

— Tu n'as pas vu sa tête tout à l'heure. Il était furax !

— Je pense que Demaurie a dû l'appeler ce matin... pour se plaindre, à tous les coups, commenta Fabrice.

— Oui enfin maintenant qu'on sait que Jeff a été assassiné, ça change bien la donne, non ? se défendit Magalie.

Judith porta deux coups francs à la porte de son commissaire divisionnaire qui mit à peine une seconde à l'inviter à entrer de sa voix grave et rocailleuse. Lorsqu'il l'aperçut dans l'encadrement de la porte, son visage se figea soudainement et son regard se couvrit d'un épais voile sombre. Judith ne se démonta pas. Sans afficher le moindre signe d'embarras, c'est d'un pas sûr qu'elle s'avança et prit place dans le fauteuil face à son supérieur.

— Bonjour Jean-Pierre. Yann m'a dit que tu voulais me voir ? lui sourit-elle.

— Où est Binet ? grogna-t-il sèchement.

— En bas, à son bureau, s'étonna-t-elle. Yann ne m'a pas parlé d'elle. Il m'a juste dit que tu voulais me voir, mais si tu veux je descends la chercher ? dit-elle sans se formaliser.

— Ça ne fait pas 48 heures que je l'ai réintégrée et je n'entends déjà plus parler que d'elle ! Je pensais que nous devions rester discrets, Judith ?

— Que se passe-t-il exactement ?

— Mais rien voyons, ironisa-t-il. Mon homologue versaillais m'a appelé ce matin pour m'apprendre la bonne nouvelle, c'est tout.

— Je n'ai pas eu le temps de t'appeler…

— … C'est bien le problème, Judith, riposta-t-il. Ou plutôt c'est l'un des problèmes !

— Écoute, je ne sais pas ce qu'il a bien pu te dire mais il se trompe…

— … Encore une idée de Binet, je suppose ? fulmina le quinquagénaire sans la laisser finir sa phrase. Le monde entier se trompe, sauf elle bien sûr ! Il semblerait pourtant que le garçon avec qui elle s'est acoquinée ait remis le couvert.

— Écoute Jean-Pierre, ce n'est pas aussi simple…

— … Ce qui est simple, c'est que Binet va sans doute perdre son badge alors qu'elle vient à peine de le récupérer. Laisse-moi t'apprendre que si Demaurie semble ne pas avoir de dent contre toi, il compte bien faire un exemple de Magalie… Tu devais la canaliser, bon sang ! Cette fois-ci, je ne pourrai rien pour elle.

— Et c'est ce que j'ai fait. J'aimerais bien savoir pour quel motif Demaurie veut la tête de Mage ? Elle n'était même pas là ce matin.

— Comment ça, elle n'était pas là ?

— Non, les filles sont rentrées au bureau avant que Demaurie n'ait eu le temps d'être mis au courant. Pourquoi s'en prendre à elle aussi obstinément ?

— Peut-être parce qu'elle l'a accusé d'avoir mené une enquête à charge conduisant un innocent en prison pendant près de vingt ans. Va savoir, ironisa-t-il à nouveau.

— Et si elle avait raison, Jean-Pierre ?

L'homme se figea, ne comprenant pas où devait le mener cette remarque. Il connaissait sa subalterne et la savait sage et réfléchie. Elle ne se risquerait pas à lancer des accusations non fondées.

— On vient d'établir avec quasi certitude le fait que Bonnet ne s'est pas suicidé, ajouta-t-elle en enfonçant le clou.

La mâchoire de Berta se décrocha pendant que ses yeux s'écarquillaient au point que son front disparut peu à peu, noyé sous ses sourcils.

— On peut donc sans prendre trop de risques affirmer qu'il n'est ni le violeur ni l'assassin de la jeune fille retrouvée à ses côtés. Il n'y a pas eu un, mais deux assassinats ce matin à Saint-Cloud ! Tout ça n'est qu'une vulgaire mise en scène, Jean-Pierre. Et encore une fois, le tout porté à charge contre Bonnet. Alors oui, je sais, c'est étrange mais je commence, moi aussi, à partager l'avis de Magalie concernant la « soi-disant et douteuse culpabilité » de ce pauvre garçon.

Berta incrédule ne réagissait pas, laissant s'installer le silence dans la pièce. Il se leva, tourna le dos à Judith et prit place face à l'une des grandes fenêtres qui lui offraient une vue imprenable sur la Seine. Le ciel s'était considérablement dégagé, le soleil scintillait de plein feu sur le cours d'eau perturbé par les pluies matinales. Il resta là un bon moment, circonspect, cherchant à démêler le vrai du faux. Judith, sachant son temps compté, se racla la gorge. Ce qui eut l'effet escompté. Berta fit volte face, se racla lui aussi la gorge avant de reprendre :

— Je... je ne prends pas toute la mesure des tenants et aboutissants. Tout ce que je sais, c'est qu'on a quatre cadavres sur le dos et vraisemblablement pas le moindre suspect.

— On a six cadavres sur le dos, Jean-Pierre. Tu oublies Bonnet et la gamine retrouvée ce matin.

— Non, Judith ! gronda-t-il. Quatre et c'est amplement suffisant. Bonnet ne nous concerne pas, est-ce clair ?

— Jean-Pierre, avec tout le respect que je te dois...

— ... Tu vas laisser tomber Bonnet, s'imposa-t-il.

Les masséters de Judith se contractèrent violemment.

— Il vous faut résoudre cette affaire dans les plus brefs délais et si possible avant qu'il n'y ait une nouvelle victime.

— Elle est peut-être déjà résolue, ton affaire, s'emporta-t-elle. Si Bonnet était notre homme, il n'y a plus aucun risque de nouvelle victime !

— Raison de plus pour laisser Bonnet où il est.

— Excuse-moi Jean-Pierre mais... à quoi tu joues, là? Je te dis qu'on a un double assassinat qui va finir par un non-lieu et toi tu me dis de laisser couler? s'indigna-t-elle.

— Je vais apporter une petite précision à ton discours, Judith, grinça-t-il se penchant au-dessus du bureau. Nous n'avons pas un double assassinat! Pour info, cette affaire ne nous revient pas. Dois-je le répéter une nouvelle fois ou me suis-je bien fait comprendre? Et surtout... surtout, que je ne voie pas Binet foutre son nez là-dedans, sinon je ne laisserai pas le temps à Demaurie de s'occuper d'elle.

Le visage de Judith se tordit dans un rictus nerveux.

— Maintenant, poursuivit l'homme calmement, j'aimerais que vous me boucliez cette affaire le plus rapidement et surtout le plus silencieusement possible. Je ne te retiens pas plus longtemps car je sais ton temps compté.

Judith, immobile, fusillait son supérieur d'un regard réprobateur.

— Ah et j'oubliais... ajouta-t-elle en lui tournant le dos, sans doute gêné par la joute oculaire. On va écarter Binet de tout ça le temps de voir...

— Tu te fous de moi? s'envola Judith, ne parvenant plus à contenir son exaspération. Ben voyons, bâillonnons Magalie! Comme ça, on va pouvoir lui remettre encore une fois toute l'histoire sur le dos. Elle est pas belle la vie?

— À qui penses-tu t'adresser, Judith? répliqua nerveusement le quinquagénaire.

— Je me pose la même question! Est-ce l'ex-super flic actuellement commissaire divisionnaire ou l'homme politique qui se tient devant moi, Jean-Pierre?

— Quand comprendras-tu que c'est la même chose! s'écria-t-il d'une voix tonitruante. Qu'est-ce que tu imagines? Que je suis le roi? Je ne le suis pas, Judith. Je suis, tout comme toi, le sous-fifre d'un autre. Et cet autre, actuellement, m'ordonne de faire le ménage. Alors je m'exécute, tout comme tu vas le faire!

— Qui est cet autre ? C'est Demaurie ! Demaurie n'est pas au-dessus de toi, Jean-Pierre.

— J'ai le parquet et le préfet sur le dos, ça te suffit ? Le prochain ne pourra être que le ministre lui-même. Que veux-tu que je fasse, Judith ? J'ai les pieds et les mains liés. Je ne peux plus rien pour Binet si ce n'est de l'écarter, et j'en suis sincèrement désolé. Ce n'est pas faute de l'avoir prévenue maintes et maintes fois. Je t'ai toujours dit qu'un jour elle dépasserait les bornes. Eh bien c'est chose faite ! Appelle ça comme tu veux, magouille politique ou que sais-je encore... La réalité, c'est qu'on vit au cœur d'un système où certaines règles se doivent d'être respectées... Binet n'en a fait et n'en fait qu'à sa tête, Judith. Elle est totalement incontrôlable ! Quelle idée lui a pris d'aller provoquer frontalement un commissaire divisionnaire ?... Je ne reviens pas sur ses compétences d'agent, je reviens sur son attitude ... presque anarchiste parfois. Il faut qu'elle apprenne à suivre les règles du jeu.

— Visiblement, elle n'a plus rien à apprendre car les dés semblent déjà avoir été jetés.

— Et à qui la faute, bon sang ?

— Je ne me suis pas engagée dans la police pour faire de la politique, Jean-Pierre.

— Tu n'as pas le choix, Judith. La vie, c'est de la politique !

— Et il y a des politiques et des politiciens meilleurs que d'autres, railla-t-elle. Sache que si tu évinces Magalie, tu perds par là même ton chef de groupe, se leva-t-elle sans chercher à approfondir la discussion.

— Tu vas me la faire à chaque fois ? Tu vas te mettre entre Binet et le reste du monde, à chaque fois ? Tu vas perdre beaucoup à ce jeu-là, Judith.

— Je vais perdre beaucoup, s'esclaffa-t-elle. On parle de quelqu'un qui s'est pris une balle pour m'éviter la prison. On parle de quelqu'un qui a failli mourir pour que je puisse continuer à m'occuper de ma fille. On parle d'une utopiste pour qui l'intérêt général primera toujours sur l'intérêt individuel. Alors certes, elle ne rentre pas dans vos petites cases de politicard. Elle est comme vous dites incontrôlable… Foutaise ! Tout cela n'est que foutaise. La seule chose qui vous dérange, c'est qu'elle est tête brûlée. Elle est honnête, investie et se fout littéralement du rang social de ses adversaires. Elle n'est pas incontrôlable, Jean-Pierre… elle est indomptable ! Et ça… ça vous fait flipper ! Je n'ai pas son courage, ou peut-être est-ce de l'inconscience, j'en sais rien. Moi, j'accepte parfois de participer à ce manège ridicule, mais il faut que mes valeurs soient respectées. Ce n'est plus le cas, Jean-Pierre !

— Alors tu vas tout plaquer sur un coup de tête ?

— Je ne plaque rien, répliqua-t-elle fermement. C'est vous qui me muselez ! Mais de quel droit ? Sans même penser à Magalie, je te parle d'un jeune homme de 19 ans dont la vie a été massacrée. Je te parle d'une victime de 16 ans au plus, qui n'est en fait qu'un simple dommage collatéral dans cette vaste fumisterie… Et toi… Toi, ce grand monsieur, avec une carrière exemplaire, tu me parles de politique ? lui assena-t-elle en ouvrant la porte du bureau. Je te prierai de descendre prévenir Magalie de sa suspension. J'en ai marre de faire ton sale taf. Et puis il est peut-être temps que tes agents sachent qui est devenu le grand Jean-Pierre Berta… car tu n'es plus la personne dont parle la légende, conclut-elle en le regardant avec dégoût.

Elle claqua la porte, laissant derrière elle Berta seul, sans voix.

Elle s'engouffra aussitôt dans la cage d'escalier et descendit les marches quatre à quatre. Une fois arrivée devant la porte du 304, elle prit un instant pour se calmer de manière à pouvoir adopter un comportement adéquat face à ses collègues. Lorsqu'elle ouvrit la porte, elle fut surprise de trouver tous ses agents devant le moniteur de Yann.

— Quel putain de bâtard ! s'enflamma subitement Magalie.

— *What the fuck ?* lâcha à son tour Pierre.

Visiblement, les agents n'avaient pas remarqué la présence de Judith.

— Il perd rien pour attendre, lui ! grommela Marion.

— Dites-moi, vous m'avez l'air bien énervés, s'étonna Judith, les faisant tous sursauter. Que se passe-t-il ? Qui ne perd rien pour attendre ? s'approcha-t-elle curieuse.

— J'te jure que je vais lui péter sa tronche de cake à cet enfoiré, Judith, se retourna Magalie, les yeux exorbités.

— Tu vas surtout commencer par te calmer, Mage, gronda Judith. Vous m'expliquez, là ?

— Demaurie a prévenu la presse, l'informa Yann.

Judith eut un pas de recul tant l'annonce la choqua.

— Tout ne le monde ne parle plus que de ça, se dépita Valérie.

— BFM et I-Télé se sont jetés sur le sujet, enchérit Marion. Tout y passe, la vie de Jeff dans les plus petits détails, l'affaire Van den Brake... un vrai drame !

— Sans compter que ce fils de...

— ... Mage ! la coupa Judith agacée par le vocabulaire.

— Pour une fois, elle a toutes les raisons du monde de l'insulter, Judith. Ce tocard a lâché son nom à la presse, lui expliqua Fabrice.

— Quoi ? Il n'a pas fait ça ? s'indigna Judith dont les nerfs étaient brusquement remontés dans les tours. Et en quel honneur ?

— Pour se faire mousser, il tire à vue sur tout le monde, expliqua Yann. Il s'en est d'abord pris au JAP (juge d'application des peines) et après, tout naturellement, à Magalie qui selon lui a cherché à nuire à sa réputation en prenant parti pour un assassin d'enfant. Ce qui était... dixit : « inadmissible pour un capitaine de police de la brigade criminelle de Paris ». Et qu'il espérait que le commissaire divisionnaire Berta allait au plus vite s'occuper du problème. Surtout que visiblement, ce n'était pas la première fois qu'il y avait un problème avec le capitaine Binet.

— Ce connard est en train d'étaler ma vie dans la presse, Judith ! rugit Magalie furibonde.

— Non, il est bien plus malin. Il leur a donné un os à ronger, précisa Yann. Il va falloir s'attendre à voir la presse fouiller le moindre recoin de ta vie, Magalie.

— Putain, il va savoir de quel bois je me chauffe ce gros con, continua Magalie qui s'était mise à faire les cent pas.

Judith, abasourdie par la nouvelle, s'installa à son bureau avant de se prendre la tête dans les mains. Marion et Fabrice se regardèrent, circonspects, ne comprenant pas le comportement inhabituel de leur commandant.

— Ça va, Judith ? s'enquit Fabrice.

— Il t'a dit quoi, Berta ? s'impatienta Marion.

Judith fit basculer sa chaise sans pour autant répondre aux questions de ses collaborateurs.

— Jude ? s'inquiéta à son tour Magalie.

— Quoi, Magalie ? lâcha-t-elle enfin dans un souffle.

— Ben je sais pas… T'as pas l'air au top, là ?

— C'est que je ne le suis pas. On est dans une mouise totale. Le bateau est en train de couler, se navra-t-elle. Si la presse commence à foutre son nez là-dedans, on est foutus.

— Pas forcément, tenta Yann. On a une sérieuse preuve de l'innocence de Jeff, en tout cas concernant Saint-Cloud.

— T'appelle ça une preuve, toi ? Elle est où, ta preuve ? À l'heure qu'il est, je suis sûre que Demaurie s'est déjà débarrassé de la lettre de suicide.

— Alors on fait quoi, on va se laisser traîner dans la boue sans rien faire ? maudit Marion.

— Berta nous coupe les vivres ! Voilà ce qu'il voulait me dire, leur avoua-t-elle.

— Attends, je ne comprends pas, s'indigna Fabrice. Tu lui as dit qu'on savait Jeff innocent ?

— Il s'en fout comme de l'an quarante. Visiblement, on lui a tiré les oreilles en haut lieu. On lui a expressément demandé de faire le ménage dans nos rangs, finit-elle en inspirant profondément.

— Il me lâche, comprit enfin Magalie, incrédule.

Judith, ne trouvant pas la force de lui répondre, replongea la tête dans ses mains.

— Il ne peut pas lui faire ça, Judith? se révolta Yann.

— Contrairement à nous, il a tous les droits, marmonna-t-elle.

— Et il se passe quoi pour moi, alors? déglutit Magalie.

— Je lui ai dit de venir lui-même t'annoncer la nouvelle, se redressa Judith. Il ne devrait plus tarder. Je pense qu'il cherche le courage de t'affronter. Ce qui est tout de même très drôle. Tu as le mérite de faire peur au monde entier, Mage. Même au grand Berta! Je lui ai dit que si tu partais, je te suivais.

— Non Jude, hors de question, s'imposa Magalie.

— J'en ai ma claque. Courir derrière des détraqués est déjà suffisamment compliqué pour qu'on soit en plus obligés de composer avec ces... de bureaucrates. S'ils te prennent comme bouc émissaire, je leur ferai manger ma plaque. Bref, en attendant tu restes là!

La porte du bureau s'ouvrit.

— Salut tout le monde. Allumez vos postes tout de suite, lança Luc.

— On est au courant, se dépita Yann.

— Comment ose-t-il balancer ses collègues?

— Ça t'étonne, toi le psy? Holocauste, ça te parle? le charria Magalie.

Les agents prirent le temps d'informer Luc de leurs récentes découvertes.

— Et vous comptez faire quoi?

— Pour le moment, on n'a pas le choix. Il faut continuer à enquêter. Si on parvient à démontrer que Bonnet est notre homme, on démontrera par là même qu'il n'est pas pédophile et qu'il n'est donc pas coupable du meurtre de Saint-Cloud, expliqua Judith.

— Je te dis qu'il n'est pas coupable, lui répéta Magalie dépitée.

— Mage, on est face à de nombreux indices qui nous mènent à cette conclusion. Je n'ai rien contre Bonnet mais tu dois admettre qu'à chaque fois qu'on trouve quelque chose, son nom refait surface.

— Je partage le sentiment de Magalie, si je peux me permettre, s'immisça Luc.

— Quoi ? s'étonna Judith.

— J'ai eu tout loisir de tracer un profil beaucoup plus détaillé de notre homme. Et visiblement, au vu de ce que j'entends dire de Bonnet... ça ne colle pas ! Si vous avez deux minutes, je profite que vous soyez tous là pour vous faire le topo ?

— Fabrice ? se retourna Judith. On a le temps avant de partir pour Leisure House ?

— On est large. Le gars m'a dit sans problème jusqu'à 20 heures. Il ne bouge pas.

— Alors on t'écoute, Luc ! l'invita-t-elle.

— Alors voilà, commença-t-il, je vous avais parlé d'un homme de race blanche, probablement de confession ou en tout cas issu d'un milieu de confession catholique, qui aurait entre 25 et 40 ans.

— Oui.

— Je vais commencer par affiner l'âge à 30-45 ans.

— Ça ne change rien pour Bonnet.

— Je sais, patience, sourit-il. Notre homme ne peut pas être considéré comme un *serial killer* à proprement parler. Je m'explique : il tue certes en série, suivant un mode opératoire bien à lui, mais il n'y a pas de connotation d'ordre sexuel, d'après moi.

— Euh... Il lui a quand même coupé les parties, lui rappela Fabrice.

— Je sais bien, mais d'après moi il n'y a pas de dérive sexuelle dans ce geste. Pour la faire courte, notre homme n'est pas un pervers. En fait, dans le cas présent, je vois en l'émasculation une punition et non un désir. Je pense que notre homme est dans une logique de purge, de vengeance et de justice. On le remarque d'ailleurs dans la façon qu'il a eu de tuer la fille du docteur. Elle n'a visiblement pas souffert et il a pris le temps de traiter le corps de la façon la plus respectable qui soit. On a par ailleurs retrouvé la petite dans un square, comme s'il avait voulu lui offrir un dernier asile récréatif, car je pense qu'il savait parfaitement ce que la petite endurait. On a aussi ce mot d'avertissement sur la porte de Rugier. Mot visant très clairement à ne pas choquer les « innocents » et donc à diminuer les dommages collatéraux, en somme. Autre exemple : le corps du comptable a été battu post-mortem. La douleur que sa victime avait ressentie ne lui suffisait pas. Nataf est mort d'une crise cardiaque, notre homme n'a pas eu le temps de lui faire subir sa sentence. Ç'a été pour lui une totale injustice. C'est pourquoi il s'est défoulé sur le cadavre. Ce que j'essaye de vous dire, c'est qu'il se prend pour un justicier. C'est une pathologie très particulière. Les sujets sont généralement indétectables de premier abord. Ils n'ont pas de casier, sont des voisins sympathiques, des amis dévoués et serviables, bref Monsieur Tout-le-Monde. La scission est souvent due à la perte d'un proche. Voyant que rien n'a été fait, ils se sentent responsables mais surtout investis d'une mission presque divine. Et c'est ce qui les rend dangereux car à partir de là, étant persuadés du bien-fondé de leur action, ils se ferment au monde et deviennent des loups solitaires, organisés et dotés d'une motivation indestructible. À partir du moment où la machine se met en route, il est impossible de l'arrêter.

— Je ne vois toujours pas pourquoi Bonnet ne correspond pas au profil ? protesta Judith.

— Bonnet n'a pas, à ma connaissance, perdu un proche. Il a juste été accusé de meurtre, si je peux me permettre le « juste ». L'homme qu'on recherche a dû faire face à la perte de sa fille ou de sa sœur, qui a dû être violée à un jeune âge. Est-ce que la sœur de Bonnet s'est fait violer ?

— Pas à ma connaissance, non, lui répondit Magalie.

— Oui enfin, dans ce cas il peut s'agir de sa femme, de sa mère ou qui sais-je encore, se permit d'intervenir Judith.

— Non, répliqua Luc. Dans les deux cas, la victime serait trop vieille. Comprends bien que si c'était le cas, notre homme s'attaquerait à des violeurs et non à des pédophiles. La victimologie nous le dit, notre homme a perdu un proche la victime d'un pédophile.

— O.K., intervint Fabrice. Mais imagine que tu aies été enfermé toute ta vie pour un truc que t'as pas fait… Ça te donne aussi envie de casser des dents, non ?

— Oui, je te l'accorde. Mais pas de cette façon. Le mode opératoire n'est pas le bon. J'ai même envie de te dire que si Bonnet avait été notre assassin, jamais il n'aurait tué la petite. Pour la simple et bonne raison qu'il lui aurait été impossible de punir une innocente.

— Tu es sûr de ton coup ? réitéra Judith.

— Je vous l'ai déjà dit : je ne suis pas un sorcier. Je pars des éléments qu'on me donne. À l'heure qu'il est, je suis sûr de mon coup, mais peut-être que demain… malheureusement ma science n'est pas exacte.

— Tu te mouilles sans te mouiller, en somme, le charria Magalie.

— Si tu veux, oui, sourit-il. Vous me semblez tous tellement sûrs de la culpabilité de Bonnet que je me dis qu'il y a peut-être un élément qui m'a échappé. En tout cas, avec ce que j'ai sous la main, je suis du même avis que toi, Magalie. Pour moi Bonnet est innocent. Que je sois clair, dans l'affaire qui nous concerne aujourd'hui. Pour Van den Brake, je ne sais pas.

— Si tu as raison, on doit donc s'attendre à d'autres victimes, s'inquiéta Valérie.

— Sans nul doute. Vous serez d'ailleurs très vite fixés, d'après moi.

— Pff, souffla Fabrice dépité. On n'a pas la moindre piste !

— Luc, un rapide récapitulatif ? lui demanda Judith.

— Homme blanc, 30-45 ans, probablement de confession catholique, ayant dans son très proche entourage la victime d'un pédophile… Ne vous braquez pas sur les petites filles, les petits garçons aussi se font violer, leur rappela-t-il. J'ajouterais à cela qu'il est d'une classe sociale plutôt élevée. Sans quoi il lui aurait sans doute été difficile d'entrer en relation avec nos victimes.

— Hormis Depino, car les non-diplômés tombent aussi malades, s'amusa Marion.

— Certes, rit le psychanalyste. On recherche un solitaire, avec peu d'amis ou en phase de rupture avec eux. S'il était marié, le couple s'est séparé. Et oui, il lui faut du temps libre pour ses méfaits. Cette séparation a d'ailleurs pu être l'élément déclencheur. Sa vie tombe en ruine, il trouve des responsables et se fait justice... Que puis-je ajouter ?...

— Comment fait-il pour savoir qui est ou n'est pas pédophile ? l'interpella Pierre.

— C'est une très bonne question. Je ne sais pas quoi te dire.

— Il a dû intégrer le réseau, à mon avis, s'avança Marion.

— J'oubliais... reprit Luc. Il ne se laissera certainement pas attraper. C'est là sa dernière mission, si je puis dire. Cet homme est dévasté par la douleur. À un moment ou un autre, il pliera sous le poids !

— Je ne comprends pas, grimaça Valérie.

— Il va se suicider avant qu'on l'attrape, résuma Magalie.

— Voilà, je pense ne rien avoir oublié, conclut-il en jetant un œil à ses notes.

— Bien, on va s'y coller alors, enchaîna Judith.

— J'ai une idée, lança Pierre. On pourrait suivre Hanin ! Si, comme on le pense, lui aussi aime les petits enfants, peut-être est-il sur la liste de notre homme ?

— Pas con ! acquiesça Fabrice.

— Effectivement, on pourrait même se servir de ça pour que le juge nous file une commission rogatoire. Pierre, appelle le juge, va le voir et fais-lui des courbettes, lui lança-t-elle avec un clin d'œil. Prends... Valérie avec toi.

— Super, se réjouit Pierre.

— Judith, va falloir qu'on pense à y aller, nous, intervint Fabrice.

— Yep, on est partis, se leva-t-elle. Luc, tu viens avec nous ?

— Je ne sais où vous allez mais pourquoi pas, dit-il en se levant à son tour.

* * *

Lundi 12 mai 17 h 45

Je n'aurai pas le temps de rayer tous les noms que j'ai soigneusement inscrits sur ma liste des gens à gommer de la surface de la terre car je sens que la fin est proche. Il y a eu du mouvement. L'accès de mon père à leur site internet m'est depuis hier refusé. Je ne sais pas combien de temps ma couverture tiendra. Il me faut accélérer le pas. Il me faut être plus efficace.
Je les sens si fébriles. Certains d'entre eux passent leur temps à se retourner dans la rue comme s'ils se savaient suivis. Tellement pathétique !
Si vous saviez à quel point vous avez raison. Vous l'êtes… suivis. Je suis là… juste derrière vous, tout près de vous… Prêt à vous sauter dessus.
Je ne pourrai sans doute pas m'occuper de vous tous, mais je sais qu'aujourd'hui je hante vos nuits, comme vous, sales raclures, hantez celles de vos pauvres victimes.

Dis-moi juge, d'après toi quelle tête va faire ta femme quand elle rentrera de vacances et qu'elle te trouvera baignant dans ton sang ?
Peut-être serai-je encore là pour l'accueillir, me diras-tu ?

* * *

22

Judith stationna sa voiture à l'arrache sur un passage clouté à une vingtaine de mètres du 43 de la rue Carnot à Boulogne-Billancourt. Le trajet avait été interminable et ce, malgré le gyrophare tournoyant aimanté au pavillon de la Golf noire. Visiblement, les Parisiens agacés par les bouchons se moquaient ouvertement des priorités d'une petite Volkswagen avec trois cow-boys à son bord.

Une fois devant l'immeuble qui aurait bien mérité un petit ravalement tellement sa façade de pierre et de brique faisait peine à voir, Fabrice sonna à l'interphone. La porte s'ouvrit alors que, d'une voix fluette, un homme leur indiquait l'étage.

Deux paliers plus haut, ils trouvèrent l'appartement grand ouvert. Prenant ça pour une invitation, Judith entra, prenant soin d'annoncer son arrivée par deux légers coups sur la porte. Elle fut aussitôt accueillie par un homme de corpulence moyenne qui, l'oreille accrochée au téléphone, les invita à s'installer dans la salle de réunion qui jouxtait l'entrée. Judith se surprit à détailler le physique du trentenaire. La dégaine de l'homme et son attitude ne ressemblaient en rien à celles d'un gérant. Elle lui aurait plus facilement prêté le rôle d'informaticien, son style lui rappelant fortement celui de Yann.

Ils restèrent là, quelques instants, silencieux, assis en brochette les uns à côté des autres à cette immense table, dans cette toute petite pièce sans fenêtre, aux murs tristement gris éclairés au néon. Par chance, l'homme avait laissé la porte de la salle ouverte, ce qui évita à Judith de laisser ses penchants claustrophobiques prendre le dessus.

Alors que nos trois agents commençaient à trouver le temps long, un autre homme, plus vieux et plus élégant, vint à leur rencontre.

— Bonjour. Désolé pour l'attente, j'étais en réunion téléphonique. En quoi puis-je aider la célèbre brigade criminelle de Paris ? Je vous avoue que votre coup de fil m'a beaucoup intrigué. Suis-je accusé de meurtre ? plaisanta-t-il.

— Bonjour, commandant Judith Lagrange et voici mes collaborateurs, se présenta-t-elle. À qui ai-je l'honneur ?

— Pardon, avec tout ça, j'en oublie les bonnes manières. Auguste Voiron, gérant de Leisure House, pour vous servir, leur sourit-il à pleine dents.

— Nous voulions vous poser deux trois questions au sujet de votre site internet. Nous avons remarqué qu'une réplique existait dans le...

— *Dark web*, l'aida Fabrice.

— *Dark web ?* répéta le quadragénaire. Je ne comprends pas. On a effectivement un site internet. J'ai même envie de vous dire que nous n'avons que ça, rit-il. Toutes nos réservations se font par le biais du site, ce qui nous permet d'optimiser le rendement. Peu de charges salariales, pas besoin de locaux hors de prix, pas besoin d'avoir pignon sur rue, bref très peu de dépenses au final. Rentabilité assurée !

— Je vois ça. Mais là, il s'agit d'un site dans les bas-fonds de la toile, si je peux me permettre l'expression, tenta Judith.

L'homme la dévisagea, vraisemblablement envahi d'une incompréhension totale. Il lui fallut cinq secondes pour réagir.

— Je reviens, dit-il avant de sortir de la salle.

À peine une minute plus tard, il revint accompagné de son collègue.

— Voilà notre geek officiel. Dès que ça devient trop technique, c'est à lui qu'il faut parler, s'excusa le gérant.

— Bonjour. Auguste vient de me parler de site, *dark web*, réplique, j'ai rien compris, grimaça-t-il.

Judith et Fabrice se regardèrent, dépités. Ils étaient à présent sûrs que cette audition ne les mènerait nulle part.

Il était 18 h 30 passées lorsque, sans s'annoncer, Berta fit irruption au 304. Magalie et Marion sursautèrent tant la surprise fut grande, alors que Yann, sous casque, n'avait même pas remarqué l'entrée du divisionnaire. Ce dernier balaya la pièce d'un regard furibond avant de s'arrêter sur Magalie qui, partagée entre la colère et la peur d'une sentence promise, inspira profondément, comprenant que son heure était venue. Elle eut un sourire nerveux en repensant à la durée de sa réintégration. *Je m'améliore*, pensa-t-elle.

— Je suis ravi de voir que vous trouvez encore matière à sourire, Binet ? gronda le supérieur, faisant sortir Yann de sa bulle musicale.

— Je profite du temps qu'il me reste, ironisa-t-elle, forçant le sourire cette fois-ci.

— Où est Judith ? l'ignora Berta.

— Elle est partie faire une audition à Boulogne, lui répondit Marion.

— À Boulogne ?

— Dans le cadre de l'enquête en cours, précisa-t-elle.

— Faut pas s'inquiéter comme ça, le nargua Magalie. C'est moi la casse-noisettes, pas Judith.

Marion leva les yeux au ciel, alors que Yann moins discret laissait tomber sa tête dans ses mains. Berta serra les poings convulsivement.

— Ça va, je plaisante, se ravisa Magalie.

Berta resta silencieux, fixant nerveusement son capitaine. Magalie, étonnée par son attitude stoïque, scruta ses deux collègues tour à tour, espérant trouver dans leurs yeux une quelconque explication au comportement du commissaire.

— Tout va bien ? essaya-t-elle.

— J'imagine que Judith vous a prévenue, Binet ? commença-t-il.

— Je sais pas. Vous parlez de quoi ?

— De votre réintégration.

— Ah... ça ! minauda-t-elle. Elle a éludé le sujet. De toute façon, maintenant, vous n'avez même plus à vous justifier. Vous devez être ravi ? Vous qui essayiez de me virer depuis des lustres. La presse est en train de vous mâcher le travail, le défia-t-elle avant de se lever pour enfiler sa veste.

Le divisionnaire resta silencieux.

— Je suis sympa, mais pas stupide, reprit-elle, zippant son cuir orange. J'aime mon taf, alors il va falloir me foutre à la porte, patron. Sachez que je ne compte pas sortir de mon plein gré... Je sais, je suis casse-couilles, finit-elle par sourire.

— Je ne suis pas ravi, Binet. Je suis même loin de l'être, s'irrita-t-il. Que croyez-vous ? Que tout cela m'amuse ? Sachez que faire des courbettes à des bureaucrates qui n'ont aucune idée de se qui se passe dans la vraie vie ne m'enchante guère, Binet !

— Ça ne tient qu'à vous.

— Effectivement, mais vous ne me facilitez vraiment pas la tâche ! Quand comprendrez-vous que je ne suis pas votre ennemi ?

— J'ai la sensation que c'est vous qui êtes un chouille susceptible, patron. Vous prenez tout pour vous. Va falloir comprendre que moi non plus, je ne vous veux pas de mal. Je m'obstine à faire mon taf, et c'est tout ! Et puis il va falloir aussi arrêter de m'infantiliser. Ça me pète les reins, à force ! se figea-t-elle.

— Je vous infantilise ? s'offusqua Berta. C'est une blague ?

— Absolument pas. Vous êtes constamment sur mon dos à épier le moindre de mes mouvements sans même vous demander pourquoi je les fais. De toute façon, vous partez constamment du principe que je fais n'importe quoi, s'avança-t-elle, s'imposant à lui. Je n'ai jamais eu la sensation d'être soutenue par mon commissaire divisionnaire et maintenant... vous voulez que je vous fasse confiance ? lui asséna-t-elle.

Il bomba le torse, laissant s'échapper un grognement.

— Vous allez réussir à me faire changer d'avis à nouveau, gronda-t-il.

— À nouveau ? fit-elle, surprise.

— Oui, Binet ! J'étais venu vous dire que je maintenais votre réintégration !

— Oh ? souffla-t-elle en ayant un pas de recul.

Yann, toujours caché derrière son moniteur, lâcha un discret « Magalie » réprobateur en se massant les tempes. Marion fusilla sa collègue du regard avant de se lancer, tentant un sauvetage in extremis.

— Mais c'est super, comme nouvelle. Merci Commissaire, qu'est-ce qu'on ferait sans vous ? dit-elle, lui offrant son plus beau sourire.

— C'est fascinant, cette capacité que vous avez à vous mettre dans... la merde ! Désolé, mais je ne vois pas d'autre mot.

— C'est aussi pour ça qu'on l'aime, lança Marion, espérant détourner l'attention.

— Bien ! se calma Berta. Après ce que Demaurie vient de faire, je vous donne carte blanche pour enquêter sur le vrai-faux suicide de...

— Bonnet ? se réveilla Yann, sortant subitement de son mutisme.

— Oui. Judith m'a dit que vous aviez des doutes ?

— Plus que des doutes, commissaire, enchérit Marion.

— Les deux affaires semblent être liées, n'est-ce pas ?

— De prime abord, oui, précisa Yann.

— C'est donc suffisant pour justifier que l'on enquête dessus. Évitez la confrontation directe avec Demaurie, je tiens à m'occuper personnellement de lui ! Cela étant dit, je vous laisse travailler. Et faites-moi savoir si l'on vous met des bâtons dans les roues.

— Euh… excusez-moi, intervint Magalie avant que le divisionnaire sorte du bureau. Je peux vous poser une petite question ?

Berta s'arrêta sans pour autant lui refaire face.

— Je m'attends à tout ! Allez-y !

Yann et Marion suppliaient silencieusement Magalie de ne pas en rajouter.

— Pourquoi avoir changé d'avis ? s'entêta-t-elle.

Le quinquagénaire lui refit face.

Sa posture physique affichait une sorte de détermination guerrière. Les poings serrés, le regard rivé droit devant lui, les masséters bandés, il s'éclaircit la voix avant de répondre d'une voix grave et tonitruante :

— Demaurie vient de lâcher une meute de journalistes assoiffés sur l'un de mes capitaines en le dénonçant publiquement, et ce sans même prendre la peine de me prévenir. Chez moi, le linge sale se lave en famille. Il en a profité, de plus, pour me tordre le bras en me sommant de vous crucifier sur place… Son comportement est inadmissible. J'ai bien voulu passer sur la filature, mais là c'en est trop. Il veut la guerre, il l'a !

— Donc vous me gardez pour le faire chier, en conclut Magalie.

— Non, Binet ! Il vous attaque, je me dois de vous défendre. Rira bien qui rira le dernier… Il a lâché une horde de scribouillards sur nous ? Moi, c'est vous que je lâche sur eux, sourit-il.

— Attention, ne me dites pas ça, lui conseilla Magalie toute souriante.

— Je sais que vous voulez au moins autant que moi voir sa tête de moineau puéril sur un plateau… Faites-vous plaisir, Binet ! En revanche, la prochaine fois que vous me défierez, vous risquez d'être surprise. Alors abstenez-vous ! gronda-t-il avant de sortir sans demander son dû.

Dense ne suffisait plus pour définir la circulation à laquelle devait faire face Judith. Le retour sur Paris s'avérait cauchemardesque. Les voies sur berges étaient fermées pour travaux, accentuant l'habituelle cohue des heures de pointe. Toute la ville se retrouvait paralysée dans une atmosphère délétère et stressante. Embrumés par les pots d'échappement, hués par les klaxons, les Parisiens éreintés par leur journée de travail invectivaient à tour de bras le premier venu, qui ne serait sans doute pas le dernier sorti de ce capharnaüm.

— Je vais être en retard à mon dîner si on ne trouve pas le moyen de sortir de ce calvaire, se chagrina Luc, installé à l'arrière du véhicule.

— Descends et prends le métro, lui proposa Judith.

— On arrive à peine à Exelmans, tu devrais effectivement prendre le métro, lui conseilla Fabrice.

— Je ne vais pas vous abandonner dans pareille galère.

— Luc, sors, je te dis. Tu remontes le boulevard sur 300 mètres et t'as la neuf. T'es en début de ligne, tu devrais pouvoir attraper le premier métro. D'ailleurs, Fabrice, tu devrais y aller aussi.

— Mais ?

— 7 heures passées ! constata-t-elle. Au train où ça va, on n'est pas au bureau avant 9 heures. Rentre chez toi ! On se voit demain à 8 heures.

— Ça me soûle de …

— Barrez-vous, bon sang ! À quoi bon tous se retrouver bloqués dans ce bordel ? Si encore ça bougeait un peu, mais tu vois bien que non.

— Oui mais je peux te tenir compagnie, sourit Fabrice.

— On va la faire courte. Deux options : tu sors de cette voiture ou c'est moi qui m'en vais en te laissant le volant.

— O.K., dit-il en ouvrant aussitôt la portière.

— Sûre ? insista à son tour Luc.

— Sûre. À demain !

C'est difficilement que les deux hommes parvinrent à se frayer un chemin entre les voitures tant elles étaient serrées. Ils saluèrent leur collègue d'un dernier signe de main avant de disparaître derrière les épais platanes arborant le boulevard.

Elle tenta d'ouvrir la fenêtre et se ravisa aussi vite, préférant la chaleur au bruit. Agacée mais résignée, elle augmenta le volume de la radio et sourit lorsqu'elle reconnu *Freedom* de George Michael. *Si seulement,* pensa-t-elle. *Et pourquoi pas tous les libérer?* Elle attrapa son téléphone et appela le bureau.

— Salut Marion.

— Salut Judith. On a essayé de te joindre mais…

— … On recevait mal ou pas dans leur… locaux.

— Ça s'est bien passé?

— Rien de bien fou! Pas plus de biscuit en tout cas. S'ils sont mouillés, ils avaient bien répété leur texte. Et vous? Quoi de neuf?

— Pierre et Valérie ont obtenu la commission pour Hanin. On l'a sur le bureau dès demain matin.

— Parfait! Les ordis aussi? espéra-t-elle.

— Faut pas rêver. Écoute et filature uniquement!

— C'est toujours ça de pris. Mage est avec toi?

— Oui, d'ailleurs faut que je te raconte!

Marion lui expliqua, avec force détails, le tête-à-tête musclé entre Magalie et Berta.

— Incroyable! souffla Judith. Elle a décidément beaucoup de chance.

— Ouais, en revanche la presse ne lâche pas l'affaire et maintenant c'est au tour des politicards de s'y coller. Ils ont tous la petite phrase qui va bien. La récidive, ceci; La libération anticipée, cela… C'est à celui qui dit la plus grosse connerie.

— Et sur Magalie?

— Pour le moment rien, mais bon j'imagine qu'ils doivent être en train de fouiner.

— Pour sûr. Elle est toujours là?

— Yep.

— Tu me la passes ? lui demanda Judith en coupant son moteur, voyant que la circulation était totalement statique.

— Yep !

— Jude ! Bien ou bien ?

— Bloquée dans les bouchons. Je vais prendre mon mal en patience. Tu penses rester longtemps au bureau ?

— Ben... je t'attendais en fait.

— Le bouchon est monstre, je vais mettre un temps de fou à vous rejoindre au 36. Comment on s'organise pour ce soir ?

— Comment ça ? s'étonna la capitaine.

— Tu ne vas certainement pas rentrer chez toi !

— Pourquoi ?

— Parce que je parie qu'il y a pléthore de journalistes qui t'y attendent, Mage !

— T'es pas sérieuse ? Tu crois vraiment que...

— J'en suis sûre. Le mieux, c'est que tu viennes dormir à la maison.

— C'est-à-dire que...

— Comme ça je ne suis pas obligée de remonter jusqu'au 36. On pourrait se retrouver direct chez moi. Tu demandes à Yann de te déposer et le tour est joué... Tu évites la presse.

23

Magalie arriva bien avant Judith. Elle fut accueillie par Sarah qui, heureuse du tête-à-tête, lui raconta en détail sa vie trépidante d'adolescente amoureuse. Elles avaient toujours été très proches. Sarah voyait en Magalie une grande sœur délurée tandis que celle-ci s'attendrissait devant cette adolescente qui, par bon nombre de côtés, lui rappelait sa propre enfance. Une fois qu'elles eurent fini leurs cancans complaisants, elles décidèrent, comme à leur habitude, de se lancer dans une partie d'échecs. C'était le père de Sarah qui l'avait initiée à ce sport en lui apprenant les rudiments dès son plus jeune âge. À sa mort, Magalie, également passionnée, avait pris la relève en jouant assidûment avec Sarah qui en grandissant équilibra petit à petit le combat, au grand dam de Magalie.

— Grr, toi et ta défense scandinave, grommela l'adolescente.

— Je comprends pas pourquoi tu la gères aussi mal. Bouffe-moi le pion et on n'en parle plus, sourit Magalie.

La porte de l'appartement s'ouvrit.

— Mais oui bien sûr, minauda Sarah en avançant son pion blanc en e5.

— Salut chérie, lança Judith en entrant dans le salon. J'espère que tu la mets à l'amende, charria-t-elle en déposant un baiser sur le front de l'adolescente.

— On vient à peine de commencer.

— T'en as mis du temps, dis-moi, s'étonna Magalie jouant à son tour.

— M'en parle pas. Une vraie galère ! Cette ville devient impraticable, soupira-t-elle en s'effondrant sur le canapé.
— La moto, Judith. L'avenir est dans le deux-roues.

Les filles écourtèrent leur partie d'échecs pour aider à la préparation du dîner. Elles passèrent à table un peu avant 22 heures. Judith prit alors le soin de prévenir Sarah de ce qui se disait dans la presse. L'adolescente s'amusa à charrier Magalie et son talent à se retrouver malgré elle sous les projecteurs. Le repas se finit dans la bonne humeur. Après avoir débarrassé, Sarah retourna dans sa chambre, laissant les deux collègues préparer la couche de Magalie dans le salon. Elles échangèrent sur leur fin de journée respective avant que Judith, éreintée, s'excuse et parte dans sa chambre. Se retrouvant seule dans cette chambre improvisée, Magalie se glissa sous les draps. Elle alluma la télévision et se mit à zapper frénétiquement, essayant de trouver un programme qui parviendrait à lui abrutir la tête. Vaine tentative ! L'image de Jeff écroulé sur les sacs de terreau ne la lâchait pas. Ça ne faisait pas deux semaines qu'elle le fréquentait et pourtant elle sentait en elle un énorme vide. Il l'avait touchée et elle avait échoué. Elle se sentit soudainement inutile et ses yeux s'embuèrent.

⋆ ⋆ ⋆

Mardi 13 mai
1 h 40

Ça, c'est fait ! Il n'est plus !
On a un peu discuté avant... pendant aussi mais je ne comprenais plus trop ce qu'il disait. Je crois qu'il me suppliait... Ma foi !
Après m'avoir attribué quelques noms d'oiseaux, il s'est enfin décidé à me donner des noms de salauds. Peut-être pensait-il que j'écourterais son cauchemar. C'est bien mal me connaître ! Chacun sa croix, monsieur.

Tout ça pour dire que ma liste s'allonge et moi je sais mon temps compté. De plus, certain d'entre eux sont intouchables. Avant que je puisse m'approcher d'eux... Il m'est venu à l'idée de tout balancer à la presse et puis je me suis dit que personne ne me prendrait au sérieux. Et comment leur en vouloir ? Qui prendrait le risque d'accuser un chef de cabinet ministériel ou encore une star de la télé-poubelle sur un simple appel anonyme ?
Je suis dépité, car encore une fois ce sont les petits qui prennent. Le petit médecin, le petit avocat... N'allez pas croire que j'ai de la compassion pour ces crevures. Non, certainement pas ! C'est juste un constat. Les gros poissons sont invulnérables. J'ai bien essayé d'entrer en contact avec le magnat de l'automobile mais comment voulez-vous ? Il est entouré de ses colosses vingt-quatre heures sur vingt-quatre. Je suis forcé d'admettre que la seule façon que j'ai de faire tomber ces innommables dégénérés est de créer un doute, une forte suspicion même. C'est pourquoi il vous faudra, chers lecteurs, continuer ma purge. Vous, enquêteurs du 36 quai des Orfèvres, jugez-moi comme bon vous semble mais je vous en conjure, empêchez-les de nuire. Je me rends compte que je ne pourrai pas tous les gommer. C'est à vous que reviendra la lourde charge car il vous faudra pouvoir les condamner.
J'ai pris mes dispositions pour la suite car aujourd'hui je ne sais pas de quoi demain sera fait. Ma liste, que je continue à agrémenter au fil du temps, est en de bonnes mains, je sais qu'elle me survivra.
Ainsi soit-il !

* * *

Magalie eut au moins autant de mal à trouver le sommeil qu'à le garder. Lorsqu'à 7 heures, elle entendit Judith sortir de sa chambre, elle sauta du canapé-lit pour rejoindre son amie dans la cuisine.
— Salut !
— T'es déjà réveillée ? s'étonna Judith.

— Depuis un bail, oui. Je me suis dit qu'il faudrait qu'on aille à l'institut pour essayer de choper les rapports d'autopsie. Et puis je me suis aussi dit que si les gars se sont donné le mal de venir vider sa chambre, c'est peut-être qu'ils y cherchaient quelque chose…

— … Stooop, coupa Judith. Tu me laisses le temps d'ouvrir les yeux, s'il te plaît.

— Oui pardon, se ravisa Magalie.

Par définition, l'institut médico-légal de Paris était un endroit angoissant et sinistre, ce à quoi venait s'ajouter son emplacement. Ce grand bâtiment de briques rouges et de vieilles pierres érodées était coincé, comprimé même, entre la voie ferrée aérienne de la ligne 5 et les voies sur berges qui menaient directement au périphérique. Seule la vue imprenable sur la Seine offrait au bâtiment une touche de légèreté réconfortante.

C'est sous les crissements métalliques d'un métro lancé à pleine vitesse que Magalie poussa la lourde porte verte de la morgue. Elle entra talonnée par Judith et trouva, assis à son poste de réception, un jeune homme au teint hâlé contrastant sévèrement avec les murs grisâtres et cramoisis de l'accueil. Après l'avoir salué, elle lui dit avoir rendez-vous avec Franck Fabre. L'homme l'autorisa à entrer.

Elle trouvèrent Franck installé à son bureau derrière une montage de dossiers multicolores.

— Mesdames, fit-il, surpris. Quel bon vent vous amène ? Magalie, ça fait longtemps !

— Salut Franck.

— Bonjour Franck, enchérit Judith.

— Installe-vous, les invita le légiste.

— On voudrait te demander un service, se lança Magalie.

— Bien entendu, si ça te pose le moindre problème nous comprendrons parfaitement.

— Vous m'intriguez, les filles. Est-ce que ce service est en rapport avec ce qu'on entend dans la presse ?

— Oups, grimaça Magalie. T'es au courant ?

— Haha, rit l'homme de bon cœur. Comment ne pas l'être ? On ne parle que de ça, Magalie.

— Bien, désolée de t'avoir dérangé, Franck, s'excusa Judith.

— Mais vous ne me dérangez pas, voyons. Dites-moi au moins ce que je peux faire.

— J'imagine que vous gardez un double de tous les rapports d'autopsie ?

— Oui.

— D'après l'enquête, reprit Judith, on a la quasi certitude que Bonnet ne s'est pas suicidé. On aimerait jeter un œil au rapport, voir si il peut confirmer le doute.

Le visage lunaire du légiste se plissa.

— Ce n'est pas ce qui est dit aux infos !

— C'est bien le souci.

L'homme prit le temps de la réflexion.

— Il est évident que nous ne voulons pas te mettre dans une situation embarrassante. Si tu ne peux pas, tu ne peux pas, le rassura Judith.

— Quel rapport avec votre affaire en cours ?

— Il y en a un, c'est sûr, mais on ne sait pas encore lequel.

— Disons que c'est notre enquête qui nous a menés au cadavre de Bonnet.

— Je ne comprends pas… C'est vous qui avez découvert le corps ?

— Oui. Et puis on nous a gentiment expulsés de la scène de crime.

— Je vois. Dans quoi vous êtes-vous encore fourrés ? Je vous tiens au courant dès que j'ai réussi à mettre la main dessus.

— Merci, Francky, se réjouit Magalie.

— Si tu peux en même temps nous mettre celui de la jeune fille… tenta Judith, lui offrant un magnifique sourire.

— Sortez, que je ne vous vois plus ! plaisanta-t-il. Je vous envoie les dossiers dès que je les ai.

Lorsqu'elles arrivèrent au 304, elles trouvèrent les autres membres du groupe bien sagement installés à leurs bureaux en train de rédiger les divers procès-verbaux inhérents à l'enquête.

Judith, voyant la commission rogatoire posée sur son bureau, s'empressa d'organiser le planning de filature de l'avocat. Les premiers à s'y coller seraient Pierre et Valérie. Ils partirent comme des flèches planquer devant le cabinet avenue Georges V.

— Yann, lança-t-elle en se retournant. Tu peux t'occuper des écoutes ?

— Bien sûr ! Je rejoins direct les gars du labo ou t'as besoin de moi ici ?

— Non c'est bon, tu peux y aller !

— Parfait. À plus tard !

— À plus ! lui répondit Marion.

— Bon et nous, on fait quoi ? s'impatienta Magalie, regardant ses collègues quitter le bureau.

— L'idéal serait de trouver ce foutu lien entre les deux affaires, se dépita Judith. C'est quand même dingue. Vous êtes bien d'accord que ça ne peut pas être une coïncidence.

— C'est impossible. Il y a forcément un truc.

— Ça veut dire tout reprendre à zéro, ça, se dépita Marion.

— C'est exactement ça, abonda Magalie. J'ai ici le dossier d'instruction de Jeff. Je l'ai déjà lu de long en large, et j'ai pas trouvé grand-chose. Mais peut-être que vous y verrez un truc que j'ai pas vu… Si quelqu'un veut essayer ?

— Pourquoi pas, répondit Fabrice en se levant pour récupérer l'épais classeur. Un peu de lecture ne me fera pas de mal.

Le téléphone fixe de Judith se mit à tinter ; elle décrocha alors que Magalie allait se faire couler un café.

— Quoi ? s'étrangla soudain Judith. Comment ça, disparu ?

— À qui elle parle ? chuchota Magalie intriguée.

— Aucune idée, lui répondit Marion.

— Oui, faxe-le moi s'il te plaît, poursuivit Judith.

Magalie retourna à sa place en touillant nerveusement son expresso. Les yeux rivés sur Judith, elle essayait désespérément de comprendre les raisons de son exaspération apparente. Dans la poche arrière de son jean, son portable se mit à vibrer. Surprise, elle manqua de se renverser le petit noir encore fumant sur les cuisses. Elle s'empara de son Smartphone et fut surprise de voir que Cathy essayait de la joindre.

— Cette énorme blague, annonça Judith en raccrochant. L'autopsie de Bonnet… Pfiou… Disparue.

— Je ne comprends pas, s'étonna Magalie, laissant l'appel basculer sur messagerie.

— Ils n'arrivent plus à mettre la main dessus.

— Franck n'a qu'à demander au légiste qui a pratiqué l'opération, proposa Marion.

— Visiblement, ce monsieur est tout aussi désappointé que Franck. Le seul exemplaire qu'il reste est à Versailles chez Demaurie, donc autant te dire qu'on n'est pas prêts de mettre la main dessus, se dépita le commandant.

— Comment un rapport d'autopsie peut-il disparaître ? s'énerva Magalie.

— C'est exactement la question qu'ils se posent. Mais tout n'est pas perdu. Il nous reste celui de la gamine et le rapport de toxicologie de Bonnet qui, par chance, vient à peine d'arriver à l'institut. Ils nous l'envoient.

— Et vous allez continuer à dire que Demaurie n'a rien à voir là-dedans, peut-être ! feula Magalie furibonde.

— J'avoue que là… ça commence à faire beaucoup pour un seul homme, convint Fabrice jusque-là plus que sceptique concernant l'implication du divisionnaire.

— Surtout que le meilleur reste à venir, temporisa Judith ne sachant pas comment annoncer ce qui suivait.

Les trois agents, suspendus à ses lèvres, trépignaient d'impatience.

— Bon vas-y, balance, s'impatienta Marion.

— Franck, reprit-elle, vient de me dire que la crémation du corps était prévue pour après-demain matin… à l'aube.

— Quoi ? s'emporta subitement Magalie. Mais ils n'ont pas le droit !

— Ils ont tous les droits, Mage. Il n'y a pas d'information judiciaire ouverte, c'est un flagrant délit où tout le monde s'accorde à dire que Bonnet a récidivé. L'affaire est considérée comme résolue. Sans oublier que c'est la crise du logement à la morgue, ils ne peuvent pas garder les corps indéfiniment. Personne de la famille ne s'est présenté, il appartient donc à l'État de s'en occuper.

— Ce connard de Demaurie est en train de faire disparaître toutes les preuves une à une et ça ne choque personne, putain ? se scandalisa Magalie.

— Ah non ! Les ordres viennent de plus haut, visiblement. Nos politiques semblent vouloir se débarrasser du problème au plus vite.

— Patate chaude ! Tu sais bien que dès que ça touche la liberté conditionnelle et la récidive, tout le monde quitte le navire, expliqua Fabrice.

— Mais putain, c'est pas juste, se lamenta Magalie les yeux embrumés.

Tous la regardèrent, gênés, ne sachant pas quoi lui répondre. Magalie n'était pas connue pour avoir la larme facile.

— Désolée, se reprit-elle aussitôt.

— Pas de souci, mon gros, lui sourit Fabrice.

— Est-ce que vous vous rendez compte de la vie de merde que ce gars s'est tapé… Parce que ça, vous ne le savez pas, mais pour la blague… il était puceau, le gars ! Ouais, ouais, Jeff n'a jamais couché avec une nana de sa vie. Elle est pas belle l'histoire ? Le gars a passé la moitié de sa vie en zonzon pour viol et il est… puceau. Y a de quoi rire, non ?

La mâchoire de Fabrice se dévissa tant l'idée le choqua, alors que Marion, embarrassée par l'intimité des propos, se contenta de baisser la tête. Seule Judith ne réagit pas. La vie de Jeff semblait moins la toucher que l'évident malaise de son amie.

— En revanche, se faire violer en taule par des bons gros mecs dégueulasses au casier aussi long que mon bras... ça, il y a eu droit, ironisa Magalie un brin de dégoût dans la voix. Putain, mais même sa mort est merdique! À quoi on sert, sérieux? Mais ça rime à quoi, tout ce cirque? J'ai pas signé pour ça, bordel. Obligée de cirer les pompes de gros connards qui, quoiqu'il arrive, s'en sortiront avec les honneurs. J'ai envie de gerber, se leva-t-elle. J'en ai vraiment ma claque!

— Qu'est-ce que tu fais? s'inquiéta Judith.

— Je vais prendre l'air, sinon je sens que je vais dégobiller.

— Je t'accompagne, proposa Judith en se levant à son tour.

— Non! la somma Magalie. J'aimerais bien être seule, si ça ne t'embête pas... Promis, je ne fais pas de bêtise, lui assura-t-elle en ouvrant la porte du bureau. Croix de bois, croix de fer...

Et elle disparut dans le couloir.

Assommés, les trois agents gardèrent le silence, forcés de constater qu'elle n'avait pas tout à fait tort.

Pierre et Valérie, confortablement installés dans l'un des véhicules banalisés de la brigade prévus à cet effet, épiaient les moindres entrées et sorties de l'immeuble cossu qui abritait les locaux du cabinet de maître Hanin. Lassée d'écouter les même infos en boucle, Valérie s'autorisait à changer de fréquence lorsque Pierre s'écria:

— *What the Fuck!*

— Pff, souffla la jeune femme. Ça fait quatre fois qu'on entend mot pour mot la...

— ... Mais prends des photos, bon sang, s'affola-t-il.

— Quoi? fit Valérie sans comprendre alors que Pierre récupérait le Nikon sur ses cuisses.

Comprenant que quelque chose lui échappait, elle jeta un œil à l'entrée du bâtiment et aperçut Demaurie taillant une bavette avec l'avocat.

— Non, j'y crois pas! Ces deux-là se connaissent.

— On a un cul monstre, avoua Pierre en canardant les deux hommes avec son appareil photo.

— Ça ne prouve pas grand-chose, mais quand même. C'est assez fou !

— C'est surtout qu'on est là depuis moins de deux heures et on tombe sur ce... crétin des Alpes, comme dirait Magalie. Le vent est en train de tourner. Tu le sens, Valérie ? Parce que moi je le sens. Y a un zef de ouf !

La jeune femme regarda le lieutenant, amusée.

Magalie, tiraillée entre sa colère et son chagrin, avait, dans un premier temps, opté pour une balade sur les quais de Seine. L'eau l'apaisait depuis son plus jeune âge. Consciente de cela, elle décida de s'offrir une pause sur l'un des bancs en bois rongé du pont des Arts. Le grand ciel bleu décoré de superbes nuages cotonneux d'un blanc immaculé se reflétait à merveille sur l'eau tourbillonnante du grand fleuve. Le tableau était magnifique. Face à elle, le square du Vert-Galant s'était teint de splendides couleurs printanières qui faisaient oublier aux flâneurs qu'à cet endroit même avaient péri par le feu les derniers Templiers. Juste derrière, se dessinait délicatement la « Maison Pointue », petit sobriquet donné au 36 quai des Orfèvres. Elle regarda cette pointe s'élancer dans le ciel pendant un long moment. Ses pensées imbibées de tristesse se bousculaient nerveusement dans sa tête. Il lui fallait trouver un moyen de rétablir l'honneur de Jeff. Elle se devait de le faire, pour lui, pour ses proches et pour sa famille.

— Sa famille ! répéta-t-elle soudain à haute voix. Comment s'appelle-t-elle déjà ?

Elle attrapa son portable et fit une rapide recherche sur Internet. Il ne lui fallut que deux minutes pour trouver le nom et l'adresse. *Avenue de Ségur... j'en ai pour à peine vingt minute de marche. Ça se tente,* se leva-t-elle décidée.

Il lui fallut un peu plus de temps, en réalité, pour arriver à bon port. À l'orée du Champ de Mars et au pied de l'hôtel des Invalides, le quartier parsemé de ministères, d'ambassades et d'espaces verts accueillait les badauds du monde entier qui, aguichés par la majestueuse Dame de Fer, s'y perdaient au détour d'une rue.

Il était 11 heures passés lorsque Magalie poussa la porte de verre et ferronnerie du 5 de l'avenue. Par chance, l'entrée du cabinet dentaire se trouvait avant l'interphone. Elle sonna donc à la porte et attendit un instant qu'une jeune femme d'une vingtaine d'années vienne lui ouvrir.

— Vous avez rendez-vous ? s'informa-t-elle.

— Brigade criminelle de Paris, s'annonça Magalie.

— Le docteur Bley est en consultation pour le moment. Elle ne devrait plus tarder mais tout de suite, c'est impossible.

— Je peux attendre, sourit Magalie.

La fille l'invita à s'installer dans la salle d'attente.

Après avoir feuilleté sans même y faire attention les *Match* et *Closer* des trois derniers mois, Magalie, impatiente et somme toute un peu stressée, se leva et se mit à faire les cent pas, épiant de temps à autre les passants à travers la fenêtre, sans doute par déformation professionnelle.

La porte s'ouvrit subitement, laissant apparaître une belle femme brune, à la coupe garçonne et au visage anguleux. Magalie eut le souffle coupé tant la ressemblance était patente. Elle ressemblait trait pour trait à Jeff avec certes le visage moins cassé.

— Fanny Bley, se présenta-t-elle le regard sombre. Veuillez me suivre, s'il vous plaît !

Magalie s'exécuta. Lorsqu'elle franchit la porte du bureau et qu'elle aperçut le fauteuil de dentiste, elle fut parcourue d'un frisson dans le dos provoqué par des souvenirs d'enfance douloureux.

— Installez-vous, lui proposa Fanny.

Magalie prit place sur la chaise en Skaï face à son hôte qui, visiblement irritée, la fixait.

— Magalie Binet, capitaine à la brigade criminelle, se lança-t-elle de plus en plus mal à l'aise.

— Oui.

— Je viens vous voir au sujet de votre frère, Jean-François.

— Je partage le même code génétique que ce monsieur et c'est à peu près tout.

— Vous partagiez, précisa Magalie espérant provoquer une réaction chez son interlocutrice.

Rien… Fanny Bley resta stoïque, droite comme un « i », vissée à son siège, dévisageant Magalie qui, ne parvenant pas à soutenir son regard, laissa traîner le sien çà et là.

Comme sur tous les bureaux, elle vit deux portraits d'enfants. Le garçon devait avoir à peine 7 ans alors que la petite fille s'approchait de l'adolescence. *Il était tonton*, se dépita Magalie.

— J'ai un emploi du temps des plus chargés, si nous pouvions abréger, l'interrompit Fanny.

— Bien sûr ! Je comprends donc que vous n'avez pas vu Jeff, enfin votre frère, depuis longtemps.

— La dernière fois, il était escorté par deux gendarmes, menottes aux poignets et il venait de prendre vingt ans ! Pourquoi cette question ?

— Je vois, déglutit Magalie, comprenant que ça n'allait pas être simple.

— Si nous en venions au fait, s'impatienta la dentiste.

— Très bien ! reprit-elle en se raclant la gorge. Au jour d'aujourd'hui…

— À ce jour ! coupa Fanny sèchement.

— P… Pardon ? begaya-t-elle.

— À ce jour et pas au jour d'aujourd'hui ! C'est moche, redondant et surtout ce n'est pas français ! s'agaça la jeune femme en regardant sa montre.

— Euh… Oui effectivement. Bien… pour la faire courte, votre frère n'est pas coupable de ce dont on l'accuse, se libéra-t-elle enfin.

La sœur de Jeff n'eut aucune réaction à l'annonce de Magalie. Si ce n'est, peut-être, un brin de dégoût dissimulé derrière un susceptible rictus…

— D'ailleurs il a sans doute été accusé à tort…

— Rappelez-moi votre nom, l'interrompit-elle subitement.

— Binet, articula Magalie.

— C'est donc vous… Sortez d'ici !

— Pardon ?

— Sortez d'ici sur-le-champ, gronda-t-elle.

— Écoutez, je…

— Comment osez-vous ? continua-t-elle en se levant, prenant appui sur son bureau. Mais de quel droit venez-vous ici, sur mon lieu de travail ? Vous êtes-vous au moins demandée ce que j'en penserais ?

— Vous ne comprenez pas…

— Je ne comprends pas ? J'ai passé ma vie de jeune adulte à essayer de comprendre comment mon propre frère, mon sang, en était arrivé là. Je me suis aussi demandé si j'étais de près ou de loin responsable. J'ai vu ma mère dépérir à cause de lui… Et je ne comprends pas ?

— Écoutez, votre frère a été victime…

— … C'est vous qui allez m'écouter ! s'emporta la jeune femme perdant définitivement ce qui lui restait de self-contrôle. Par chance… je suis une femme et mon mariage a effacé toute trace patente de mon lien de parenté avec ce monstre. Mon mari est bien évidemment au courant mais c'est à peu près tout et je veux que cela reste ainsi. Je ne laisserai pas une fliquette en mal de reconnaissance me replonger dans ce cauchemar ! Est-ce clair ?

— Une quoi ? eut envie de rire Magalie. Ce cauchemar, dites-vous ? C'est l'hôpital qui se fout de la charité, railla-t-elle effrontément. Je ne vois rien de cauchemardesque ici. On est dans un quartier cossu, on a un joli cabinet dentaire avec de belles moulures au plafond, de beaux enfants, très beaux même, avec un bon mari à vous entendre. Qu'y a-t-il de cauchemardesque dans tout cela ?

Fanny, surprise, se redressa et adopta à nouveau une attitude digne et détachée, une sorte de posture de défense inconsciente.

— Le cauchemar, madame... c'est de passer la moitié de sa vie en prison pour un meurtre qu'on n'a pas commis. Le cauchemar, c'est de voir sa propre famille vous tourner le dos car elle croit plus en la parole d'un sombre inconnu qu'en la parole d'un frère. Le cauchemar, c'est de finir dans un putain d'abri de jardin, assassiné par les mêmes qui vous ont déjà tué vingt ans plus tôt ! Voilà ce qu'est pour moi un cauchemar, s'essouffla Magalie.

— Vous êtes un danger public, grommela Fanny incrédule.

— Non, madame. Je peux prouver ce que j'avance. Ou plutôt je peux encore prouver ce que j'avance. Le souci, c'est que les détracteurs de votre frère sont en train d'effacer tout ce qui peut de près ou de loin les compromettre.

— Un complot ? Mais vous êtes ignoble. À quoi vous amusez-vous ? Venir jusqu'ici m'insulter... pour au final me sortir un laïus de complotiste à la noix ?

— Je vois. Vous procédez de la même façon qu'il y a vingt ans... Quoi de plus logique ! l'attaqua Magalie.

— C'en est assez ! Donnez-moi votre numéro de matricule car je compte bien porter plainte.

— Super, se détendit d'un coup Magalie, laissant son interlocutrice circonspecte.

Elle fouilla ses poches, en retira son insigne et le jeta sur la table.

— Allez-y, recopiez le numéro. Et s'il vous plaît, ne vous plantez pas. Ce qui m'arrangerait également, c'est que vous trouviez le temps d'y aller à midi. Je peux vous accompagner si vous voulez. Ce sera sans doute plus rapide avec un agent de police à vos côtés. Je suis prête à leur répéter mot pour mot ce que je viens de vous dire.

Fanny ne comprenait pas la manœuvre. Elle sonda la capitaine de haut en bas, cherchant le moindre indice sur ses réelles intentions.

— Allez-y je vous dis, ça m'arrange... Je vais vous expliquer un truc. Depuis que je pense, je veux être flic. Ça s'invente pas ! Toute ma triste vie tourne autour de ça. Me demandez pas pourquoi, j'en ai aucune idée! Les méchants en prison, c'est mon dada! Et sachez que j'y en ai mis plus d'un... C'est un vrai kif de rentrer chez soi et de se dire qu'il y en a un de moins dans les rues. J'imagine que c'est pareil pour vous et les caries dans la bouche, ironisa-t-elle. Je sais... et si on me le laisse faire je pourrai le prouver... Je sais que votre frère est IN-NO-CENT. Le souci, c'est que dans 24 heures son corps va être incinéré... Pff, envolées... Les preuves vont partir en fumée... Si vous portez plainte contre moi je pourrai peut-être repousser sa crémation, prétextant avoir besoin du corps pour ma défense. Alors oui, s'il vous plaît, recopiez mon matricule et allez de ce pas porter plainte contre moi, conclut-elle en se laissant retomber sur sa chaise.

Yann était revenu au 36 quai des Orfèvres après avoir fini de mettre en place les écoutes téléphoniques avec les techniciens des communications. Ces derniers étaient censés lui transmettre les retranscriptions deux fois par jour.

Lorsqu'il eut franchi le pas de la porte, il trouva ses collègues silencieusement et studieusement installés à leur bureau, à l'exception de Judith qui, debout face au tableau d'affichage, se tapotait les lèvres de l'index, perplexe. Fabrice, lui, avait un casque audio sur les oreilles et lisait scrupuleusement le dossier d'instruction de l'affaire Van den Brake alors que Marion, en pleine lecture et absorbée par son écran, se mordillait le bout des ongles de la main gauche.

Judith briefa rapidement le garçon. La suspecte disparition du rapport d'autopsie et la manifeste amitié entre Demaurie et Hanin le laissèrent pantois.

— Qu'est-ce qu'on a loupé? dit-il totalement désappointé.

— Je sais pas, mais il y a forcément un truc, se chagrina Fabrice.

— Quelle heure est-il? demanda Judith.

— 13 heures passées.

— Il va falloir penser à remplacer Pierre et Valérie.

— Je les ai appelés, l'informa Fabrice. On reprend la filature vers 14 heures. Je suis censé les appeler quand on part d'ici.

— Faut y aller, là ! Vous n'avez toujours pas mangé. Ce serait bien de le faire avant, non ?

— T'as faim, Marion ?

— L'appétit vient en mangeant, lui sourit-elle.

— O.K., on y va alors.

Judith resta donc en tête-à-tête avec Yann.

— Tu ne manges pas, Judith ?

— Pas très faim pour le moment.

— T'inquiète pas comme ça, patron. Elle nous enterrera tous, plaisanta-t-il.

— Ça c'est sûr, parce qu'à force je vais crever d'un arrêt cardiaque. Ça fait plus de quatre heures qu'elle est sortie d'ici au bord des larmes et elle a le toupet de ne pas répondre à mes appels, s'irrita Judith.

— Magalie, quoi !

— On parle de moi ? fit l'intéressée en surgissant du couloir, en faisant sursauter ses deux collègues. Vous n'êtes pas allées manger ?

Judith lui lança un regard assassin, furieuse du comportement nonchalant de sa collègue.

— Bon sang, Mage, se lâcha-t-elle enfin. Jamais tu ne réponds ? Tu ne t'es pas dit que je pouvais m'inquiéter ?

— Je t'avais pourtant dit de ne pas le faire, répliqua-t-elle en lui adressant un clin d'œil. Bref, quoi de neuf ?

— Si t'avais été là…

— … Pas de sermon aujourd'hui, Jude, la supplia Magalie sous le regard amusé de Yann.

— Les résultats toxico nous révèlent que Jeff a pris du Viagra la nuit de sa mort, embraya Judith un peu exaspérée quand même.

— Du Viagra ?

— Ouais, ce qui est assez intéressant quand on sait qu'on a retrouvé son sperme dans la bouche de la jeune fille, enchérit Yann.

— J'ai peur de comprendre, se décomposa Magalie.

— Si comme tu le penses Jeff n'est pas coupable, il devient évident qu'on est devant un coup monté... de toutes pièces.

— Quoi de mieux que l'ADN pour incriminer quelqu'un, conclut Judith.

Magalie, assommée, dut s'asseoir.

— Donc, d'après vous, on lui a fait bouffer des Viagra pour être sûr qu'il... conclut-elle sans parvenir à finir sa phrase.

— C'est ce qu'on pense, oui, acquiesça Judith.

— C'est même plus que probable, car parallèlement le légiste nous a dit avoir décelé des marques de ligature sur les bras, sur les pectoraux et enfin sur les cuisses, enchérit Yann, survolant ses notes. Brachial antérieur, grand pectoral, deltoïde, rectus bidule et je sais plus quoi.

— Toujours d'après le légiste, ça peut être dû à une immobilisation forcée en position assise.

— Vous êtes en train de me dire qu'il a été, à nouveau, violé... mais cette fois par une fille.

— Impossible à dire. La fille est un dommage collatéral, à mon avis.

— Je pense aussi, acquiesça Yann. Si le but du jeu était de lever le doute sur l'innocence de Jeff, il leur fallait une nouvelle victime.

— Je suis dégoûtée. On sait avec certitude qu'il n'y est pour rien et on n'a pas la moindre preuve.

— On n'a pas les mains vides non plus. Franck nous a pris des photos des marques des ligature et on a la toxicologie.

— Super, ironisa Magalie.

— On est aussi en train de négocier la liste des scellés avec les gars de l'identité.

— Berta est sur le coup, sourit Judith.

— Vous pensez y trouver quoi ?

— On ne sait pas mais au final, à part l'autopsie on a tout.

— Tout sauf le droit d'utiliser le tout, se dépita Magalie.
Le téléphone de Magalie se mit à biper.
— Merde j'avais complètement oublié !
— Quoi ?
— J'ai kiné, fait chier.

Judith avait proposé à Magalie de la déposer chez le kinésithérapeute, ce qu'elle accepta volontiers. Les voilà donc embarquées dans la Golf noire rue de Charonne lorsqu'un camion marqua l'arrêt en plein milieu de la voie. Le chauffeur descendit de sa cabine, adressa un geste d'excuse à Judith avant d'ouvrir le hayon et de se mettre à décharger la marchandise. Résignées, les deux femmes, prenant leur mal en patience, optèrent pour une pause musicale. Judith alluma la radio programmée sur France Info qui, par malchance, repassait le communiqué de presse de Demaurie. Elle allait changer de canal quand Magalie, intéressée, la pria de n'en rien faire. Les journalistes en mal de sujets d'actualité croustillante et les hommes politiques ravis de pouvoir faire parler d'eux se mirent à palabrer, tous plus fort les uns que les autres, sur les intérêts sociétaux bafoués par une justice trop permissive. Des avis contraires, partagés, démesurés, absurdes fusaient. Qu'importe ce qu'il se disait, il fallait le dire ! L'apogée fut atteinte quand l'heure du micro-trottoir arriva. La porte ouverte à toutes les fenêtres, comme dirait Gad Elmaleh. Avec du bon et du moins bon…

Il faut supprimer les libertés conditionnelles. Comment peux-t-on être condamné à dix ans et se retrouver libre cinq ans plus tard ? Il faut que la justice soit respectée. Il est temps que la justice se fasse respecter, c'est primordial ! expliqua une femme à l'antenne avant d'être relayée par une voix rauque et tremblante.

La peine de mort ! Il faut rétablir la peine de mort. Que Robert Badinter aille lui-même expliquer aux parents de cette pauvre petite pourquoi leur fille est morte. Parfaitement monsieur, car si à l'époque on avait coupé la tête à ce monstre, cette gamine serait aujourd'hui encore en vie. Le vrai coupable, c'est Badinter et ses sbires! conclut l'homme près de l'apoplexie tant le sujet semblait lui tenir à cœur.

— Gros con, va! ne put retenir Magalie en éteignant la radio. Si on l'avait exécuté comme tu dis, on se serait rendu complices d'un assassinat, tocard!

— Détends-toi, Mage. Tu sais comment sont les gens.

— Idiots! C'est des idiots, Jude! Ce mec a le droit de vote, bordel! Pff... Ça me déprime... J'aimerais bien voir sa sale tronche de cake, à ce crétin, quand il apprendra que Jeff est innocent. On va voir s'il trouve encore le courage d'insulter Badinter! Je lui ferai bouffer ses inepties.

Judith restait silencieuse, le sourire accroché aux lèvres.

— Ça te fait marrer, toi?

— Oui. Si on t'écoutait, personne n'aurait le droit de vote... Enfin, ça repart, remarqua-t-elle en embrayant.

Elle mirent à peine trois minutes à arriver au croisement des rues de Ligner et de Bagnolet.

— Pas de journaliste à l'horizon, tu peux y aller.

— Je t'avais dit qu'il n'y aurait personne. Bon, je ne sais pas pour combien de temps j'en ai mais je vous rejoins au bureau dès que j'ai fini, dit-elle en descendant de la Golf.

— Prends ton temps, à tout', fit Judith en démarrant.

Magalie monta prestement les quelques mètres qui la séparaient de chez elle. Se sachant un peu en retard, il lui fallait faire vite. Elle pénétra dans l'immeuble, parvint à extraire une enveloppe de sa boîte aux lettres sans avoir eu à l'ouvrir, entra dans son appartement, posa la lettre, sa veste et son sac sur la table basse, fila dans sa chambre enfiler un jogging et ressortit aussitôt de chez elle, direction... chez le kinésithérapeute.

24

Une fois arrivée au 36 quai des Orfèvres, Judith était, dans un premier temps, montée voir son commissaire divisionnaire pour lui faire part des dernières découvertes qui, à défaut d'apporter des preuves irrévocables sur l'innocence de Jeff, abondaient formellement dans ce sens. Elle resta près de trois quarts d'heure dans le bureau de son supérieur avant de descendre rejoindre Yann qui, fidèle à son poste, lisait les transcriptions téléphoniques de l'avocat fraîchement reçues.

— T'en as mis du temps ?

— Je suis passé voir Jean-Pierre.

— Ça c'est bien passé ?

— Oui. Très bien. On s'emporte un peu parfois mais il est intelligent et surtout, par chance, accepte assez facilement la critique. Sans quoi je pense que j'aurais fini au pilori, sourit-elle.

— J'ai aussi l'impression qu'il est de bonne foi, lui rétorqua-t-il.

— Et toi ?

— Je suis la vie trépidante de Hanin à travers ses conversations téléphoniques, un vrai kif ! ironisa-t-il. Sinon, Fab et Marion lui collent le train et Valérie et Pierre sont rentrés se reposer en vue de la filature de ce soir. Je sais, je les ai eus.

Deux coups francs se firent entendre. Judith, de sa voix légère et accueillante, invita la personne à entrer. La porte s'ouvrit lentement.

— Bonjour, se leva Judith intriguée. Madame?

La femme qui se tenait dans l'encadrement lui rappelait quelqu'un. Elle était pourtant incapable de mettre un nom sur la personne.

— Que puis-je pour vous? dit-elle en venant à sa rencontre.

— On m'a dit que c'est ici que je trouverais l'inspecteur Binet...

— Effectivement, mais elle n'est pas là pour le moment. Je dois pouvoir vous aider, je suis son chef de groupe. Commandant Judith Lagrange, pour vous servir. À qui ai-je l'honneur?

La femme hésita. Elle balaya le bureau d'un regard flottant, sonda Yann un instant avant d'être attirée par le tableau, juste derrière lui. Tableau où étaient affichées les photos des cinq scènes de crime. Son visage se raidit, cédant la place à une grimace trahissant un profond dégoût.

— Je vous en prie, suivez-moi, l'éloigna Judith comprenant le malaise. Nous serons bien mieux sur les canapés. La vue sur la Seine y est imprenable mais surtout très agréable. Je vous sers un café, un thé?

— Non merci, répondit-elle stoïquement en prenant place face aux grandes fenêtres.

— Alors si on commençait par le début: comment vous appelez-vous?

— Je suis Fanny Bley.

— Super. Et pourquoi voulez-vous voir ma collègue, Magalie?

— Je suis... Fanny Bley... Bonnet de naissance. Je suis la sœur de Jean-François, soupira-t-elle.

La mâchoire de Judith se décrocha tant elle fut prise de court, mais elle savait enfin à qui lui faisait penser ce visage.

— Votre collègue est passée me voir ce matin et m'a exposé son point de vue, continua-t-elle avec prudence, ne sachant pas à qui elle avait affaire.

— Concernant l'innocence de votre frère, je suppose, l'aida Judith.

— Effectivement, elle m'a dit qu'il se pourrait que Jean-François ne soit pas le monstre décrit dans la presse.

— Je confirme, il ne l'est vraisemblablement pas. Votre frère est sans doute la victime d'une énorme machination, abonda Judith. On en a maintenant la certitude. Le seul problème, c'est qu'en l'état des choses on ne peut malheureusement pas le prouver. Mais sachez que nous mettons tout en œuvre pour y parvenir.

— Elle disait donc la vérité !

Elle inspira profondément alors que son visage se recouvrait d'un lange blanc qui, jurant avec ses cheveux auburn, venait lui creuser les yeux.

— A-t-il souffert ? murmura-t-elle, la voix embrumée.

— Non. La mort a été instantanée, lui répondit Judith sans se dérober.

— Pourquoi ?

— C'est ce qu'on cherche à comprendre.

— Comment puis-je vous aider ?

Judith marqua une pause, ne comprenant pas la question qui lui était posée.

— Nous mettons les bouchées doubles pour trouver des éléments concrets pouvant prouver son innocence. Il s'agit maintenant d'être patients.

— Elle est venue me voir pour me parler du corps de mon frère...

— Oh. Bien sûr ! réalisa enfin Judith.

— Que dois-je faire ?

Fanny était comme anesthésiée. Son regard flottait droit devant elle, se noyant dans le fleuve luisant.

— Eh bien, vous êtes la seule à pouvoir éviter sa crémation qui doit avoir lieu après-demain.

— Où dois-je signer ?

La blessure de Magalie s'était remarquablement résorbée, à la grande surprise du kinésithérapeute. La mobilité du bras était quasi complète et les muscles pectoraux et dorsaux semblaient moins endoloris. Devant un tel rétablissement, il décida de passer à la vitesse supérieure en imposant à Magalie une séance de rééducation plus tonique que de coutume.

Bien que la séance ait été éprouvante, c'est en sautillant que Magalie revint chez elle. Le fait de sentir son corps lui répondre parfaitement à nouveau l'emplissait de joie. Le plus dur était définitivement derrière elle.

Une fois sortie de son bain relaxant, elle eut une soudaine fringale, sans doute due à l'effort fourni. Elles se prépara un rapide casse-croûte et s'installa dans le salon pour le déguster. La lettre récupérée plus tôt dans sa boîte trônait sur la table basse. Elle croqua dans son sandwich avocat-saumon, le posa, s'essuya les mains et prit l'enveloppe qu'elle retourna pour en connaître l'expéditeur... Pas d'expéditeur ! Elle l'ouvrait, pensant tomber sur une publicité, lorsqu'elle remarqua que le timbre n'avait pas été oblitéré. Piquée par la curiosité, elle s'empressa d'en sortir le contenu. *Une lettre ?* s'étonna-t-elle. Elle retourna aussitôt le courrier, cherchant en fin de lettre une signature. Rien !

Cher Capitaine Binet,

J'apprends aujourd'hui par voie de presse que je ne suis plus le seul à savoir Jean-François Bonnet innocent. Lorsque, il y a quelques mois, je l'ai compris, cela m'a profondément désolé, attristé, choqué même.
Croyez bien que je suis à ce jour totalement atterré, ahuri et révulsé face à autant d'injustice !
Il y a quelque chose chez l'être humain qui est nauséeux, vomitif même. J'ai toute ma vie cru, de façon très manichéenne, que d'un côté il y avait les gentils et de l'autre les méchants. J'ai découvert depuis peu que nous étions tous méchants...
L'homme est un loup pour l'homme, à ceci près que le loup ne tue pas gratuitement !
Lorsque mon père, sur son lit de mort, dans un désir certain d'absolution, m'a avoué être en partie responsable de la mort

de Julie et donc de l'incarcération abusive de Bonnet, je ne l'ai pas cru, et puis… Force a été de constater qu'il disait la vérité. Peuchère, Bonnet !

Aujourd'hui, je sais mes heures comptées. Ils n'ont fait qu'une bouchée de Bonnet. Moi, s'ils m'attrapent, je ne serai même pas un amuse-gueule. La seule chose qui me sauve pour le moment, c'est mon anonymat. C'est d'ailleurs aussi ce qui me sauve de vous.

Si je vous écris, c'est pour vous dire qu'il vous faut me trouver avant eux. J'ai pris à bras le corps cette lourde charge en sachant que je n'arriverai pas au bout. Je n'ai ni le temps ni les moyens de tous les éradiquer, mais ensemble nous y parviendrons. Nous formons un taijitu, *je suis Thanatos et vous êtes Éros. Ensemble, comme l'ont été Héraclès et Iolaos, nous réussirons à tuer l'hydre de Lerne. N'ayez crainte, vous y arriverez grâce à votre splendide pulsion de vie.*

— C'est quoi ce délire ? soupira Magalie en laissant retomber la lettre sur la table basse.

Elle se leva d'un bond, ouvrit l'un des tiroirs de la console de l'entrée pour en extirper une pochette en plastique. Elle courut dans la salle de bains chercher des gants en latex, revint dans le salon où elle s'affaira à prendre des photos du recto et du verso de la lettre mais aussi de son enveloppe. Elle enfila les gants et plaça le tout dans la pochette plastique qu'elle s'empressa de glisser dans son sac.

Judith avait accompagné Fanny Bley à l'institut médico-légal pour l'aider à remplir les formulaires nécessaires à la récupération du corps de son frère. Elle la déposa ensuite à la station de métro Ledru-Rollin sur la ligne 8, de façon à ce qu'elle puisse rejoindre son cabinet d'une seule traite. Elle rejoignait le 36 lorsqu'elle reçut le message de Magalie qui lui disait qu'elle ne tarderait plus à arriver et qu'il lui fallait à tout prix être là. Intriguée, elle se pressa sans pour autant sortir son gyrophare. Une fois sur l'île de la Cité et alors qu'elle parquait sa Golf à son emplacement, elle crut défaillir en apercevant l'étincelante Laverda Jota 1 000 orange de Magalie. *Elle n'a pas fait ça!* grogna-t-elle. D'un pas pressé, elle monta au 304 avec la ferme intention de sermonner son amie.

— T'es venue à moto, Mage ! Ça va pas mieux, hein ! Mais t'es con, ma parole ? s'emporta-t-elle à peine un pied dans le bureau.

L'invective eut pour effet de couper court à la conversation entre Yann et Magalie.

— Sérieusement, tu te rends compte du risque que tu prends mais surtout que tu fais…

— … Stooop, la coupa Magalie. Tout va bien, maman. Le médecin m'a dit que je pouvais. Alors on se détend tout de suite et on respire profondément. Et puis t'as vraiment cru que je prendrais le risque d'abîmer bêtement mon super bolide ? C'est toi qui va pas mieux ! Je pensais que tu me connaissais mieux que ça, s'amusa-t-elle gentiment.

— Ah… Euh. O.K., ben… désolée, c'est juste…

— On s'en fout, abrégea Magalie. Viens plutôt voir ce que j'ai trouvé dans ma boîte aux lettres.

— J'arrive, dit-elle en enlevant sa veste. Yann t'a dit pour Fanny Bonnet ?

— Oui ! Allez grouille, s'impatienta Magalie.

Judith s'approcha du moniteur et se mit à lire le courrier.

— C'est quoi ce délire ?

— Et mieux, le gars est carrément venu chez moi…

— … Le timbre n'a pas été oblitéré, enchérit Yann.

— Tu l'as reçue quand ?

— Entre la conférence de presse de l'autre tocard et le moment où tu m'as déposée à la maison.

— Il a l'air bien fêlé quand même, réalisa Judith.

— Et pas qu'un peu, acquiesça Yann.

— En tout cas, Luc ne s'est pas trompé… Il a de la culture, ce monsieur.

— C'est sûr, j'ai dû prendre un dico pour comprendre que « taijitu » voulait dire Yin et Yang, avoua Magalie.

— Où est l'original ?

— Je l'ai déposé au labo. On peut toujours rêver.

— Une petite empreinte serait la bienvenue.

— Vous rêvez ! En tout cas on a la preuve, noir sur blanc, que les deux affaires sont liées. Et ça... ça c'est pas rien, conclut-elle soudain en tournant les talons.

— Tu vas où comme ça ? Jude ?

Par chance, Jean-Pierre Berta était dans son bureau. Judith entra. L'homme lui demanda de patienter un instant qu'il puisse finir sa conversation téléphonique. Judith informa alors son commissaire de la récente découverte.

— C'est une aubaine, se réjouit-il. Si les deux affaires sont liées, ça nous offre la légitimité d'enquêter sur Bonnet...

— C'est ce que je me suis dit, sourit-elle.

— On va donc passer la seconde, dit-il en décrochant son téléphone.

Il appela Versailles et demanda à parler expressément au commissaire divisionnaire Demaurie. Une fois qu'il eut été mis en relation avec son homologue, le ton resta certes cordial mais trahissait tout de même parfois le climat glacial qui s'était immiscé entre les deux hommes. Demaurie ne semblait pas vouloir céder à la requête de Berta qui, obstiné, parvint contre toute attente à ses fins au bout d'un quart d'heure de négociations acharnées. Le rendez-vous était donc pris. Demaurie viendrait au 36 quai des Orfèvres le lendemain matin pour s'entretenir avec Berta au sujet de l'affaire Bonnet.

— T'es sûr de ton coup, Jean-Pierre ? s 'inquiéta Judith surprise par l'empressement de son divisionnaire.

— Il est grand temps de lui apprendre à vivre, à ce pisse-froid d'arriviste, dit Jean-Pierre avant de se lever.

— D'accord, mais on n'a pas grand chose de concret à lui opposer pour le moment.

— Il y a moi ! Tu ne me trouves pas assez concret ? s'amusa-t-il en reboutonnant sa veste.

Le téléphone de Judith se mit à vibrer. Elle décrocha, voyant que Magalie lui avait déjà envoyé un SMS.

— Désolée, je viens de voir ton message. Que se passe-t-il ?... Quoi ? Et merde, j'arrive.

— Un problème ?

— On vient de retrouver un autre corps !

Un célèbre journaliste politique venait d'être retrouvé chez lui par son employée de maison qui, comme tous les jours à 15 heures, venait y faire un brin de ménage. La pauvre dame avait perdu connaissance avant d'avoir pu prévenir la police.

Lorsque Judith, Magalie et Yann franchirent la porte de l'appartement situé à deux pas de la place de la République, non loin du canal Saint Martin, les équipes de techniciens étaient déjà à l'œuvre. C'était Franck qui avait prévenu le 304, le mode opératoire ne laissant pas de place au doute.

— Re, dit-il en apercevant les deux femmes.

— Merci d'avoir appelé, Francky.

— Je t'en prie. Comme vous le constaterez, le *modus operandi* est sensiblement le même, enchaîna-t-il.

— Sensiblement ? s'étonna Judith.

— Soyons clair, il n'y a, pour moi, aucun doute sur le fait qu'il s'agit du même homme. C'est juste que dans le cas présent, il y a passé moins de temps. Était-il pressé ? Je ne sais pas. Mais les blessures sont bien moins nombreuses et surtout ont été faites bien plus rapidement que sur nos deux précédents corps.

— Il a peut-être été interrompu ? supputa Yann.

— Vraiment, je ne pense pas. S'il avait été surpris, il n'aurait pas pris le risque de perdre un temps précieux en procédant comme à son habitude à l'émasculation.

— Il savait peut-être avoir moins de temps devant lui que pour les autres victimes ? dit Magalie.

— Je pense, oui.
— Il connaissait son emploi du temps, en déduit Judith.
— Ou celui de sa femme de ménage. J'estime l'heure de la mort entre 13 et 14 heures. Le corps est encore chaud ! D'après ce que j'ai compris, la bonne embauche tous les jours à 15 heures...
— ... Ça se tient ! Il se serait donc pressé pour être sûr de ne pas la croiser.
— À moins qu'il se soit dit pendant sa pause-déj : tiens, si j'allais buter un gratte-papier ? railla Magalie.
— C'est une possibilité, effectivement. Mais au final on en revient au même... Il est pressé ! Je vous rappelle qu'il nous a dit savoir son temps compté... Son rythme s'accélère.
— Si tu as raison, on doit s'attendre à une avalanche de macchabées, spécula Magalie.
— Comment ça, il vous a dit « savoir son temps compté » ? Vous lui avez parlé ? s'enquit le légiste ahuri.

Judith demanda à Jean-Pierre des effectifs supplémentaires de façon à pallier l'absence de Fabrice et Marion qui étaient toujours aux trousses de l'avocat. Berta, préférant mettre l'accent sur les victimes, lui proposa de faire sous-traiter la filature par le groupe d'astreinte. Ce que Judith accepta sans peine.

La scène de crime était à peu de chose près semblable aux deux autres. Rien ne dérogeait à la règle. Un homme suspendu par les poignets, lacéré, molesté et émasculé. Yann laissa le répertoire des scellés à Magalie et se précipita sur l'ordinateur du journaliste, espérant y trouver un lien quelconque avec Leisure House mais le journaliste, bien avisé, avait protégé son portable avec un mot de passe. Il lui faudrait donc attendre que les techniciens le craquent pour pouvoir avoir accès à son historique de navigation.

Malgré son efficacité, l'équipe du 304 allait terminer tard dans la soirée car ce n'est que vers 23 heures que Judith les libéra enfin, en leur donnant des directives bien précises pour le lendemain.

25

Demaurie était arrivé au 36 quai des Orfèvres aux alentours de 9 heures et quart en ce mercredi matin de la mi-mai. Il avait été accueilli par un officier qui, après l'avoir escorté jusqu'au 304, lui avait gentiment proposé de prendre place dans l'un des canapés en attendant l'arrivée de son divisionnaire. Le bleu se planta silencieusement devant lui sans donner plus d'explication. Demaurie pensait être reçu par Berta et le voilà dans un bureau d'enquêteur... vide, de surcroît. Étonné, il fit part de ses doutes au planton qui, laconique, lui proposa à nouveau de s'asseoir en lui expliquant que le commissaire ne devrait plus tarder. Ostensiblement irrité, Demaurie se fit couler un café et s'installa sur l'un des sofas, maugréant des noms d'oiseaux.

Il était presque 10 heures, Demaurie incrédule soufflait tel un buffle. Berta, suivi de Judith et Yann, fit enfin son entrée.

— J'ai failli attendre, tonna Demaurie mécontent en se levant du fauteuil.

Berta sonda son homologue d'un regard dédaigneux avant de se retourner vers ses collègues sans même prendre la peine de lui répondre.

C'en était trop pour le Versaillais.

— Mais c'est quoi ce cirque ? s'écria-t-il. C'est quoi ces manières de sagouin et ce manque de respect patent ? Vos méthodes de pression sont complètement désuètes, les gars ! Visiblement, il n'y a pas que le bâtiment qui mérite un rafraîchissement, ici. J'en ai assez, lança-t-il remettant sa veste. Si vous me cherchez, vous savez où me trouver!

Il se dirigeait vers la sortie d'un pas décidé lorsque Yann se décala d'un pas pour lui faire obstruction.

— Si vous tenez à votre plaque, jeune homme, je vous conseille fortement de vous écarter de mon chemin, le prévint-il.

— Il est retors ou c'est moi? s'amusa Berta.

Personne ne répondit mais tous sourirent et Berta de reprendre sur un ton bien plus grave cette fois-ci:

— Tu me feras le plaisir de ne plus t'adresser à mes agents sans que je te sonne, Demaurie. Maintenant tu vas te rasseoir et au cas où tu aurais un doute sur le comportement à adopter, sache que mes lieutenants au rez-de-chaussée ont pour ordre de te passer les menottes s'ils te voient essayer de sortir du bâtiment sans mon accord. Alors oui, effectivement Yann, ne te fatigue pas. Qu'il sorte si tel est son désir.

— Les menottes? rit Demaurie. Et en quel honneur? Les westerns, ce n'est plus d'actualité, Berta. T'es complètement dépassé. Il est peut-être temps de raccrocher les gants.

— Contrairement à toi, j'ai de l'éthique. C'est d'ailleurs ce qui m'empêche de te foutre mon poing dans la gueule, puisque tu parles de gants. C'est aussi ce qui m'a convaincu de ne pas te placer en garde à vue dès ton arrivée au 36. Ça ferait une bien grosse tache sur des états de service aussi vides et mauvais que les tiens. Je t'ai donc, bon prince, laissé le bénéfice du doute.

L'homme se décomposa: ce qu'il avait tout d'abord pris pour du bluff maladroit lui apparaissait maintenant bien moins récréatif.

— Maintenant que les choses sont claires… accorde-moi cinq minutes et je serai tout disposé à t'écouter. En attendant… assieds-toi, et profites-en pour mettre de l'ordre dans tes idées car tu vas en avoir besoin!

Les cinq minutes parurent une éternité à Demaurie. Il s'en voulait de s'être fait avoir de la sorte ; il n'aurait jamais dû accepter l'invitation de Berta. Une multitude de questions tourbillonnaient dans sa tête lorsque Yann l'invita à rejoindre le commissaire dans la salle d'audition adjacente. L'homme y entra, un nœud au ventre. Berta et Judith étaient installés à table tels des juges, avec devant eux deux ou trois dossiers fermés. Une seule chaise libre, face à eux : il se faufila et s'y assit en prenant préalablement soin de déboutonner sa veste, armé d'un regard qui se voulait intimidant.

— Nous y voilà. L'instant de vérité ! sourit Berta en ouvrant son maigre dossier.

— C'est quoi ce cirque, sérieusement ? Une salle d'interrogatoire ?

— On appelle ça une salle d'audition ici, le reprit Berta le nez dans son dossier.

— Appelle ça comme tu veux, mais ne m'insulte pas ! Tu crois que je ne sais pas que je suis enregistré ? Tu me prends pour un manche ou bien ? rit-il, affichant une assurance feinte.

— Je ne t'ai pas demandé de parler, lui sourit Berta en relevant la tête. Tu es là pour écouter ce que nous avons à te dire, c'est tout. Que t'imagines-tu ?... Les caméras sont là pour que tu ne puisses pas déformer nos propos par la suite. On ne sait jamais, des fois que l'envie te prendrait d'aller voir la presse.

— C'est donc ça ! T'as pas aimé, hein ? Faut te mettre à ma place, Jean-Pierre. Un de tes capitaines me diffame ouvertement, je dois me défendre.

— Tu ne devais pas, non ! En revanche tu devras sans doute... Mais je ne m'inquiète pas pour toi. Je sais que tu as un ami avocat qui se fera un plaisir de te défendre... Enfin, s'il est encore en vie le moment venu.

Demaurie comprit parfaitement l'allusion à Hanin. Ce qu'il ne comprenait pas, c'est comment l'avait-il su ? Judith ouvrit le dossier cartonné beige et en retira une série de photos qu'elle lui déposa sous les yeux. On l'y apercevait avec Hanin. Les deux hommes discutaient en pleine rue et se serraient sincèrement la main en souriant de bon cœur. Le divisionnaire versaillais se décomposa.

— Rassure-toi elle est sur Hanin, la filature!... Voilà comment j'imagine les choses, lui expliqua Berta : je vais t'exposer les faits. Puis je vais te laisser un court instant de réflexion avant de prendre ma décision concernant une éventuelle garde à vue. Les choses étant dites et claires, on va démarrer.

Le front de Demaurie se plissa tandis que de fines gouttelettes de sueur y faisaient une discrète apparition.

— Nous savons avec certitude que Bonnet ne s'est pas suicidé. Mais tu dois aussi le savoir, étant donné que tu as lu le rapport d'autopsie. Chance que nous n'avons pas eue, vu que ce même rapport a miraculeusement disparu. Envolé! Excuse-moi, ça me fait beaucoup rire.

— Je trouve ça moyennement drôle, moi, intervint Judith jusque-là silencieuse.

— Quand tu auras mon âge..., ironisa-t-il. Mais revenons-en à nos moutons. Je t'avouerai que je ne sais pas trop par où commencer. Je vais donc synthétiser, au risque de te brusquer. Mais bon, tu es un grand garçon maintenant... Alors voilà, pour la faire courte, nous pensons que tu as monté de toutes pièces le vrai-faux suicide de Bonnet et que tu t'es donc rendu coupable d'assassinat.

— Quoi? Mais vous êtes fous! s'indigna subitement Demaurie.

— J'ai un capitaine, deux lieutenants et une multitude de badauds qui affirment avoir vu deux de tes agents filocher Magalie et Bonnet... Pour ton information, Magalie et Fabrice sont à cet instant même en train de les interroger à Versailles. J'ai hâte de savoir ce qu'ils ont à nous dire.

Demaurie devint livide. Le front perlant, il desserra sa cravate et dégrafa le premier bouton de sa chemise.

— Nos conclusions sont les suivantes : Binet, en bon limier qu'elle est, a flairé un gros coup... Va savoir comment ? Quoiqu'il en soit, elle s'est mis en tête que Bonnet était innocent. Et quand Binet a un truc en tête... c'en est fini, on ne la tient plus. Chose que tu as pu constater sans mal. C'est d'ailleurs pourquoi tu l'as fait suivre. Il te fallait savoir ce qu'elle avait comme biscuits. Filature, au passage, totalement illégale sachant qu'à ce jour aucune commission rogatoire n'a été délivrée pour cela. Se servir de l'argent public pour faire suivre un agent public, j'adore ce que tu fais. Tu es magique ! Pourquoi s'en priver, me diras-tu ?... C'est vrai, non ? demanda-t-il, s'adressant à Judith.

La commandant ne répondit pas, se contentant de fixer Demaurie.

— Mais... tu n'es pas totalement idiot, reprit Berta. Tu ne pouvais pas t'attaquer frontalement à Binet. Major de sa promo avec des états de service impeccables, elle était difficile à atteindre, alors que Bonnet, lui...

— Une cible parfaite... à nouveau, l'attaqua Judith.

Demaurie enleva sa veste.

— Tu as donc demandé à tes hommes d'attendre qu'il soit seul pour l'embarquer. Tes hommes ont intercepté Bonnet entre la rue Ligner et la rue Planchat, samedi dernier à 18 heures et des bananes. T'as vu... On s'est bien renseignés, hein, le nargua Berta, frondeur. Nos méthodes sont désuètes mais par chance encore efficaces, le charria-t-il.

— Que se passe-t-il ? Vous ne semblez pas dans votre assiette, monsieur ? lui demanda Judith un imperceptible sourire aux lèvres.

— Puis-je avoir un verre d'eau, s'il vous plaît ?

— Mais bien sûr.

Judith claqua des doigts. À peine trois secondes plus tard, la porte de la salle s'ouvrit. Yann s'excusa pour l'oubli et déposa une petite bouteille d'eau sur la table.

— Tu ne pouvais évidemment pas te contenter de faire disparaître Bonnet. Tu savais que Binet... C'est marrant ça, j'avais pas remarqué, Binet... Bonnet..., s'amusa-t-il.

Mais ça ne fit rire que lui.

— Je m'égare... Binet ne t'aurait pas lâché. Il te fallait donc accabler Bonnet. Et c'est là ou j'éprouve le plus de dégoût pour toi. Ou l'as-tu trouvée, cette pauvre fille ? Ce « petit » dommage collatéral ?

Demaurie faillit craquer mais, dans un regain de lucidité, parvint à se contenir et se ravisa aussitôt. Berta et Judith comprirent alors qu'il était bientôt mûr, à deux doigts d'être cueilli. Et au commissaire de reprendre :

— Bref, tu as trouvé une fille qui ferait l'affaire et tu as joué au metteur en scène...

— Mauvais metteur en scène, le coupa Judith. C'était insulter mon intelligence que de croire que je ne verrais pas la supercherie. Une lettre de suicide rédigée sur place mais pas de stylo, une porte forcée à la pince mais pas de monseigneur en vue, une fille violée avec des résidus de semence dans la bouche et un violeur sous Viagra avec des marques patentes de ligature aux bras et aux jambes... Ai-je vraiment l'air aussi stupide ?

— Non, je te rassure, Judith, sourit Berta. C'est juste qu'il ne s'était pas dit que nous aurions accès à la liste des scellés. Il y a encore des gens qui me veulent du bien comme tu peux le constater, mon cher Demaurie. Par ailleurs, je tiens juste à t'informer du fait que Bonnet ne sera pas inciné. Sa sœur va venir récupérer le corps. Le pardon, la magie du catholicisme ! Elle compte l'enterrer. Ce qui nous laissera tout le loisir et le temps de pratiquer une deuxième autopsie, au cas ou la première ne réapparaîtrait pas.

Demaurie se redressa et, les yeux fermés, étira les bras jusqu'au ciel en inspirant profondément avant de se recroqueviller à nouveau sur lui-même.

— Ce n'est pas ce que vous croyez, marmonna-t-il d'une voix déraillante.

— Attention, l'arrêta Judith. Je vous rappelle que vous êtes filmé.

— Je le sais. Je ne suis pas l'instigateur de... Je n'ai pas tué cette gamine et je n'ai pas non plus tué Bonnet ! Mais bon sang, je suis flic ! s'écria-t-il soudain. J'ai passé ma vie à mettre ces gens-là en prison.

— Tu ne serais pas le premier.

— Je n'ai tué personne, bordel ! Il faut me croire !

— Qui est-ce, alors ?

Demaurie bascula sur le dossier de sa chaise et se prit la tête dans les mains. Il resta là, prostré, un bon moment sous les regards de ses confrères qui lui offrirent le temps de la réflexion. Soudain, l'homme se redressa, les yeux rougis et le souffle court. Il déglutit, se racla la gorge et se lança enfin :

— À l'époque de l'affaire Van den Brake, j'avais un petit… contentieux avec la drogue. Disons que j'avais pris l'habitude de me repoudrer le nez deux à trois fois par jour… Lorsqu'on a retrouvé le corps de la fille, on n'avait rien, pas le moindre truc à se mettre sous la dent. On est partis comme des dératés dans tous les sens et petit à petit ça s'est essoufflé, plus de piste, plus de porte à fermer, plus rien ! Et c'est là que, comme par miracle, il y a eu ce gars qui s'est présenté et qui nous a filé LE portrait-robot ultra-réaliste. De toute ma carrière, je n'en ai jamais vu de si bien réussi.

— On sait tout ça, s'impatienta Judith.

— Sur le moment, je me suis dit qu'on avait du cul mais par la suite j'ai trouvé ça un peu étrange… Et encore plus quand on a réussi à mettre la main sur le gamin… Il était dans un état végétatif, proche du coma. Ce gars n'était plus que l'ombre de lui-même. J'avais de sérieux doutes quant à sa culpabilité. Mais force était de constater que tout allait dans ce sens… trop de choses allaient dans ce sens, tout était parfaitement à charge… Vous en doutez sans doute, mais j'aime mon métier et je pense que j'étais plutôt doué au départ. Et puis il y a eu cette affaire, se décomposa-t-il.

Judith, voulant lui signifier que leur temps était compté, se mit à pianoter sur le bureau. Vraisemblablement, les états d'âmes de Demaurie lui importaient peu.

— Parfois il arrive que tout se goupille bien, mais là j'avais une sensation bizarre. Je ne me l'expliquais pas mais j'avais de sérieux doutes. J'en ai donc fait part au juge. Ce dernier m'a convoqué en début de soirée à son bureau pour en parler. Lorsque que je suis arrivé, sa greffière était déjà rentrée chez elle. Nous étions seuls, en tête-à-tête. Et c'est à ce moment qu'il m'a fortement conseillé de laisser couler car il fallait que le battage médiatique autour de l'affaire cesse. Vous pensez bien que l'intimidation ne m'a pas plu. Je lui en ai fait part et c'est là qu'il m'a expliqué que, dans l'intérêt général mais surtout dans mon intérêt, il fallait boucler le dossier au plus vite. Les ordres venaient de plus haut et ni lui ni moi n'avions notre mot à dire.

— Le juge t'as fait chanter? s'étonna Berta.

— Il connaissait jusqu'à ma consommation quotidienne... mon dealer et bien d'autres choses, apparemment... Je suis rentré à la PJ, ahuri, et là on m'annonce que le gamin est à deux doigts de craquer. J'y suis allé et le reste, vous le connaissez.

— Ça t'a pas dérangé le moins du monde d'envoyer un môme qui n'avait pas vingt ans à Ensisheim, gronda Berta.

— Non. J'avais certes des doutes, mais j'étais le seul. Tout prouvait qu'il était coupable. Je n'ai pas pris le risque de foutre ma vie en l'air pour un gars que tout accusait. Ce n'est que deux ou trois mois après sa condamnation que j'ai compris que je m'étais fait baiser.

— Pourquoi?

— Ma promotion! Et puis celles à venir, toujours accompagnées de services plus ou moins coûteux... Et ce n'était pas comme si j'avais le choix. Jusqu'à pas plus tard que samedi dernier, où cette fois il fallait que je ramène Bonnet chez le juge pour une soi-disant audition privée...

— Encore le même juge? s'étonna Judith.

— Toujours, je n'ai eu affaire qu'à lui. Je ne sais pas qui j'ai couvert. Je ne sais même pas si le juge en question le sait. Tout ce que je sais, c'est qu'ils me tiennent par les couilles.

— Qu'est-ce que t'attends?

— Pour ?
— Son nom ? s'impatienta Berta.
L'homme hésita.
— T'es pas sérieux ? Il nous suffit de trouver le juge qui a instruit l'affaire Van den Brake. Alors fais-nous gagner du temps !
— Parlaci, confessa l'homme.
— Une dernière petite question. Tu dis ne connaître personne d'autre alors que nous avons des photos de toi avec Hanin. Tu m'expliques ?
— Hanin, c'est ce gars-là ? pointa-t-il.
— Ne me prends pas pour un manche, je déteste ça.
— Je ne connais pas son nom, à ce type. Je sais juste qu'il est avocat d'affaires.
— Alors que fais-tu en sa compagnie ?
— Je lui donnais une arme, avoua-t-il. Parlaci m'a demandé de lui en trouver une car il se savait en danger. On a discuté vite fait et il m'a dit avoir des gros problèmes avec l'un de ses anciens clients qui aujourd'hui voulait en découdre avec lui. Je lui ai bien évidemment fortement déconseillé de l'utiliser, mais il semblait vraiment effrayé.

Suite au coup de fil très instructif de Judith qui, après avoir résumé l'entrevue avec Demaurie, leur avait dit de laisser tomber les auditions versaillaises, Fabrice et Magalie entreprirent de se rendre chez le juge d'instruction à Neuilly. Ils avaient appelé son cabinet au préalable et selon sa greffière, « monsieur le juge » jouissait d'une semaine de vacances. Après une brève hésitation, il décidèrent tout de même d'y aller et puis Neuilly était sur le chemin du retour, alors autant en profiter.

Fabrice stationna la voiture, en vrac, sur la sortie bateau de la maison du magistrat. Ils sonnèrent à plusieurs reprises et attendirent plusieurs minutes mais personne ne vint leur ouvrir. Seul le chien, visiblement enfermé dans la maison, hurlait à la mort. Fabrice intrigué se hissa sur le portail pour jeter un œil à la propriété.

— Il n'est pas là et ça fait plus d'un jour, leur expliqua une vieille femme avec un caniche au bras.

Blonde décolorée, parfaitement assortie à son chien, la dame d'une classe naturelle semblait quand même avoir confondu l'ultra-chic et l'*ultra-vesti*.

— Bonjour madame, capitaine Magalie Binet, brigade criminelle, dégaina Magalie lui présentant son badge alors que Fabrice, pris sur le fait, se laissait glisser doucement jusqu'au sol. Et voici le lieutenant Fabrice Chapuis. Nous aimerions nous entretenir avec le juge Parlaci. Le connaissez-vous ?

— On se croise parfois... Lorsque nous promenons nos chiens, il nous arrive de discuter de tout et de rien. Comme de bons voisins savent le faire, en somme.

— L'avez-vous vu aujourd'hui ?

— Non et d'ailleurs c'est agaçant, cette pauvre bête qui aboie à tue-tête depuis plus de 24 heures. Elle doit mourir de faim. J'ai bien appelé les pompiers mais il semblerait que la vie d'un chien de race ne soit pas leur priorité.

— Auriez-vous les clefs de la maison ?

— Pour qui me prenez-vous ? Je ne suis pas sa bonne à tout faire, voyons ! Merci de vous occuper de ce chien. Il serait bon que le quartier retrouve sa sérénité.

Elle s'en alla en se dispensant de les saluer.

Magalie hallucinait face au comportement de la vieille femme.

— Elle est sérieuse, elle se barre, là ?

— Faut croire.

— Y a quand même des gens qui doutent de rien dans la vie.

— Tu devrais t'estimer heureuse, elle t'a adressé la parole, sourit Fabrice. Elle n'a même pas eu un regard pour moi.

— C'est juste qu'elle voulait que je la débarrasse du cabot. Fallait bien me parler pour me l'ordonner...

D'ailleurs le cabot… tu partirais en vacances en laissant ton chien à la maison, toi ?

— Certainement pas… On n'est pas pompiers mais on aime bien aider les vieilles dames, hein ?

— Bien évidemment… En revanche, je vais pas pouvoir te faire la courte échelle avec mon épaule, se désola Magalie.

— T'inquiète. Il me suffit de rapprocher la voiture du portail et le tour est joué !

Fabrice s'exécuta et se retrouva de l'autre côté de la palissade en un saut vif, habile et délicat. Une fois dans la propriété, il ouvrit le portail à sa collègue. Ils s'approchèrent de la maison. Fabrice testa à nouveau la sonnette. Personne ne vint lui ouvrir ; en revanche, le chien sentant une présence reprit de plus belle, aboyant à se rompre les cordes vocales. Magalie s'approcha de la porte-fenêtre à droite de l'entrée. Elle y jeta un œil et tenta de voir ce qui se passait à l'intérieur mais un fin voilage blanc lui obstruait la vue. Lorsque soudain, la faisant sursauter, le chien se jeta à corps perdu contre la vitre, y imprimant une tache de sang conséquente. Voyant le capitaine, le chien devint fou et se mit à arracher les rideaux à coups de pattes ensanglantées. Les yeux exorbités, le pauvre beagle avait les babines brunies par le sang coagulé. Derrière lui, crucifié au mur, Magalie aperçut le juge.

— Appelle l'identité, Fab. Et qu'ils se dépêchent car je crois que le cabot est en train de bouffer notre macchabée, grimaça-t-elle.

* * *

Mercredi 14 mai
14 h 10

Ce matin, alors que je savourais mon café crème en terrasse, la radio - ce devait être Nostalgie, je pense - crachait un vieux morceau de MC Solaar que je n'avais pas écouté depuis des lustres. À l'époque je n'étais pas un grand fan de ce monsieur… Mais là, je dois bien admettre que ça m'a choqué. J'aurais pu en être l'auteur…

« Pourquoi moi, pourquoi ce karma, zarma ?
J'ai porté la foi jusqu'à la main de Fatma
J'suis comme un gladiateur desperado,
Envoyé en enfer pour une mission commando
Lucifer ne vois-tu pas que Dieu est fort ?
Si nous sommes soudés nous t'enverrons toucher la mort !
Solaar pleure et ses larmes éteignent les flammes,
Libère les âmes, fait renaître Abraham
Le Diable est l'agonie. Unissons nos forces,
Bouddha grand architecte, Teresa bombons le torse.
Priez, aidez-moi, il chancelle, il boite,
Il se consume, il fume, il n'a plus qu'une patte
Je vois qu'il souffre, je vois qu'il hurle
Il a créé le Mal et c'est le Mal qui le brûle
Le Bien pénètre chez la Bête de l'Apocalypse
Comme poussé par une hélice pour que son aura s'éclipse
Raël, Ezéchiel
Avec la lumière combattre le Mal Suprême
Le Mal hurle, je l'entends hurler,
Des fleurs poussent, El Diablo est carbonisé
Il implose, il explose
Et de l'antimatière jaillissent des ecchymoses
Satan est mort, le Bien reprend vie
À quand la Terre comme nouveau Paradis
On ne sait plus que faire, on ne sait plus quoi faire,
L'Enfer est sur Terre et qui la gère, Lucifer. »

Solaar Pleure… Voilà la discordance… Moi je ne pleure plus ! À défaut d'être mes larmes, ce sera leur sang qui éteindra les flammes.

* * *

26

L'abjection, l'infamie, l'épouvante, en un mot l'horreur, avait atteint son paroxysme... L'adorable chien de feu Parlaci lui avait bel et bien mangé les mollets. D'après les premières constations de Franck, le juge avait dû succomber à son bourreau lundi soir, or nous étions présentement mercredi après-midi. Il était donc assez facile de constater que ce charmant petit beagle n'avait guère abusé du mets et s'était sans doute même restreint à un appétit frugal. En vain malheureusement, car ayant goûté à la tendre chair humaine, cette petite bête adorable aux babines maculées de sang irait de ce pas rejoindre son maître.

Une autre victime, mais une même scène de crime car, hormis ce petit épisode anthropophage, tout était parfaitement semblable aux modalités précédemment rencontrées par nos enquêteurs qui, un peu découragés par les circonstances, s'affairaient mécaniquement à répertorier et photographier les divers éléments et interviewer les personnes présentes. Leur dur labeur s'étala sur tout le reste de l'après-midi. Ils rentrèrent au 36 en début de soirée, démotivés, éreintés et dégoûtés car après cette journée harassante, il leur restait encore une dernière corvée : la rédaction des procès-verbaux.

— Pourquoi on n'a pas des greffiers, nous ? se désola Fabrice.

— Ouais, faudrait le proposer à Berta, s'amusa Marion.

— Ça me rend ouf ! se leva subitement Magalie, en faisant sursauter plus d'un.

— Nous aussi, alors rassieds-toi et dis-toi que plus vite tu le fais plus vite tu auras fini, lança Judith épuisée.

— J'ai fini ! Non, ce qui me rend ouf c'est qu'on n'ait pas de piste. On n'a rien ! Et puis pas le moindre indice sur les scènes de crime, à croire que ce mec n'a pas d'ADN ! Un fantôme, quoi !

— Il y a une chose qui nous échappe et tant qu'on ne met pas la main dessus… on l'a dans l'os, dit Yann.

— Il se passe quoi avec Hanin ?

— Les écoutes ne donnent rien.

— En parlant de Hanin, quelqu'un a des news de Pierre et Valérie ? demanda Judith.

— Ouais, moi, intervint Fabrice. Ils en ont encore pour deux heures avant que les mecs du 208 n'aillent les remplacer. J'en profite pour te dire que je crois qu'ils en ont un peu marre, faudrait peut-être penser à changer les équipes.

— Je voulais le faire mais avec tout ça…

— On s'égare là, recadra Magalie. Sérieux, faut trouver un truc à se foutre sous la dent, là ! Parce qu'à la vitesse où il va, le gars, on va se retrouver avec un charnier en fin de semaine.

La porte s'ouvrit.

— Luc !

— Bonsoir, je venais aux nouvelles.

— Y a du cadavre en masse et il y en a pour tous les goûts : juge, médecin, journaliste, avocat, faites votre choix, ironisa Fabrice.

— Salut Luc, lança Marion.

— Salut mon gros, sourit Magalie. T'es pas au courant ? Tu l'as pas vu… Il m'écrit de la prose maintenant.

Elle attrapa la copie de la lettre et la lui tendit. Le psychanalyste s'empara du courrier et se mit à le lire, ne comprenant pas tout de suite de quoi il s'agissait…

— Le gars, il ne doute de rien. Je suis Éros !… Moi ? Le dieu de l'amour… Cette énorme blague, ironisa-t-elle.

Pff… Je vais lui en donner, moi, des pulsions de vie, il va être surpris, le garçon !

— C'est très intéressant comme approche, pensa Luc à voix haute.

— Quoi ? Les pulsions que je vais lui coller à la gueule ? répéta la capitaine.

— Non ! Comme je vous le disais dans mon profil, il est plutôt érudit… il a même des notions en psychanalyse.

— Comment ça ? s'intéressa Judith.

— Éros et Thanatos sont en psychanalyse une sorte de yin et yang freudien. Dans le cas présent, ils ne font pas simplement référence à l'amour et à la mort comme on peut l'imaginer étymologiquement parlant, mais plutôt aux pulsions qui nous font vivre, décrites par Freud comme pulsions de vie et de mort.

— Ah O.K., comprit Magalie.

— Comme vous pouvez l'imaginer, ces deux pulsions doivent s'équilibrer pour une bonne santé mentale. Lui, notre homme, se sert de sa pulsion de mort, appelée Thanatos, pour honorer la mission qu'il s'est fixée. Par ailleurs il voit en Magalie son « Éros », si je peux me permettre le raccourci, et c'est là un aveu patent de son profond déséquilibre mental. Le plus fou, c'est qu'il en est parfaitement conscient, puisqu'il l'admet.

— C'est bien ce que je dis… il est taré. Je ne sais même pas comment il peut s'imaginer un instant que je sois d'accord pour être son Éros, comme tu dis.

— C'est là où ça devient très intéressant. Il ne se l'imagine pas, Magalie ! Il en est sûr, c'est écrit noir sur blanc, insista-t-il en tapotant le courrier avec son index.

— N'exagérons rien, dit Fabrice sceptique.

— Je n'exagère absolument pas. Il ne lui laisse pas le choix, il lui dit « *ensemble nous y parviendrons* » ou encore « *nous formons un* taijitu » et pour finir un « *n'ayez crainte, vous y arriverez grâce à votre splendide pulsion de vie.* » Pour lui, il n'y a pas l'ombre d'un doute. Magalie va le faire, elle est déjà dans la partie.

— Mais c'est super ce que tu me dis, ricana Magalie. Il est guedin au point de s'imaginer sérieusement que je vais me mettre à découper des bonshommes à tour de bras?

— Bien sûr que non! Regardez par vous-même, bon sang. Sa seule véritable peur, c'est que vous ne l'attrapiez pas. Ou plutôt, se reprit-il, que les autres, les «méchants», l'attrapent avant vous. C'est écrit tel quel!

— Je sais pourquoi, moi: dans un cas il finit en taule, dans l'autre…

— … Il finit en boîte, charria Magalie.

— Vous n'y êtes pas! Il sait qu'il ne pourra pas finir le travail, il dit ne pas avoir le temps et ne pas avoir les moyens. Mais visiblement, d'après lui, toi tu les as car c'est toi qui vas faire le taf, Magalie.

— Quoi? Jamais de la vie!

— Si, peut-être, intervint Judith le nez plongé dans la lettre.

— Bon O.K., je suis un peu tarée mais quand même… Faut pas pousser mémé!

— Il est la pulsion de mort et tu es la pulsion de vie…

— … Exactement, souffla Luc heureux de l'aide qu'allait sans doute lui apporter le commandant.

— Il ne pense pas au mode opératoire, mais à la mission en elle-même, à savoir «*tous les éradiquer*».

— J'imagine que dans ton cas ça se traduit par: tous les enfermer, expliqua Luc.

Il y eut un court silence avant que Marion n'intervienne:

— Soit! Mais quand il parle de l'hydre de Lerne… c'est les pédophiles, d'après vous?

— Sans doute, abonda Fabrice.

— Hmm, il y a un truc qui me gêne, là-dedans, les contredit Luc aussitôt. Il est parfaitement conscient qu'il n'y arrivera pas tout seul alors qu'avec Magalie il sait pouvoir le faire. Ça, c'est une chose. En revanche, je ne pense pas qu'il s'imagine pouvoir tuer tous les pédo…

— … Non, c'est de Leisure House dont il parle, coupa Magalie.

— Très probablement, oui ! enchérit Judith. Je vais demander au juge une commission rogatoire.

— Tu oublies qui sont les patrons, lui rappela Yann. Il va nous falloir plus de bonbons pour qu'un juge te l'accorde, cette commission.

— Surtout que vraisemblablement, certains juges sont de la partie. On vient quand même d'en trouver un suspendu en lambeaux à sa bibliothèque, s'amusa Marion.

— Je partage leur avis, acquiesça Magalie. On ne peut pas prendre le risque de les alerter. Regarde ce qu'ils ont fait avec Jeff, ils sont ultra-organisés. Ils vont tout faire disparaître avant qu'on n'ait eu le temps de dire ouf...

— Si ce n'est pas déjà fait, se dépita Fabrice.

— Fait chier, putain ! ronchonna Magalie.

Un autre silence, bien plus conséquent cette fois-ci. Certains relisaient attentivement le courrier, d'autres se balançaient sur leur chaise, cherchant des réponses au plafond alors que Magalie restait figée devant le tableau où étaient affichées toutes les photos concernant l'affaire.

— Il faut voir le bon côté des choses, les motiva Luc. On est maintenant certains que les deux affaires sont liées, mais aussi certains de l'innocence de Bonnet, s'il y avait encore un doute.

— On l'est d'autant plus depuis les aveux de Demaurie, expliqua Yann.

— Ah...

— ... Bref, notre gars, là, mon « Thanatos », il savait Jeff innocent, se rappela Magalie, coupant la conversation en cours. Et puis il y a ce « Julie » qui m'agace ! Vous ne trouvez pas ça chelou qu'il appelle Van den Brake par son prénom ?

— Je me suis fait la même réflexion, remarqua Luc. On croirait qu'il la connaît.

— Carrément !

— Rien d'étonnant, vu que son père est lié à sa mort, dit Marion. Enfin, d'après ce qu'il dit.

— Pas faux, ça collerait au profil en termes d'âge, dit Luc.

— C'est peut-être ça, s'exclama Magalie.

Elle se mit à faire les cent pas sous le regard inquisiteur de ses collègues.

— Mage? tenta Judith après lui avoir laissé une petite minute de réflexion.

Mais Magalie, noyée dans ses pensées, ne prit pas la peine de lui répondre.

— O.K., je vois bien que t'es partie mais j'aimerais savoir où, insista le commandant.

— Je… Si, comme tu dis, on part du principe que le gars connaissait Van den Brake…

— Oui, et? s'impatienta Marion.

— Je t'arrête tout de suite, on ne va pas rouvrir l'enquête, Mage, la prévint Judith. On n'a pas le temps. Notre homme tue à tour de bras, c'est sur lui qu'il faut se concentrer.

— Je sais! C'est là, bordel! Sous nos yeux, je le sens et j'arrive pas à mettre la main dessus, putain.

— Qu'est-ce que tu sens, Mage? Décompose tout. Explique-nous et ça va venir, la poussa Judith la sachant dotée de grandes qualités analytiques.

— Luc? demanda-t-elle en se retournant. Est-ce que la mort de Julie Van den Brake peut être… un déclencheur? C'est comme ça qu'on dit?

— Oui, c'est comme ça. Eh bien dans l'absolu oui, mais si déclic il y a, il n'y a pas vingt ans avant le passage à l'acte. Les deux s'enchaînent généralement très rapidement.

— O.K., mais maintenant imagine… Pendant vingt ans t'es persuadé de connaître l'identité du gars qui a tué ta pote que t'adorais. Tu t'es fait à l'idée, tu t'en es remis et tout le tintouin.

— Je vois où tu veux en venir mais ça ne peut pas être ça. En tout cas pas si mon profil est juste. Après…

— Pourquoi?

— Parce que Julie n'avait que 16 ans. Ça ne peut pas être son mari, elle n'en avait pas. Ça ne peut pas être son père, il est mort juste avant notre série de meurtres, et ça ne peut pas être son frère non plus… Un cousin? J'y crois pas.

— Son frère ? Pourquoi pas son frère ? s'électrisa Magalie. Elle avait un frère, la Julie ?

— Ouais, intervint Marion. Je ne sais plus ce qu'il fait mais il habite à Marseille, dans mes souvenirs.

— Putain ! Mais c'est lui ! clama Magalie.

— Oh oh oh, on se détend. Qu'est-ce qui t'arrive ? Tu vas un peu vite en besogne, s'étonna Judith.

— *Peuchère*, bordel ! C'est lui, c'est une évidence, comment on a pu louper ça, bon sang ?

— Non Magalie, c'est tout sauf évident, réfléchis, ça ne peut pas être lui. Ça voudrait dire que son père a tué sa sœur, d'après ce qu'il écrit. Ça ne colle pas, insista Luc.

— Depuis le début de l'enquête, on baigne dans « *Pédophilie River* ». Un père qui viole sa fille, quoi de plus banal. Pour le reste, un accident est si vite arrivé… En plus tout colle, tu me dis que son père est mort il y a peu !

— Il l'apprend au chevet de son père… C'est son propre père qui a tué sa sœur, y a de quoi vriller, réfléchissait Judith à voix haute, essayant de placer les pièces du puzzle.

— Et *peuchère*, les gars ! Oh ?

— Qu'est ce qui t'arrive avec tes « peuchère », Magalie ? rit Yann.

— Peuchère… Marseille ! Vous dormez ou quoi ? Il a écrit « *peuchère Bonnet* » dans sa lettre, s'emporta-t-elle.

— Thanatopracteur, marmonna Judith toujours en pleine réflexion.

— Tu dis quoi, Jude ?

— Marion ? lança-t-elle en relevant la tête. Le père Van den Brake… il était bien thanatopracteur, non ?

— Je crois bien, ouais !

— J'hallucine, putain ! On l'a ! lança Magalie. Ça y est, on le tient !

— J'appelle le juge, se précipita Yann.

— Super ! Marion, appelle Marseille tout de suite, qu'ils envoient une voiture chez lui, vérifier s'il y est, lui ordonna Judith. Fabrice…

— … Je suis sur le père, je vérifie son adresse et tout ce qui va avec.

— Tu m'enlèves les mots de la bouche… Mage, tu fais quoi, là ?

— Je sors son pedigree. Luc, tu peux y jeter un œil et nous dire si ça colle ? Quelqu'un se souvient de son prénom ?

— Raphaël, ou peut-être Gabriel, chuchota Marion déjà en attente au téléphone.

— Et moi je préviens Jean-Pierre sur-le-champ.

Ils arrivèrent à Chaville à 20 h 30, soit de justesse car trente minutes plus tard, ils auraient dû attendre le lendemain 6 heures pour une éventuelle perquisition.

Les recherches à Marseille étaient toujours en cours. Un avis de recherche national avait même été lancé, motivé par le fait que Gabriel Van den Brake était aux abonnés absents. D'après ses confrères avocats il avait, suite au décès de son père, subitement démissionné de ses fonctions au sein du cabinet de droit social marseillais qui l'employait. Les suspicions s'étaient dès lors transformées en certitude pour les agents du 304.

Le 37 bis rue de la Résistance était une petite maison de pierres meulières d'un étage plus combles. Le sous-sol était directement accessible depuis le petit jardin, bordé par un muret sur lequel une plaque branlante, clouée juste à droite du portail, indiquait *Van den Brake Thanatopraxie.* Judith, bien avisée, avait demandé une assistance policière pour s'assurer les meilleures conditions lors de l'interpellation du suspect. C'est donc une petite douzaine d'officiers qui franchirent le seuil de la propriété, tous plus aguerris les uns que les autres. Judith, en tête de cortège, toqua à la porte plusieurs fois… sans succès. Elle n'hésita pas longtemps à en autoriser l'ouverture par la force. Au vu des éléments apportés au dossier, le juge d'instruction leur avait tout de suite signé une commission rogatoire générale leur offrant le luxe de pouvoir, à peu de chose près, tout faire. Arme au poing, elle pénétra dans la maison à pas de velours, suivie de près par Fabrice, Yann et Marion. Magalie, ne pouvant pas faire de terrain, était restée avec Luc en bordure de propriété, épiant et enviant les bleus qui, eux, montaient la garde dans le jardinet. Quelques secondes à peine après qu'ils soient entrés dans la bâtisse, une alarme stridente se déclencha, étourdissant nos agents à coups de 120 décibels.

— Merde, lança Yann se servant de sa main non armée pour se boucher l'oreille gauche.

— Vous deux, trouvez-moi le nom de la boîte qui gère la sécu, tout de suite. Il faut intercepter l'appel, sinon on est grillés ! Fabrice, nous, on fait un tour rapide avant de perdre l'ouïe, grimaça Judith.

Mais le mal était fait ! Lorsque les deux éclaireurs revinrent de leur inspection, Yann leur expliqua que l'appel avait été donné et que par conséquent Gabriel les savait chez son père.

— C'est sûr que c'est lui, Judith, insista-t-il. Le gars m'a bien dit que le contrat était au nom de Gabriel et pas de son père. Il a été très malin sur ce coup.

— Doublement malin même, enchérit Marion dépitée. Il a aussi nos visages maintenant.

— Comment ça ?

— Souriez ! Vous êtes filmés, se désola la jeune femme en pointant une petite caméra au plafond.

— Cette enflure est tranquillement en train de nous mater, s'agaça Fabrice.

— Coupez-moi ça, bon sang, s'emporta Judith à son tour.

Yann appela à nouveau le service de sécurité et obtint la coupure de la transmission vidéo après cinq bonnes minutes de négociations et une équipe de policiers dépêchée sur place pour vérifier les identités. Dès lors, la perquisition pouvait commencer. L'espace privé qui occupait les deux tiers de la maison ne semblait pas présenter grand intérêt pour nos agents. En revanche, au sous-sol, les locaux professionnels du père fourmillaient d'indices divers et variés. Tout le matériel nécessaire à l'embaumement d'un corps était bien évidemment disponible sur place, ce qui n'étonna personne. Mais lorsque Marion ouvrit la porte du bureau adjacent, elle ne put retenir un cri. Le père de Julie et Gabriel était là, tranquillement installé sur son fauteuil d'un velours vert passé, un sourire aux lèvres, fixant nonchalamment d'un regard vide son invitée surprise. Tout cela sans piper mot ! Fabrice et Yann accoururent, alertés par leur collègue.

— Monsieur ?

— Tu perds ton temps, lui dit Marion.

— C'est quoi ce bordel ? se décomposa Fabrice.

— Il s'est fait la main sur le père, visiblement.

Ils s'approchèrent doucement.

Judith, Luc et Magalie entrèrent à leur tour dans le bureau et se figèrent en voyant l'homme.

— Rappelez-moi la date de sa mort, frissonna Magalie.

— Ça fait illusion de loin mais en t'approchant le taf n'est pas super, expertisa Yann.

— Je croyais qu'il était avocat, s'étonna Judith, s'approchant elle aussi du cadavre.

— Le laboratoire est dans la maison familiale, peut-être a-t-il appris avec son père, émit Luc.

— Hmm, possible.

— J'appelle l'institut, décida Judith en se retirant.

— Et moi l'identité, enchérit Fabrice. La petite a dû être embaumée ici.

Marion, Yann, Luc et Magalie se mirent à arpenter la pièce. Yann s'approcha de la table et attrapa l'une des feuilles qui y étaient posées bien en évidence.

— C'est cette liste, lança Yann. C'est LA liste ! Ils y sont tous… à l'exception du journaliste.

— Comment ça ?

Magalie vint à sa hauteur et jeta un œil par-dessus son épaule.

— Et là ! Regarde ! pointa-t-elle. C'est l'un des patrons de Leisure House, hallucina-t-elle.

Judith les rejoignit.

— Mais il y a une vingtaine de noms là-dessus.

— Ouais et il y a Hanin aussi, enchérit Yann. J'avais vu juste.

— Et ça, sur le bureau ?

Marion s'empara d'une autre lettre posée sur le bureau et se mit à la lire à haute voix :

— « Cher vous !

Il n'y a donc plus de mystère, j'évolue à présent à visage découvert. Si votre nom est sur la liste ci-jointe, priez pour que je ne vous retrouve pas car mon châtiment sera des plus cruels et des plus lents.

S'il n'est pas encore sur la liste, priez pour que vos compères ne l'y inscrivent pas. Tiendront-ils le coup ? Tiendront-il leur langue ? Allez savoir !

Pour les autres... Ceux qui ne doivent pas y voir leur nom. Pour ceux-là, je prie !... Je prie et vous explique !

Toutes les personnes nommées dans la liste ci-jointe font partie d'une organisation pédophile qui se cache derrière l'agence de location de maisons de vacances Leisure House. Vous conviendrez qu'ils ne manquent pas d'endroits pour organiser leur sauteries. C'est un réseau immense qui au fil des années s'est révélé extrêmement juteux, sans mauvais jeu de mots.

Comment en ai-je pris connaissance ? Par mon père qui lui-même était dans la partie. Il semble qu'à l'approche de sa mort il ait voulu, pour la première fois de sa vie, faire une bonne action en m'avouant l'inavouable. Cette ordure a participé à l'assassinat de ma sœur !

Si j'ai bien tout compris, après avoir été violée pendant des années, elle aurait cherché à s'émanciper de cette bande de gros dégueulasses en allant voir la police. Elle n'a visiblement pas eu le temps d'y arriver. Ils s'en sont occupés avant.

Je ne cherche aucune excuse. Il fallait que j'agisse. Vous me jugerez fou... soit ! C'est mathématique. Ils sont morts, ils ne feront plus de mal à personne. Cette simple idée me suffit à poursuivre ma mission car jamais vous ne pourrez me voler la satisfaction du travail correctement accompli. Si vous me lisez, c'est que cela ne durera pas. Alors à très vite !

P.S. : Pour les personnes bien intentionnées : dans la jolie boîte rouge, juste là, vous trouverez tout ce dont vous aurez besoin pour poursuivre mon travail... à votre façon. Et pour vous, dégénérescences innommables, sachez que je rôde, sachez que je vous traque... la journée va être longue. »

— Ça sent le sapin, s'inquiéta Yann attrapant ladite boîte rouge.

— Vous devez agir au plus vite, intervint Luc. Maintenant qu'il sait que vous êtes venus ici et par conséquent que vous l'avez identifié, les rênes sont lâchés. Plus rien ne l'arrêtera !

Yann retira de la boîte une poignée de photographies en complet désordre. Certaines étaient cornées, d'autres jaunies. Il passa quelques clichés à ses collègues alors qu'une grimace de dégoût tordait son jeune visage. Les photos ne laissaient guère de place au doute. Y figuraient des scènes apocalyptiques d'orgies pédophiles. Y régnait crûment une atmosphère insoutenable de perversion sexuelle assumée. Y évoluaient, dans des cadres allant du fabuleux kitsch des années 80 à celui du « bling-bling » des années 2000, des sous-hommes plus dégoulinants les uns que les autres se frottant à ces douces créatures aux yeux creusés et meurtries par la peur et la douleur.

— Mon Dieu, souffla Magalie. T'y retrouves parfois les mêmes... mais quinze ans plus tard.

— Il faut immédiatement mettre tous les noms de la liste sous protection, lança Judith en jetant les photos dans la boîte.

— La détention provisoire, c'est une protection, tu ne penses pas ? s'autorisa Marion dégoûtée.

— Ce n'est pas de notre ressort, on mettra sans doute les mœurs sur le coup. En attendant il faut protéger ces… pourritures. Ils doivent être jugés pour ces… horreurs… Pff… Je ne trouve pas de mots, conclut-elle en s'en allant, visiblement touchée.

27

Berta, debout à sa fenêtre, s'impatientait, lorsque enfin Judith daigna l'appeler. Elle lui fit un rapide debriefing sur la situation à Chaville. Il en arriva à la même conclusion que son commandant : il leur fallait avant toute chose organiser la protection des pédophiles incriminés.

— Envoie-moi cette liste au plus vite et je m'occupe du reste, lui proposa le divisionnaire.

— Parfait ! Nous, on fait un rapide dernier tour et on laisse les TIC s'occuper du reste. J'aimerais bien être sur Paris au cas où Van den Brake apparaîtrait.

— Très bien, fais comme bon te semble. Moi, je me dépêche de mettre en place un premier dispositif de surveillance.

— Comment je fais pour te joindre si besoin ?

— Je ne bouge pas.

— Super !

Elle raccrocha avant de rejoindre Magalie, Yann et Luc qui discutaient dans le jardin, à l'entrée de l'escalier qui menait au sous-sol.

— Alors, il te dit quoi Berta ? s'enquit Magalie.

— Il s'occupe de tout sur Paris. Je lui ai dit qu'on faisait un dernier tour ici avant de retourner au 36. Si ce que tu dis est vrai, Luc, la nuit va être longue.

— On prévient Val et Pierre ou pas ? intervint Yann.

— Oui, c'est ça que je voulais faire, se souvint Judith. Je commence à sentir la fatigue.

— T'inquiète, je m'en charge.

— Super ! Dis-leur de filer direct au 36 et de me trouver des biscuits sur ce Gabriel. La commission rogatoire couvre la téléphonie, qu'ils fassent tracer son numéro.

— On n'a pas de numéro à tracer, se plaignit Yann.

— Qu'ils se débrouillent pour me le trouver. Il nous faut ce numéro au plus vite.

— Ils n'ont qu'à appeler ses anciens collègues de taf, proposa Magalie. On sait jamais, avec un peu de chance.

— Bref, dis-leur de faire au plus vite, ça urge !

Yann hocha la tête avant de s'éloigner, le téléphone soudé à son oreille droite.

— Et nous ?

— Il est quelle heure, là ? interrogea-t-elle en regardant sa montre. 22 heures ! On refait un rapide tour de la maison… Il ne faut rien laisser au hasard et on repart illico sur Paris filer un coup de main.

Valérie fut la première à retrouver le 304. Elle s'installa à son bureau et se mit aussitôt à passer pléthore de coups de fil, espérant mettre la main rapidement sur ledit numéro de téléphone. Pierre arriva à peine dix minutes plus tard, en jogging, tout dégoulinant de sueur.

— Me regarde pas comme ça, se désola-t-il. On est restés toute la journée assis dans cette foutue voiture… Fallait que je coure. En revanche, je suis venu comme un touriste. J'ai rien, pas de plaque, pas d'arme, juste ma bi… non, rien !

— Ça te va plutôt bien, lui sourit-elle.

— Quoi ? La sueur ou le jogging ? s'amusa-t-il en se servant un verre d'eau.

— Les deux !

— Alors on a quoi ?

Il s'approcha, jetant un coup d'œil furtif à l'écran de Valérie.

— Pour le moment, rien.

— Bon, je te laisse t'occuper de son téléphone.

— Et toi ?

— J'ai eu Yann. Je lui ai demandé s'ils avaient trouvé une caisse chez le vieux. Il m'a dit que non, l'informa-t-il en s'asseyant à son bureau. Je me suis dit qu'un gars qui habite dans un pavillon à Chaville avait forcément une voiture.

— Pas con ! Surtout un thanatopracteur qui se balade avec son matériel sous le bras.

— Exactement. Bon, je me mets sous casque, tu hurles, si besoin.

— O.K.

Le petit convoi de trois voitures filait à vive allure le long du quai du Point-du-Jour, se reflétant sur les immenses façades des bâtiments ultra-contemporains tel que celui du siège social de TF1. Les flashs bleu électrique des gyrophares tournoyant sur les trois pavillons se réfléchissaient sur les gigantesques et extraordinaires baies vitrées transformant, à leur passage, la voie rapide en simili boîte de nuit.

En tête de cortège, dans la Golf, Judith, Magalie et Luc, plongés dans un silence abyssal, ouvraient la marche. Judith regarda son rétroviseur et fut éblouie par la Clio de Yann et Marion qui ne la lâchait pas d'une semelle, suivie elle-même par Fabrice qui, en fin de peloton, s'était retrouvé seul au volant de son petit bolide.

— Tu veux que je te dépose quelque part, Luc ? proposa Judith.

— Non je préfère rester avec vous. Enfin, si cela ne vous dérange pas, bien sûr ?

— Bien au contraire, le rassura Magalie. C'est un peu grâce à toi qu'on en est là.

— C'est un sport d'équipe, dira-t-on, sourit-il.

À hauteur des boulevards des Maréchaux, des travaux bloquaient la voie Georges-Pompidou, forçant Judith à bifurquer pour se retrouver ralentie avenue de Versailles.

— J'en ai sérieusement ma claque de tous ces bouchons, s'agaça-t-elle. On se retrouve presque à l'arrêt et il est 23 heures, c'est quand même fou.

— Tiens, c'est bon, le bus te laisse passer. Tu peux te faufiler, par là, lui indiqua Magalie.

La voie de bus leur fit gagner un temps considérable. Une fois arrivés devant la maison de la Radio, ils furent surpris par la présence d'un nombre assez conséquent de véhicules de police. Judith traça sa route, sachant son temps précieux.

— Chelou quand même, se contorsionna Magalie cherchant à voir ce qu'il s'y passait.

— On n'a pas le temps, la recadra Judith en engageant à nouveau le véhicule sur la voie sur berge.

Magalie, mordue par la curiosité qui la caractérisait, s'autorisa à allumer la radio, partant à la pêche aux infos. Elle régla le poste sur une fréquence d'information et augmenta le volume.

« Eh bien, pour le moment je ne peux rien vous dire, Jean-Laurent. Tout ce que je vois, c'est que les agents de la force publique présents sur place semblent très préoccupés... – Alexandra !... Alexandra, désolé mais je dois vous couper. Je passe à l'antenne Karine Horbinger qui, elle, est en direct de la rue d'Ouessant à Paris 15e, Karine, c'est à vous »

— C'est à deux pas de chez moi, s'étonna Luc.

« Oui, Jean-Laurent, comme je vous le disais tout à l'heure on parle, ici, de trois coups de feu. Détonations entendues par plusieurs personnes ici, au 12 de la rue. Je suis actuellement chez un voisin où, de sa fenêtre, j'aperçois parfaitement les techniciens de l'identité à l'œuvre dans l'appartement du troisième étage, théâtre de la tragédie. Il s'agit vraisemblablement d'une exécution, d'après les bruits de couloir. L'homme qui vivait ici, un certain Alexis Rivat d'après mes infor... »

— Putain, s'écria Magalie.

— Coups de feu, déglutit Judith. Il est passé à l'arme à feu.

— C'était à prévoir. Il sait qu'il ne lui reste que quelques heures et il veut faire un maximum de victimes d'ici là, expliqua Luc.

— Et pourquoi personne ne nous a prévenus, bon sang ? se sidéra Magalie en extirpant son téléphone de la poche intérieure de sa veste en cuir.

« Il est mort sur le coup… – Karine, je vous coupe et reviens vers vous au plus vite – Très bien, Jean-Laurent. Chers auditeurs, fermez vos portes à double tour, j'apprends à l'instant que notre tireur fou vient de faire une nouvelle victime. Dans le 14e cette fois-ci. Nous en sommes à trois pour le moment. »

Berta fit irruption au 304, faisant sursauter Valérie.

— Judith n'est pas encore là ? tonna-t-il.

Pierre enleva son casque, remarquant enfin la présence de son supérieur.

— Ils sont en route, lui répondit timidement Valérie.

— J'apprends à l'instant qu'Alexis Rivat, présent sur la liste, vient d'être exécuté sommairement chez lui.

— Il n'était pas sous surveillance ? s'étonna Pierre.

— Ça prend du temps d'organiser une surveillance efficace sur plus de quinze victimes potentielles… Surtout quand la liste n'est pas exhaustive !

— Comment ça, elle n'est pas exhaustive ? rétorqua Valérie.

— Parallèlement, il y a eu deux morts de plus et ce en l'espace d'une demi-heure, gronda-t-il.

— Je ne comprends pas, s'excusa Pierre un peu ahuri.

Le téléphone de Berta se mit à tinter à travers la pièce. Il décrocha.

— Mais où es-tu, bon sang ? Ça canarde dans tous les sens à Paris… On ne les a pas encore tous localisés, il nous faut trouver leur adresse… As-tu une idée du nombre d'Alexis Rivat qui habitent à Paris, Judith ? Très bien, je te les envoie sur-le-champ, conclut-ilen raccrochant.

Il trifouilla nerveusement son Smartphone à la recherche du listing correspondant aux quelques adresses qu'il savait appartenir aux futures victimes de Van den Brake, mais il n'eut pas le temps de mettre la main sur le mail que son téléphone se remit à sonner. Il ne reconnut pas le numéro.

— Jean-Pierre Berta ! s'annonça-t-il avant de plisser les yeux, ne comprenant pas tout de la logorrhée interminable de son interlocuteur... Qui êtes-vous ? Lieutenant quoi ? Je vous entends mal ?... Comment ? Mais où ça ?... Le capitaine Binet, me dites-vous ?... Je m'en charge. Où se trouve ce bistrot ? s'enquit-il, claquant des doigts à l'attention de Pierre. Au 36 rue Croix-des-Petits-Champs, dans le premier, répéta-t-il à haute voix.

Pierre, déjà branché sur Google Maps, entra l'adresse.

— On est à cinq minutes, lui chuchota-t-il.

Berta acquiesça avant de reprendre.

— On ne sera pas longs ! Dix minutes au plus... En attendant, ne faites rien sans mon autorisation, est-ce clair ? s'imposa le divisionnaire.

Le cortège des trois voitures était lancé à grande vitesse sur le quai Francois-Mitterand qui longeait le Louvre. La façade du bâtiment royal, zébrée d'un cyan saillant, éblouissait le visage des quelques touristes nocturnes qui y traînaient encore.

Magalie, concentrée sur les informations, mit un certain temps à réagir.

— Mage ! Ton téléphone ! lui indiqua Judith.

— Berta, informa-t-elle ses covoituriers avant de décrocher... On est en train d'arriver au bureau... O.K. La rue quoi ?... Je vois très bien où c'est. On en a pour trois minutes... Très bien, on se rejoint sur place, commissaire, dit-elle avant de raccrocher. Jude, tourne là, rue du Louvre, il y a un changement de plan.

Judith s'exécuta. La rue Croix-des-Petits-Champs s'incrustait discrètement entre le Palais-Royal et la Chambre de commerce et d'industrie, reliant la rue Saint-Honoré à la place des Victoires.

Nos agents arrivèrent devant le petit bistrot appelé *Le Pot de Vins. Ça ne s'invente pas*, pensa Magalie. Ils furent surpris d'y trouver la presse.

— Ils perdent pas de temps, ceux-là.

— Il t'a dit quoi, Berta ? s'informa Judith.

— De l'attendre et de ne rien tenter d'ici là.

Un policier en uniforme vint toquer à la fenêtre côté conducteur.

— Commandant Lagrange, s'annonça Judith.

— Bonsoir commandant, on doit attendre le capitaine…

— Je suis là, lui indiqua Magalie.

— Que s'est-il passé au juste ? s'enquit Judith alors que Marion montait à l'arrière de la voiture.

Fabrice et Yann préférèrent rester hors du véhicule, estimant y avoir un meilleur point de vue sur le restaurant.

— On était censés monter la garde devant le bâtiment juste là. Et c'est là qu'on l'a vu, le fameux type. On est sortis de la voiture et il s'est mis à courir. Jusqu'à ce qu'il entre dans le bistrot.

— Il y a combien de personne dedans ?

— Il a laissé sortir tout le monde sauf une serveuse. C'est comme ça qu'il a fait passer le mot disant qu'il ne parlerait qu'au capitaine Binet. Vous devriez peut-être y aller, non ?

— On attend le divisionnaire.

— Très bien, faites-moi signe. Je vais calmer la presse en attendant, dit-il avant de s'éloigner.

— Magalie, t'as déjà fait ce genre d'exercice ? lui demanda Luc.

— Si l'exercice c'est la prise d'otage… Non, mais j'ai eu droit à des cours théoriques à l'école, ricana-t-elle.

— O.K. Quelques règles à savoir : premièrement et c'est la base, pas de mouvement brusque, toujours tes mains en évidence. Il faut le rassurer dès le départ sur tes intentions, il faut donc que physiquement tu sois le plus détendue possible. C'est clair ?

— Parfaitement. Je ne lui saute pas dessus, en gros, rit-elle.

— Mage, bon sang ! Il n'y a rien de drôle là-dedans, s'énerva Judith, cachant sa grande inquiétude.

— Oui c'est compris, se ravisa Magalie, ne voulant pas faire de vague.

— Très bien ! Ensuite, tu te présentes et, si jamais, tu présentes les personnes avec toi. Il faut qu'il vous humanise, si je puis dire.

— Je me présente, et après ?

— Après tu gardes tes distances, physique et psychologique. Tu ne t'approches pas de lui et tu le vouvoies. Et tu lui sers des phrases apaisantes. Dans ce cas de figure, dis-lui que tu comprends parfaitement comment il en est arrivé là, etc. J'oubliais, appelle-le par son prénom et utilise celui-ci un maximum de fois. C'est très important, Magalie. Tu comprends ?

— Oui, je me présente et je présente tout le monde, je garde mes distances et je l'appelle Gabriel dès que l'occas' se présente et je le rassure sur mes intentions aussi.

— Il te faudra avoir l'air le plus sincère possible.

— C'est noté ! Je crois que c'est Berta, les informa-t-elle.

Après un rapide débrief avec le divisionnaire, ordre fut donné d'entamer les négociations. Le preneur d'otage n'avait pour le moment qu'une seule exigence, celle de voir Magalie. Berta estima que lui en donner l'opportunité serait un gage de bonne foi mais il était hors de question de la laisser partir seule.

Magalie toqua trois coups à la baie vitrée du petit bistrot. Gabriel s'était réfugié avec son otage au fond de la salle. Elle ouvrit la porte et s'annonça aussitôt d'une voix douce et posée :

— Gabriel, je suis le capitaine Magalie Binet. Je rentre. Je suis accompagnée par deux de mes collègues.

Les mains écartées et grandes ouvertes, elle s'avançait à pas de chat, suivie de près par Luc et Judith qui adoptèrent à peu de chose près le même comportement. Lorsqu'il aperçut les collègues de Magalie, il se mit à hurler.

— Putain, j'avais pourtant dit que je ne voulais voir personne d'autre que vous !

Magalie, les mains toujours en évidence, lui sourit.

— Gabriel, vous savez très bien que mes supérieurs ne pouvaient pas me laisser venir jusqu'ici seule et sans arme. Mais rassurez-vous, nous ne vous voulons aucun mal. Tout va très bien se passer.

L'homme, une arme à la main, caché derrière son otage, manifestait des signes patents de très grande anxiété.

— C'est moi qui ai choisi mes accompagnants, reprit Magalie. Il y a, ici, Judith qui est ma chef et ma meilleure amie et là, c'est Luc… qui, lui, est un collègue de confiance.

Gabriel dévisageait nerveusement Judith et Luc sans piper mot.

— Tu… vous pouvez être rassuré, nous sommes là pour vous aider…

L'homme ne réagissait pas. Son regard sautait de Judith à Luc en passant par Magalie. Elle comprit qu'il fallait vite ramener son attention sur elle.

— Bon écoute, Gabriel, je vais te tutoyer, ça détendra un peu l'atmosphère, lança la capitaine sous le regard effaré de ses deux coéquipiers. J'espère que ça ne t'embête pas ? C'est juste que j'ai pour habitude de tutoyer tout le monde, tu vois. Là, c'est qu'il y a un mec dehors qui m'expliquait qu'il fallait garder de la distance, bla bla bla… Tu vois le délire… Le truc, c'est que ça risque de pas être très naturel, je voudrais pas que tu t'imagines des choses à cause de ça, alors… Après si tu veux que je te vouvoie, dis-le moi.

Elle lui offrit deux secondes de réflexion.

— Je peux te tutoyer ? insista-t-elle pour avoir une réponse.

— Oui, bien sûr !

Étrangement, l'approche fut la bonne. Gabriel se dénoua et adopta aussitôt une attitude corporelle moins méfiante.

— Bon, je vois bien que tu doutes des deux, là, mais il faut que tu saches que si tu doutes d'eux tu dois douter de moi. On est tous fait du même bois. T'as pas de souci à te faire. O.K. ?

— O.K., marmonna-t-il.

— Bien, maintenant que les présentations sont faites... Si tu m'expliquais les raisons de ma présence ? continua-t-elle sur le même ton, voyant qu'elle avait vu juste.

— Je veux m'assurer que tous ces enculés finiront bien en prison, rugit-il.

— O.K. Ça nous fait au moins un point commun.

— Ils ont violé et tué des dizaines de gamins, il ne faut pas qu'ils puissent s'en sortir, vous comprenez ? s'adressa-t-il au trio cette fois-ci.

— Comment ça, des dizaines ? Pour le moment, si on considère que votre sœur fait partie de la liste, on n'a que deux corps ? s'enquit Judith.

— Hahaha, rit-il forcé par les nerfs. J'ai eu tout loisir d'enquêter ; avec l'identité virtuelle de mon père, des portes se sont ouvertes et je peux vous assurer qu'il y en a des dizaines, voire peut-être plus, expliqua-t-il, se figeant soudain. C'est de traite humaine dont on parle ici. Vous comprenez ? Il y a tout un réseau derrière Leisure House : des transporteurs, des recruteurs, des rabatteurs, il y a même des casteurs. Oui, au cas où l'un des clients aurait une demande spéciale, voyez-vous. Ce sont tous des raclures ! rougit-il, le souffle court.

— Très bien, mais tu pourrais nous expliquer tout ça calmement au bureau, tenta Magalie, comprenant l'urgence d'éloigner l'otage. Allez, laisse-la partir et viens avec nous.

— Le gros de leur vivier se trouve en Europe de l'Est pour les blancs, garçons et filles confondus, mais ils ont aussi des contacts au Sénégal et en Gambie pour les très jeunes éphèbes noirs, s'obstina-t-il. Tous les mois, ils organisent des week-ends de débauche dans leurs villas luxueuses. Ils appellent ça « la mensuelle »...Mais vous vous rendez compte, s'emporta-t-il. Il faut leur faire la peau à tous ces bâtards. Sans oublier leurs patrons. Il faut directement couper la tête du dragon.

Judith, craignant que l'homme ne perde définitivement le contrôle, dégrafa discrètement son holster et garda la main sur la crosse de son Glock.

— Gabriel, écoute-moi ! Gabriel, là tu es en train de t'énerver. Tu es en train de faire peur à la dame...

— ... Je veux juste que vous compreniez, bon sang !

— Et on comprend parfaitement, Gabriel ! dit-elle d'un ton monocorde. On comprend, bien sûr. Comment ne pas le faire ? s'adoucit-elle encore plus, retrouvant l'attention du ravisseur. On est juste, et c'est affreux à dire, mais on est juste plus habitués que le commun des mortels. C'est notre quotidien et c'est sans doute pour ça que tu doutes de notre bonne foi. Nous ne sommes pas insensibles à tes propos, Gabriel, bien au contraire... Tu aurais dû nous voir chez ton père. On n'en menait pas large, je peux te l'assurer.

— Vous me croyez, alors ? lança-t-il, soulagé.

— On a vu les photos, Gabriel. Bien sûr qu'on te croit !

— Vous allez vous occuper d'eux alors, même des patrons ?

— Bien sûr ! Que vas-tu t'imaginer ? Je ne suis à la solde de personne, Gabriel. Je te jure que la seule chose qui me motive à cet instant, c'est de mettre tous ces enfoirés derrière les barreaux. Et j'ai bien dit tous, tu peux être rassuré. Alors maintenant, fais-moi confiance et relâche-la, s'il te plaît. Tu ne vois pas que tu l'effraies ? Elle est innocente, Gabriel.

— Je ne lui ferai aucun mal. Elle n'y est pour rien. Elle est innocente, je ne lui ferai rien.

— Raison de plus pour la laisser partir, lui murmura Magalie d'une voix suave.

L'homme relâcha son étreinte et libéra la jeune femme. D'un geste maladroit et d'une main mal assurée, il pointa son revolver vers Magalie. Judith, alerte, dégaina aussitôt son Glock, augmentant d'un cran la lourdeur de l'atmosphère. Luc lança un signe à l'otage l'incitant à sortir, ce qu'elle fit sans se faire prier.

— Super Gabriel, lui sourit Magalie. Et merci.

— Elle savait que je ne lui ferais pas de mal. Je lui avais dit avant votre arrivée. Je ne suis pas un assassin sanguinaire comme l'imaginera sans doute le monde entier. Je punis les coupables, je ne m'attaque pas aux innocents.

— Je le sais, Gabriel. Maintenant baisse ton arme. Il faut qu'on se dépêche avant que la presse soit devant la porte et te harcèle à coup de questions improbables. En plus, tu dois être fatigué, tenta-t-elle.

— Non, capitaine, je ne peux pas !

— Allez Gabriel, on perd un temps précieux, là. Il faut nous laisser travailler maintenant, surtout que d'après tes dires on a du pain sur la planche.

Magalie forçait son sourire. La situation lui échappait, elle le savait. Elle le sentait.

— Vous ne comprenez pas, capitaine.

— Je ne comprends pas quoi, Gabriel ?

— Je suis coupable, moi aussi. J'ai enfreint le sixième commandement.

Il retourna l'arme contre sa tempe et appuya sur la détente sans la moindre hésitation. Le chien se leva et vint aussitôt percuter la douille, libérant la balle de 357 magnum. L'assourdissante détonation assomma Magalie. Gabriel s'effondrait silencieusement sur le sol lorsque trois agents du RAID, cagoulés, firent irruption dans le restaurant, arme au poing. La bouche entrouverte, les yeux plissés par de violents acouphènes, Magalie, incrédule, fixait le cadavre à ses pieds, gisant sur le carrelage, le crâne à moitié éclaté.

* * *

Je sens votre souffle sur ma nuque. Vous êtes juste là, derrière moi, tout près.

Ce n'est plus qu'une question d'heures... de minutes peut-être ? Les jeux sont faits ! Il n'y a plus de retour possible.

Je m'en vais, de ce pas, te rejoindre, sœurette.

Beaucoup d'entre vous ne comprendront pas. Beaucoup d'entre vous me jugeront... mal ! D'autres loueront mon courage et ma détermination. Foutaises !

Je ne veux pas être un symbole et encore moins un martyr. J'ai simplement fait ce que je pensais être juste en mon âme et conscience. Je sais ne pas avoir de circonstances atténuantes. Je ne suis pas dupe. Mes intentions ne sont pas louables ! Ni mon âme ni ma conscience ne sont honorables. Je suis simplement rongé par une immense soif de vengeance. La justice aurait dû être à la hauteur !
J'étais un homme de loi. Je suis aujourd'hui un homme de conviction.
André Malraux disait « Le sacrifice est le seul domaine aussi fort que celui du mal. » Par vengeance, je me sacrifie pour éradiquer le mal !
Je me croyais sensible, honnête et loyal, je me découvre froid, radical et barbare. Fils de mon père, je suis l'abject rejeton du mal incarné. Le mal périra par le mal !
Ainsi soit-il !

***

28

Magalie n'eut pas à attendre que son réveil sonne pour se lever car la nuit avait été des plus courtes. La veille au soir, après que Judith l'eut déposée, elle était, contre toute attente, parvenue à s'endormir assez rapidement mais avait vite déchanté lorsqu'elle s'était réveillée trois heures plus tard. Elle passa le reste de sa nuit à somnoler sans jamais vraiment réussir à se rendormir.

Une fois dans le salon, elle se prépara un petit déjeuner et alluma la radio qui, pour son plus grand plaisir, diffusait *Summertime* par l'incontournable Sidney Bechet. Elle attrapa son téléphone et se décida enfin à écouter le message que Cathy lui avait laissé la veille. Comme elle s'y attendait, la femme semblait très énervée. *« Tu ne réponds pas ? Pas étonnant, lâche que tu es ! Je comprends mieux tes questions maintenant. Te rends-tu compte de ce que tu as fait ? Me mettre dans les bras d'un assassin doublé d'un pédophile et ce, sans aucune gêne… Je suis quoi moi, au juste ? De la chair à canon ! Une pute de moins dans ta ville, c'est pas vraiment grave, hein ? Et puis autant faire d'une pierre deux coups ! T'as dépassé les bornes, Binet. Je te souhaite de ne pas me croiser ! Va crever en enfer ! »*. Magalie, désenchantée, jeta son téléphone sur sa table basse. Elle resta là à le fixer un long moment, complètement amorphe. Quand soudain la douce trompette du jazzman se tut. *« Il est 9 heures, place aux infos. Et en direct du 36 quai des orfèvres, Jean-Pierre Berta, commissaire divisionnaire, bientôt au micro de Karine Horbinger qui a eu une longue nuit, n'est-ce pas, Karine ? »*

Magalie se leva, rejoignit la cuisine, attrapa une pomme et se fit couler un deuxième café. « *Oui effectivement, mais par chance elle touche à sa fin – Vous aurez bien mérité votre repos quoiqu'il... – Je vous coupe, le commissaire fait son entrée. Il a le visage tiré et il est accompagné du préfet de police de Paris. Il semblerait d'ailleurs que ce soit le préfet lui-même qui ouvre la conférence, on l'écoute – Bonjour, hier soir un homme du nom de Gabriel Van den Brake a fait quatre victimes par arme à feu dans Paris. Le motif semble avoir été la vengeance. Pour information, Gabriel Van den Brake n'est autre que le frère de Julie Van den Brake, victime elle-même d'un assassinat il y a dix-neuf ans. Cette affaire a refait parler d'elle en début de semaine car Jean-François Bonnet, qui avait alors été jugé coupable du meurtre de Julie Van den Brake, a été retrouvé mort lundi matin aux côtés d'une autre présumée victime. Victime qui n'est à ce jour pas encore identifiée. Cette affaire a relancé le débat sur la peine de mort et la liberté conditionnelle. Or, à la lumière des nouveaux éléments et suite aux événements de cette nuit, il n'est à présent plus possible de croire en la culpabilité de monsieur Bonnet. Il paraît clair aujourd'hui qu'il a lui-même été la victime d'une machination visant à protéger les notables d'une organisation pédophile bien établie à Paris. Nous avons appris l'existence de ce réseau par Gabriel Van den Brake, dont le père aujourd'hui décédé était un membre actif...* » Une fois que le café eut fini de couler, Magalie s'en empara et retourna s'installer confortablement au fond de son canapé. Elle s'y allongea et se couvrit du plaid qui se trouvait à ses pieds. « *...En l'apprenant, Gabriel a dès lors basculé dans une folie criminelle et s'est mis à chasser et tuer toutes les personnes qu'il suspectait d'appartenir à ce groupuscule. L'enquête définira si oui ou non les victimes de cette nuit étaient, elles aussi, membres de cette organisation. Par ailleurs, ce matin à 6 heures nous avons procédé à une série d'arrestations. Arrestations en lien avec ladite organisation. Jusqu'ici, l'enquête était menée par les agents du groupe 304 de la brigade criminelle de Paris et plus particulièrement par le capitaine Magalie Binet, qui a dû faire face à un grand nombre de critiques ces dernières 72 heures.*

Critiques qui s'avèrent aujourd'hui totalement gratuites et sans fondement. Je tiens donc à féliciter le commissaire divisionnaire Jean-Pierre Berta ici présent ainsi que tout le groupe 304 qui, à force de persévérance et de conviction, nous a permis de mettre à jour cet infâme trafic d'enfants. Le dossier a été relayé ce matin très tôt à la brigade des mœurs de Paris... Nous vous tiendrons régulièrement informés de l'avancement de l'enquête. Une autre conférence de presse se tiendra demain matin ici même. Merci pour votre écoute...» Magalie attrapa la télécommande de la chaîne. «*...Vous êtes là ? Karine, que se passe-t-il ? – Rien, le préfet s'en est allé suivi par le commissaire divisionnaire Berta. Nous sommes tous un peu assommés par les révélations du préfet...*» Magalie, lassée, éteignit la radio et se laissa enlacer par Morphée.

La veille au soir, Judith et Magalie s'étaient fixé rendez-vous pour le déjeuner, profitant du fait que le groupe soit de repos en ce jeudi bien ensoleillé, rattrapant ainsi son week-end travaillé.

Judith regarda sa montre, il était midi et quart. Elle était attablée à la vitrine du restaurant *Méli Mellow* qui faisait l'angle de la rue de Bagnolet et de la rue Ligner, à une trentaine de mètres à peine de chez Magalie...

— Bonjour ma jolie dame, comment puis-je faire naître un sourire sur ce si beau visage ? lui chantonna le serveur. Un verre de vin et un bon bacon-cheese, peut-être ?

Judith fut surprise par la bonhomie de cet homme au visage saillant, fin comme un piquet qui, armé d'un sourire pandémique, venait de faire irruption dans son champ visuel.

— Euh, bafouilla-t-elle. J'attends une amie pour passer...

— Salut tout le monde, apparut à son tour Magalie. Jude, désolée pour le retard.

— Ma chérie, comment vas-tu ? l'embrassa-t-il. J'ai cru comprendre que la semaine avait été dure.

— Trois fois rien, dédramatisa-t-elle. Judith, Lionel. Lionel, Judith.

— Bonjour Lionel, souffla Judith.

— Elle est pas là, Zabo ? s'étonna Magalie.

— Non, elle est de repos ma petite femme adorée. Tu sais ce que tu veux?

— Non, vas-y, te mets pas dans le jus à cause de moi. Je regarde et te dis.

— Super. J'ai trouvé un petit bourgogne, tu m'en diras des nouvelles.

Le visage de Judith s'illumina soudain.

— Ben voilà, j'ai réussi à vous faire sourire ma jolie, se réjouit-il avant de reprendre son service.

— Il est...

— Super ! Il est super Lionel, il te requinque en deux secondes, la coupa Magalie en s'installant.

— Je veux bien te croire.

Le repas se déroula à merveille. Les copieux burgers eurent raison de la fringale de Magalie et le bourgogne émerveilla le palais de Judith.

— La bonne nouvelle, c'est qu'ils ont trouvé tout ce qu'il faut chez le père. Il y a des preuves accablantes. Ils ne pourront pas s'en sortir. Jean-Pierre m'a dit que Voiron, le gérant de Leisure House est déjà passé à table.

— Il ne lui aura pas fallu longtemps, à ce tocard ?

— Quand tu sais qu'on a des photos de lui nu en train de tirer les tétons d'une gamine de 10 ans au plus, tu te dis qu'il n'y a plus grand-chose à sauver.

— Je ne suis pas sûre de réaliser, en fait, se désola Magalie.

— J'avoue que de savoir que cette organisation opère depuis presque trente ans... ça fait froid dans le dos.

— T'as jeté un œil au journal qu'on a retrouvé sur Van den Brake ?

— Oui, j'ai même eu le temps d'en lire une bonne partie.

— Alors ?

— Il raconte ou plutôt il s'explique...

Le téléphone de Magalie se mit à vibrer.

— Excuse-moi, un instant.

— Sans problème, je vais demander un autre café à ton copain, dit-elle en hélant Lionel.

— Oui allô ?... Bonjour... Non, je sors de table... Oh ?... Bien sûr... Sans problème... Demain, à 10 heures à Meudon ?... J'y serai... Bonne fin de journée.

Magalie pensive reposa son Smartphone sur la table.

— Ça va ? s'inquiéta Judith.

— Oui, c'était Fanny Bley.

— Et ?

— Elle m'invite à l'enterrement de Jeff... demain matin... C'est vraiment arrivé, il est vraiment mort, souffla-t-elle.

Judith regardait Magalie, et fut gênée de voir les yeux de sa collègue s'embrumer.

— Désolée, se reprit Magalie la voix tremblante. Je ne sais même pas pourquoi je... C'est juste que... Il était sympa, tu sais.

— C'est ce que j'ai entendu dire, oui, sourit Judith.

— On ne peut pas sauver tout le monde, se résigna-t-elle.

— Non, on peut pas.

— Advienne que pourra... Il faut quand même essayer, conclut-elle en se redressant et en inspirant profondément.

— Oui, sourit Judith. Je t'accompagne demain ?

— Oui, s'il te plaît.

* * *

Fin du discours de Robert Badinter pour l'abolition de la peine de mort.
17 septembre 1981 – Assemblée nationale.

« Demain, grâce à vous, la justice française ne sera plus une justice qui tue. Demain, grâce à vous, il n'y aura plus, pour notre honte commune, des exécutions furtives, à l'aube, sous le dais noir, dans les prisons françaises. Demain, les pages

sanglantes de notre justice seront tournées. À cet instant (...), j'ai le sentiment d'assumer mon ministère, au sens ancien, au sens noble, le plus noble qui soit, c'est-à-dire au sens de service. Demain, vous voterez l'abolition (...).
Législateurs français, de tout mon cœur, je vous en remercie[1]. »

* * *

1. www2.assemblee-nationale.fr/decouvrir-l-assemblee/histoire/grands-moments-d-eloquence/robert-badinter-17-septembre-1981.

Remerciements

Merci à Delphine, d'être là et de me soutenir.

Merci à Bernard et Josiane Talou pour leurs corrections au pied levé.

Merci à Karine Obringer pour la motivation.

Et merci à Jean-Laurent Poitevin pour m'avoir renouvelé sa confiance.

Composition :
Soft Office

Achevé d'imprimer par GGP Media GmbH, Pößneck
en février 2017
pour le compte de France Loisirs,
Paris

N° d'éditeur : 87821
Dépôt légal : février 2017

Imprimé en Allemagne